P9-CDP-311

LIMES VERLAG

GOTTFRIED BENN

GEDICHTE

Gesammelte Werke in vier Bänden
herausgegeben von Dieter Wellershoff
Dritter Band

LIMES VERLAG

3. Auflage, 17. – 24. Tsd.

Druck: Rud. Bechtold & Comp., Wiesbaden
Einband: Karl Hanke, Düsseldorf
Entwurf für Einband und Umschlag: Martin Kausche, Worpswede
Printed in Germany

KANN KEINE TRAUER SEIN

*In jenem kleinen Bett, fast Kinderbett, starb die Droste
(zu sehn in ihrem Museum in Meersburg),
auf diesem Sofa Hölderlin im Turm bei einem Schreiner,
Rilke, George wohl in Schweizer Hospitalbetten,
in Weimar lagen die großen schwarzen Augen
Nietzsches auf einem weißen Kissen
bis zum letzten Blick –
alles Gerümpel jetzt oder gar nicht mehr vorhanden,
unbestimmbar, wesenlos
im schmerzlos-ewigen Zerfall.*

*Wir tragen in uns Keime aller Götter,
das Gen des Todes und das Gen der Lust –
wer trennte sie: die Worte und die Dinge,
wer mischte sie: die Qualen und die Statt,
auf der sie enden, Holz mit Tränenbächen,
für kurze Stunden ein erbärmlich Heim.*

*Kann keine Trauer sein. Zu fern, zu weit,
zu unberührbar Bett und Tränen,
kein Nein, kein Ja,
Geburt und Körperschmerz und Glauben
ein Wallen, namenlos, ein Huschen,
ein Überirdisches, im Schlaf sich regend,
bewegte Bett und Tränen –
schlafe ein!*

6. 1. 1956

MORGUE

KLEINE ASTER

Ein ersoffener Bierfahrer wurde auf den Tisch
gestemmt.
Irgendeiner hatte ihm eine dunkelhellila Aster
zwischen die Zähne geklemmt.
Als ich von der Brust aus
unter der Haut
mit einem langen Messer
Zunge und Gaumen herausschnitt,
muß ich sie angestoßen haben, denn sie glitt
in das nebenliegende Gehirn.
Ich packte sie ihm in die Brusthöhle
zwischen die Holzwolle,
als man zunähte.
Trinke dich satt in deiner Vase!
Ruhe sanft,
kleine Aster!

SCHÖNE JUGEND

Der Mund eines Mädchens, das lange im Schilf
gelegen hatte,
sah so angeknabbert aus.
Als man die Brust aufbrach, war die Speiseröhre
so löcherig.
Schließlich in einer Laube unter dem Zwerchfell
fand man ein Nest von jungen Ratten.
Ein kleines Schwesterchen lag tot.
Die andern lebten von Leber und Niere,
tranken das kalte Blut und hatten
hier eine schöne Jugend verlebt.
Und schön und schnell kam auch ihr Tod:
Man warf sie allesamt ins Wasser.
Ach, wie die kleinen Schnauzen quietschten!

KREISLAUF

Der einsame Backzahn einer Dirne,
die unbekannt verstorben war,
trug eine Goldplombe.
Die übrigen waren wie auf stille Verabredung
ausgegangen.
Den schlug der Leichendiener sich heraus,
versetzte ihn und ging für tanzen.
Denn, sagte er,
nur Erde solle zur Erde werden.

NEGERBRAUT

Dann lag auf Kissen dunklen Bluts gebettet
der blonde Nacken einer weißen Frau.
Die Sonne wütete in ihrem Haar
und leckte ihr die hellen Schenkel lang
und kniete um die bräunlicheren Brüste,
noch unentstellt durch Laster und Geburt.
Ein Nigger neben ihr: durch Pferdehufschlag
Augen und Stirn zerfetzt. Der bohrte
zwei Zehen seines schmutzigen linken Fußes
ins Innere ihres kleinen weißen Ohrs.
Sie aber lag und schlief wie eine Braut:
am Saume ihres Glücks der ersten Liebe
und wie vorm Aufbruch vieler Himmelfahrten
des jungen warmen Blutes.
Bis man ihr
das Messer in die weiße Kehle senkte
und einen Purpurschurz aus totem Blut
ihr um die Hüften warf.

REQUIEM

Auf jedem Tisch zwei. Männer und Weiber
kreuzweis. Nah, nackt, und dennoch ohne Qual.
Den Schädel auf. Die Brust entzwei. Die Leiber
gebären nun ihr allerletztes Mal.

Jeder drei Näpfe voll: von Hirn bis Hoden.
Und Gottes Tempel und des Teufels Stall
nun Brust an Brust auf eines Kübels Boden
begrinsen Golgatha und Sündenfall.

Der Rest in Särge. Lauter Neugeburten:
Mannsbeine, Kinderbrust und Haar vom Weib.
Ich sah, von zweien, die dereinst sich hurten,
lag es da, wie aus einem Mutterleib.

DER ARZT

I

Mir klebt die süße Leiblichkeit
wie ein Belag am Gaumensaum.
Was je an Saft und mürbem Fleisch
um Kalkknochen schlotterte,
dünstet mit Milch und Schweiß in meine Nase.
Ich weiß, wie Huren und Madonnen riechen
nach einem Gang und morgens beim Erwachen
und zu Gezeiten ihres Bluts –
und Herren kommen in mein Sprechzimmer,
denen ist das Geschlecht zugewachsen:
die Frau denkt, sie wird befruchtet
und aufgeworfen zu einem Gotteshügel;
aber der Mann ist vernarbt,
sein Gehirn wildert über einer Nebelsteppe,
und lautlos fällt sein Samen ein.
Ich lebe vor dem Leib: und in der Mitte
klebt überall die Scham. Dahin wittert
der Schädel auch. Ich ahne: einst
werden die Spalte und der Stoß
zum Himmel klaffen von der Stirn.

II

Die Krone der Schöpfung, das Schwein, der Mensch –:
geht doch mit anderen Tieren um!
Mit siebzehn Jahren Filzläuse,
zwischen üblen Schnauzen hin und her,
Darmkrankheiten und Alimente,
Weiber und Infusorien,
mit vierzig fängt die Blase an zu laufen –:
meint ihr, um solch Geknolle wuchs die Erde
von Sonne bis zum Mond –? Was kläfft ihr denn?
Ihr sprecht von Seele – Was ist eure Seele?
Verkackt die Greisin Nacht für Nacht ihr Bett –
schmiert sich der Greis die mürben Schenkel zu,
und ihr reicht Fraß, es in den Darm zu lümmeln,
meint ihr, die Sterne samten ab vor Glück . . .?
Äh! – Aus erkaltendem Gedärm
spie Erde wie aus anderen Löchern Feuer,
eine Schnauze Blut empor –:
das torkelt
den Abwärtsbogen
selbstgefällig in den Schatten.

III

Mit Pickeln in der Haut und faulen Zähnen
paart sich das in ein Bett und drängt zusammen
und säet Samen in des Fleisches Furchen
und fühlt sich Gott bei Göttin. Und die Frucht –:
das wird sehr häufig schon verquiemt geboren:
mit Beuteln auf dem Rücken, Rachenspalten,
schieläugig, hodenlos, in breite Brüche
entschlüpft die Därme –; aber selbst was heil
endlich ans Licht quillt, ist nicht eben viel,
und durch die Löcher tropft die Erde:
Spaziergang –: Föten, Gattungspack –:
ergangen wird sich. Hingesetzt.
Finger wird berochen.
Rosine aus dem Zahn geholt.
Die Goldfischchen – !!! –!
Erhebung! Aufstieg! Weserlied!
Das Allgemeine wird gestreift. Gott
als Käseglocke auf die Scham gestülpt –:
der gute Hirte –!! – – Allgemeingefühl! –
Und abends springt der Bock die Zibbe an.

MANN UND FRAU GEHN DURCH DIE KREBSBARACKE

Der Mann:
Hier diese Reihe sind zerfallene Schöße
und diese Reihe ist zerfallene Brust.
Bett stinkt bei Bett. Die Schwestern wechseln stündlich.

Komm, hebe ruhig diese Decke auf.
Sieh, dieser Klumpen Fett und faule Säfte,
das war einst irgendeinem Mann groß
und hieß auch Rausch und Heimat.

Komm, sieh auf diese Narbe an der Brust.
Fühlst du den Rosenkranz von weichen Knoten?
Fühl ruhig hin. Das Fleisch ist weich und schmerzt nicht.

Hier diese blutet wie aus dreißig Leibern.
Kein Mensch hat so viel Blut.
Hier dieser schnitt man
erst noch ein Kind aus dem verkrebsten Schoß.

Man läßt sie schlafen. Tag und Nacht. – Den Neuen
sagt man: hier schläft man sich gesund. – Nur sonntags
für den Besuch läßt man sie etwas wacher.

Nahrung wird wenig noch verzehrt. Die Rücken
sind wund. Du siehst die Fliegen. Manchmal
wäscht sie die Schwester. Wie man Bänke wäscht.

Hier schwillt der Acker schon um jedes Bett.
Fleisch ebnet sich zu Land. Glut gibt sich fort.
Saft schickt sich an zu rinnen. Erde ruft.

SAAL DER KREISSENDEN FRAUEN

Die ärmsten Frauen von Berlin
– dreizehn Kinder in anderthalb Zimmern,
Huren, Gefangene, Ausgestoßene –
krümmen hier ihren Leib und wimmern.
Es wird nirgends so viel geschrien.
Es wird nirgends Schmerzen und Leid
so ganz und gar nicht wie hier beachtet,
weil hier eben immer was schreit.

„Pressen Sie, Frau! Verstehn Sie, ja?
Sie sind nicht zum Vergnügen da.
Ziehn Sie die Sache nicht in die Länge.
Kommt auch Kot bei dem Gedränge!
Sie sind nicht da, um auszuruhn.
Es kommt nicht selbst. Sie müssen was tun!"
Schließlich kommt es: bläulich und klein.
Urin und Stuhlgang salben es ein.

Aus elf Betten mit Tränen und Blut
grüßt es ein Wimmern als Salut.
Nur aus zwei Augen bricht ein Chor
von Jubilaten zum Himmel empor.

Durch dieses kleine fleischerne Stück
wird alles gehen: Jammer und Glück.
Und stirbt es dereinst in Röcheln und Qual,
liegen zwölf andere in diesem Saal.

CURETTAGE

Nun liegt sie in derselben Pose,
wie sie empfing,
die Schenkel lose
im Eisenring.

Der Kopf verströmt und ohne Dauer,
als ob sie rief:
gib, gib, ich gurgle deine Schauer
bis in mein Tief.

Der Leib noch stark von wenig Äther
und wirft sich zu:
nach uns die Sintflut und das Später
nur du, nur du . . .

Die Wände fallen, Tisch und Stühle
sind alle voll von Wesen, krank
nach Blutung, lechzendem Gewühle
und einem nahen Untergang.

NACHTCAFE

824: Der Frauen Liebe und Leben.
Das Cello trinkt rasch mal. Die Flöte
rülpst tief drei Takte lang: das schöne Abendbrot.
Die Trommel liest den Kriminalroman zu Ende.

Grüne Zähne, Pickel im Gesicht
winkt einer Lidrandentzündung.

Fett im Haar
spricht zu offenem Mund mit Rachenmandel
Glaube Liebe Hoffnung um den Hals.

Junger Kropf ist Sattelnase gut.
Er bezahlt für sie drei Biere.

Bartflechte kauft Nelken,
Doppelkinn zu erweichen.

B-moll: die 35. Sonate.
Zwei Augen brüllen auf:
Spritzt nicht das Blut von Chopin in den Saal,
damit das Pack drauf rumlatscht!
Schluß! He, Gigi! —

Die Tür fließt hin: Ein Weib.
Wüste ausgedörrt. Kanaanitisch braun.
Keusch. Höhlenreich. Ein Duft kommt mit.
Kaum Duft.
Es ist nur eine süße Vorwölbung der Luft
gegen mein Gehirn.

Eine Fettleibigkeit trippelt hinterher.

ALASKA

Europa, dieser Nasenpopel
aus einer Konfirmandennase,
wir wollen nach Alaska gehn.

Der Meermensch, der Urwaldmensch,
der alles aus seinem Bauch gebiert,
der Robben frißt, der Bären totschlägt,
der den Weibern manchmal was reinstößt:
der Mann.

DER JUNGE HEBBEL

Ihr schnitzt und bildet: den gelenken Meißel
in einer feinen weichen Hand.
Ich schlage mit der Stirn am Marmorblock
die Form heraus,
meine Hände schaffen ums Brot.

Ich bin mir noch sehr fern.
Aber ich will Ich werden!
Ich trage einen tief im Blut,
der schreit nach seinen selbsterschaffenen
Götterhimmeln und Menschenerden.

Meine Mutter ist eine so arme Frau,
daß ihr lachen würdet, wenn ihr sie sähet,
wir wohnen in einer engen Bucht,
ausgebaut an des Dorfes Ende.
Meine Jugend ist mir wie ein Schorf:
eine Wunde darunter,
da sickert täglich Blut hervor.
Davon bin ich so entstellt.

Schlaf brauche ich keinen.
Essen nur so viel, daß ich nicht verrecke!
Unerbittlich ist der Kampf,
und die Welt starrt von Schwertspitzen.
Jede hungert nach meinem Herzen.
Jede muß ich, Waffenloser,
in meinem Blut zerschmelzen.

Wir gerieten in ein Mohnfeld,
überall schrien Ziegelsteine herum:
Baut uns mit in den Turm des Feuers
für alles, was vor Göttern kniet.

Zehn nackte, rote Heiden tanzten um den Bau
und blökten
dem Tod ein Affenlied:
Du zerspritzt nur den Dreck deiner Pfütze
und trittst einen Wurmhügel nieder, wenn du uns
zertrittst,
wir sind und wollen nichts sein als Dreck.
Man hat uns belogen und betrogen
mit Gotteskindschaft, Sinn und Zweck
und dich der Sünde Sold genannt.
Uns bist du der lockende Regenbogen
über die Gipfel der Glücke gespannt.

ÜBER GRÄBER:

Das schuftete und backte nachts gebrochen
auf schlechtes Fleisch nach alter Bäckerart.
Schließlich zerbrach das Schwein ihm doch
die Knochen.
Das Fett wird ranzig und hat ausgepaart.

Wir aber wehn. Ägäisch sind die Fluten.
O was in Lauben unseres Fleischs geschah!
Verwirrt im Haar, im Meer, die Brüste bluten
vor Tanz, vor Sommer, Strand und Ithaka.

DROHUNG

Aber wisse:
Ich lebe Tiertage. Ich bin eine Wasserstunde.
Des Abends schläfert mein Lid wie Wald
und Himmel.
Meine Liebe weiß nur wenig Worte:
Es ist so schön an deinem Blut.

MUTTER

Ich trage dich wie eine Wunde
auf meiner Stirn, die sich nicht schließt.
Sie schmerzt nicht immer. Und es fließt
das Herz sich nicht draus tot.
Nur manchmal plötzlich bin ich blind und spüre
Blut im Munde.

GESÄNGE

I

O daß wir unsere Ururahnen wären.
Ein Klümpchen Schleim in einem warmen Moor.
Leben und Tod, Befruchten und Gebären
glitte aus unseren stummen Säften vor.

Ein Algenblatt oder ein Dünenhügel,
vom Wind Geformtes und nach unten schwer.
Schon ein Libellenkopf, ein Möwenflügel
wäre zu weit und litte schon zu sehr.

II

Verächtlich sind die Liebenden, die Spötter,
alles Verzweifeln, Sehnsucht, und wer hofft.
Wir sind so schmerzliche durchseuchte Götter
und dennoch denken wir des Gottes oft.

Die weiche Bucht. Die dunklen Wälderträume.
Die Sterne, schneeballblütengroß und schwer.
Die Panther springen lautlos durch die Bäume.
Alles ist Ufer. Ewig ruft das Meer –

Da fiel uns Ikarus vor die Füße,
schrie: Treibt Gattung, Kinder!
Rein ins schlechtgelüftete Thermopylä! –
Warf uns einen seiner Unterschenkel hinterher,
schlug um, war alle.

D-ZUG

Braun wie Kognak. Braun wie Laub. Rotbraun.
Malaiengelb.
D-Zug Berlin-Trelleborg und die Ostseebäder.

Fleisch, das nackt ging.
Bis in den Mund gebräunt vom Meer.
Reif gesenkt, zu griechischem Glück.
In Sichel-Sehnsucht: wie weit der Sommer ist!
Vorletzter Tag des neunten Monats schon!

Stoppel und letzte Mandel lechzt in uns.
Entfaltungen, das Blut, die Müdigkeiten,
die Georginennähe macht uns wirr.

Männerbraun stürzt sich auf Frauenbraun:

Eine Frau ist etwas für eine Nacht.
Und wenn es schön war, noch für die nächste!
Oh! Und dann wieder dies Bei-sich-selbst-Sein!
Diese Stummheiten! Dies Getriebenwerden!

Eine Frau ist etwas mit Geruch.
Unsägliches! Stirb hin! Resede.
Darin ist Süden, Hirt und Meer.
An jedem Abhang lehnt ein Glück.

Frauenhellbraun taumelt an Männerdunkelbraun:

Halte mich! Du, ich falle!
Ich bin im Nacken so müde.
Oh, dieser fiebernde süße
letzte Geruch aus den Gärten.

ENGLISCHES CAFE

Das ganze schmalschuhige Raubpack,
Russinnen, Jüdinnen, tote Völker, ferne Küsten,
schleicht durch die Frühjahrsnacht.

Die Geigen grünen. Mai ist um die Harfe.
Die Palmen röten sich. Im Wüstenwind.

Rahel, die schmale Golduhr am Gelenk:
Geschlecht behütend und Gehirn bedrohend:
Feindin! Doch deine Hand ist eine Erde:
süßbraun, fast ewig, überweht vom Schoß.

Freundlicher Ohrring kommt. In Charme d'Orsay.
Die hellen Osterblumen sind so schön:
breitmäulig gelb, mit Wiese an den Füßen.

O Blond! O Sommer dieses Nackens! O
diese jasmindurchseuchte Ellenbeuge!
Oh, ich bin gut zu dir. Ich streichle
dir deine Schultern. Du, wir reisen:

Tyrrhenisches Meer. Ein frevelhaftes Blau.
Die Dorertempel. In Rosenschwangerschaft
die Ebenen. Felder
sterben den Asphodelentod.

Lippen, verschwärmt und tiefgefüllt wie Becher,
als zögerte das Blut des süßen Orts,
rauschen durch eines Mundes ersten Herbst.

O wehe Stirn! Du Kranke, tief im Flor
der dunklen Brauen! Lächle, werde hell:
die Geigen schimmern einen Regenbogen.

UNTERGRUNDBAHN

Die weichen Schauer. Blütenfrühe. Wie
aus warmen Fellen kommt es aus den Wäldern.
Ein Rot schwärmt auf. Das große Blut steigt an.

Durch all den Frühling kommt die fremde Frau.
Der Strumpf am Spann ist da. Doch, wo er endet,
ist weit von mir. Ich schluchze auf der Schwelle:
laues Geblühe, fremde Feuchtigkeiten.

Oh, wie ihr Mund die laue Luft verpraßt!
Du Rosenhirn, Meer-Blut, du Götter-Zwielicht,
du Erdenbeet, wie strömen deine Hüften
so kühl den Gang hervor, in dem du gehst!

Dunkel: nun lebt es unter ihren Kleidern:
nur weißes Tier, gelöst und stummer Duft.

Ein armer Hirnhund, schwer mit Gott behangen.
Ich bin der Stirn so satt. Oh, ein Gerüste
von Blütenkolben löste sanft sie ab
und schwölle mit und schauerte und triefte.

So losgelöst. So müde. Ich will wandern.
Blutlos die Wege. Lieder aus den Gärten.
Schatten und Sintflut. Fernes Glück: ein Sterben
hin in des Meeres erlösend tiefes Blau.

KURKONZERT

Über Krüppel und Badeproleten,
Sonnenschirme, Schoßhunde, Boas,
über das Herbstmeer und das Grieg-Lied:
Ob Iris kommt?

Sie friert. Der kleine graue Stock in ihrer Hand
friert mit. Wird klein. Will tiefer in die Hand.

Du, Glockenblumen in den Schal gebunden,
das weiße Kreuz aus Scheitel und aus Zähnen
liegt, wenn du lachst, so süß in deinem Braun!

Du steiles, weißes Land! O Marmorlicht!
Du rauschst so an mein Blut. Du helle Bucht!

Die große Müdigkeit der Schulterblätter!
Die Zärtlichkeit des Rockes um ihr Knie!
Du rosa Staub! Du Ufer mit Libellen!
Du, von den Flächen einer Schale steigend.
Im Veilchenschurz. Von Brüsten laut umblüht.

O Herbst und Heimkehr über diesem Meer!
Die Gärten sinken um. Machtloser grauer Strand.
Kein Boot, kein Segel geht.
Wer nimmt mich winters auf?
Aus so viel Fernen zusammengeweht,
auf so viel Sternen neu geboren
bis vor dies Ufer: — Iris geht.

FLEISCH

Leichen.
Eine legt die Hand ans Ohr:
Wat bibberste? Uff meinen heizbaren Sektionstisch?
Von wegen Fettschwund und biblisches Alter??
'ne Kinderleiche kriegste ins Gesicht!
Gichtknoten und ausgefranste Zähne
ziehn hier nicht!!
Bleib man ruhig aufs Eis liegen! –

Es entsteht Streit.
Eine Schwangere blökt. Der Mann schreit:
Weil dir jetzt der Nabel so weit nach vorne steht?
Weil ick dir mal die Ritze verkleistert habe??
Mensch, wat geht mir mein Geschlechtsorgan an!
Jeder macht seins.

Alle schreien: Sehr, sehr richtig!
Brecht aus! Beißt um euch! Peitscht die Weiber!
Das dicke Pack! Neun Monat lang
bemurkst es einen Zeitvertreiber,
den sich der Mann zum Frühstück sang.

Wer denkt an so verlorene Fernen?
Wer weiß noch Flasche, Glas und Rum?
Man war schon wieder in den Sternen,
wuchs sich entzwei, gebar sich um.

(stürzen an die Kellerfenster und schreien auf die
Straße:)
Brecht aus und laßt die Krüppel mähen!
O strömt euch aus! O blüht euch leer!
Denkt: Ithaka: die Tempel wehen
Marmorschauer von Meer zu Meer.

Denkt uns: geknechtet und gekrochen,
Spürhund nach Gott und klein und krumm:
und nun: die Demut aufgebrochen:
stinkt auch als saures Aas herum.

Ein Mann tritt auf:

Zerstoßt das Grau des Himmels! Tretet den
Norden ein!
Verkommt! Verludert! Wer wüßte eine Zukunft?
Sät nicht mehr in die Furchen, die es halten.
Verderbt den Samen! Bohrt euch selber Kuhlen!
Zeugt in euch selbst!

Wer wüßte eine Zukunft?
Das Gehirn ist ein Irrweg. Stein fühlt auch das Tier.
Stein ist. Doch was ist außer Stein? Worte! Geplärr!
(langt sich sein Gehirn herunter)
Ich speie auf mein Denkzentrum.
Worte haben wir hervorgehurt.
Mich ekelt die Blutschande.

Zerstoßt das Grau des Himmels! Tretet den
Norden ein!
Verlöscht die Sonne, macht die Erde eckig:
ihr oder sie.

Einst war das Meer im Gang. Die Wiesen riefen.
Schlaf überhing wie Fell verblühtes Blut –
die Tiere haben uns an Gott verraten –
vernäht die Lider, saugt die Schädel aus,
rasiert am Hals herum . . . steckt Sträuße rein . . .
denkt am Gesäß . . . o Traum:
bunt, wild, tieferlöst
heimgekehrt an das Rückenmark –

(ein Mann klopft ihm auf die Schulter)

Aber Mensch, beruhigen Sie sich doch!
Hier, ziehn Sie sich Ihre Hausschuh an
und nun kommen Sie mit
zu meinem Bestattungskümmel.

Eine Kinderstimme:

Ach lieber, lieber Herr Leichendiener,
noch nicht in den dunklen Sarg!

Ach erst den alten Mann! Noch diesen Streifen Licht!
So gänzlich fort –
so nimmermehr.
Ach binden Sie mir die Augen zu.

Geschrei:

Du olle schofle Bürgerhausleiche,
lehn dir nich an meinen Sarkophag!
Jutet Kiefernholz tut et ooch,
und wennste eher reinkriechst als ick,
wer ick dir eenen Goldnagel
in't Koppende schlagen.

Ein Mann:

Kinder, laßt euch das nicht gefallen!
Mit uns wird Schindluder getrieben!
Wer hat mir zum Beispiel
das Gehirn in die Brusthöhle geworfen?
Soll ich damit atmen?
Soll da vielleicht der kleine Kreislauf durchgehen?
Alles, was recht ist! Das geht zu weit!

Ein anderer:

Na und ich? Wie bin ich hergekommen!
Wie aus dem Ei gepellt!
Und jetzt?
Sie, waschen Sie mir gefälligst den Kot aus der
Achselhöhle!
Und das rechte Herzohr braucht auch nicht grade
aus dem After rauszusehn!
Das sieht ja wie Hämorrhoiden aus!

Ein Selbstmörder:

Kläfft nicht, ihr Laffen! Pack! Pöbel!
Männer, behaart und brünstig, Frauentiere, feige und
heimtückisch,
aus eurem Kotleben fortgeschlagen,
umgreint vom Menschenvieh.
Ich bin aufgestiegen wie ein junger Adler.
So stand ich: nackt, vom kalten Sternenlicht
umbrandet Stirn und Blut.

Ein Jüngling:

Ich brülle: Geist, enthülle dich!
Das Hirn verwest genauso wie der Arsch!
Schon rülpst der Darm ihn Bruder an –
schon pfeift ihm Vetter Hodensack – (stürzt auf
einen Kadaver)
ich muß noch einmal dieser frommen Leiche
den Kopf zerfleischen – Bregen vor –! Ein Fleckchen!
Ein Fleck, der gegen die Verwesung spräche!! –
Das Fleckchen, wo sich Gott erging . . .!!!

Der Schöpfungskrone gehn die Zinken aus.
Sprachzentrum ist schon weich. Denkzentrum schnürt
sein Ränzel . . . Aufbruch und Zerfall . . .
brüllt denn ihr, Fleisch, nicht Lachen Wuts empor:
Dies Gelbgestinke hat uns Gott gedacht;
blühte, wie Sommer Prunk und blaue Himmel,

Schatten und Heimat aus – –
nun werft zwölf tote Hunde hier herum,
dann riecht es wie nach uns . . .

DAS PLAKAT

Früh, wenn der Abendmensch ist eingepflügt
und bröckelt mit der kalten Stadt im Monde;
wenn Logik nicht im ethischen Konnex,
nein, kategorisch wuchtet; Mangel an Aufschwung
Bejahung stänkert, Klammerung an Zahlen
(zumal wenn teilbar), Einbeinung in den Gang
nach Krankenhaus, Fabrik, Registratur
im Knie zu Hausbesitzverein, Geschlechtsbejahung,
Fortpflanzung, staatlichem Gemeinsystem
ingrimmige Bekennung –
tröstet den Trambahngast
allein das farbenprächtige Plakat.
Es ist die Nacht, die funkelt. Die Entrückung.
Es gilt dem kleinen Mann: selbst kleinem Mann
steht offen Lust zu! Städtisch unbehelligt:
die Einsamkeit, die Heimkehr in das Blut.
Rauschwerte werden öffentlich genehmigt.
Entformung, selbst Vergessen der Fabrik
soll zugestanden sein: ein Polizist
steht selber vor der einen Litfaßsäule! –
O Lüftung! Warme Schwellung! Stirnzerfluß!
Und plötzlich bricht das Chaos durch die Straßen:
Enthemmungen der Löcher und der Lüste,
Entsinkungen: die Formen tauen
sich tot dem Strome nach.

DURCHS ERLENHOLZ KAM SIE ENTLANG GESTRICHEN – – – –

die Schnepfe nämlich – erzählte der Pfarrer –·
Da traten kahle Äste gegen die Luft: ehern.
Ein Himmel blaute: unbedenkbar. Die Schulter
mit der Büchse,
des Pfarrers Spannung, der kleine Hund,
selbst Treiber, die dem Herrn die Freude gönnten:
Unerschütterlich.
Dann weltumgoldet: der Schuß:
Einbeziehung vieler Vorgänge,
Erwägen von Möglichkeiten,
Bedenkung physikalischer Verhältnisse,
einschließlich Parabel und Geschoßgarbe,
Luftdichte, Barometerstand, Isobaren – –
aber durch alles hindurch: die Sicherstellung,
die Ausschaltung des Fraglichen,
die Zusammenraffung,
eine Pranke in den Nacken der Erkenntnis,
blutüberströmt zuckt ihr Plunder
unter dem Begriff: Schnepfenjagd.
Da verschied Kopernikus. Kein Newton mehr.
Kein drittes Wärmegesetz –
eine kleine Stadt dämmert auf: Kellergeruch:
Konditorjungen,
Bedürfnisanstalt mit Wartefrau,
das Handtuch über den Sitz wischend
zum Zweck der öffentlichen Gesundheitspflege;

ein Büro, ein junger Registrator
mit Ärmelschutz, mit Frühstücksbrötchen
den Brief der Patentante lesend.

PAPPEL

Verhalten,
ungeöffnet in Ast und Ranke,
um in das Blau des Himmels aufzuschrein –:
nur Stamm, Geschlossenheiten,
hoch und zitternd,
eine Kurve.

Die Mispel flüchtet,
Samentöter,
und wann der Blitze segnendes Zerbrechen
rauschte um meinen Schaft
enteinheitend,
weitverteilend
Baumgewesenes?
Und wer sah Pappelwälder?

Einzeln,
und an der Kronenstirn das Mal der Schreie,
das ruhelos die Nächte und den Tag
über der Gärten hinresedeten
süßen aufklaffenden Vergang,
was ihm die Wurzel saugt, die Rinde frißt,
in tote Räume bietet
hin und her.

REISE

O dieses Lichts! Die Insel kränzt
sternblaues Wasser um sich her,
am Saum gestillt, zu Strand ergänzt,
und sättigt täglich sich am Meer.

Es muß nichts zueinander hin,
die Alke, das gelappte Laub
erfüllen sich; es liegt ihr Sinn
im Mittelpunkt, den nichts beraubt.

Auch ich zu: braun! Ich zu: besonnt!
Zu Flachem, das sich selbst benennt!
Das Auge tief am Horizont,
der keine Vertikale kennt.

Schon schwindet der Verknüpfungsdrang,
schon löst sich das Bezugssystem
und unter dunklem Hautgesang
erhebt sich Blut-Methusalem.

STRAND

Mit jeder Welle schmetternd dich in Staub,
in Dorn des Ich, in alle Dünen
fruchtloser Schwemme, nicht zu sühnen
durch keinen Raum, durch keinen Raub –

immer um Feuerturm und Kattegatt
und Finisterre der letzten Ländlichkeiten,
die Bojen taumeln, hinter sich das Watt,
einäugig tote Unaufhörlichkeiten –

oh, ihrer Dialektik süßer Ton
des Möwentons gesammelt und zerrüttet –
Identität, astrales Monoton,
das nie verfließt und immer sich verschüttet –

du, durch die Nacht, die Türme wehn wie Schaum,
du, durch des Mittags felsernes Gehänge –
nur tauber Brand, nur leere Länge
aus jedem Raub, aus jedem Raum.

KARYATIDE

Entrücke dich dem Stein! Zerbirst
die Höhle, die dich knechtet! Rausche
doch in die Flur! Verhöhne die Gesimse –
sieh: Durch den Bart des trunkenen Silen
aus seinem ewig überrauschten
lauten einmaligen durchdröhnten Blut
träuft Wein in seine Scham!

Bespei die Säulensucht: toderschlagene
greisige Hände bebten sie
verhangenen Himmeln zu. Stürze
die Tempel vor die Sehnsucht deines Knies,
in dem der Tanz begehrt!

Breite dich hin, zerblühe dich, oh, blute
dein weiches Beet aus großen Wunden hin:
sieh, Venus mit den Tauben gürtet
sich Rosen um der Hüften Liebestor –
sieh dieses Sommers letzten blauen Hauch
auf Astermeeren an die fernen
baumbraunen Ufer treiben; tagen
sieh diese letzte Glück-Lügenstunde
unserer Südlichkeit
hochgewölbt.

IKARUS

I

O Mittag, der mit heißem Heu mein Hirn
zu Wiese, flachem Land und Hirten schwächt,
daß ich hinrinne und, den Arm im Bach,
den Mohn an meine Schläfe ziehe –
o du Weithingewölbter, enthirne doch
stillflügelnd über Fluch und Gram
des Werdens und Geschehns
mein Auge.
Noch durch Geröll der Halde, noch durch Land-aas,
verstaubendes, durch bettelhaft Gezack
der Felsen – überall
das tiefe Mutterblut, die strömende
entstirnte
matte
Getragenheit.

Das Tier lebt Tag um Tag
und hat an seinem Euter kein Erinnern,
der Hang schweigt seine Blume in das Licht
und wird zerstört.

Nur ich, mit Wächter zwischen Blut und Pranke,
ein hirnzerfressenes Aas, mit Flüchen
im Nichts zergellend, bespien mit Worten,
veräfft vom Licht –
o du Weithingewölbter,

träuf meinen Augen eine Stunde
des guten frühen Voraugenlichts –
schmilz hin den Trug der Farben, schwinge
die kotbedrängten Höhlen in das Rauschen
gebäumter Sonnen, Sturz der Sonnen-sonnen,
o aller Sonnen ewiges Gefälle –

II

Das Hirn frißt Staub. Die Füße fressen Staub.
Wäre das Auge rund und abgeschlossen,
dann bräche durch die Lider süße Nacht,
Gebüsch und Liebe.
Aus dir, du süßes Tierisches,
aus euern Schatten, Schlaf und Haar,
muß ich mein Hirn besteigen,
alle Windungen,
das letzte Zwiegespräch –

III

So sehr am Strand, so sehr schon in der Barke,
im krokosfarbnen Kleide der Geweihten
und um die Glieder schon den leichten Flaum –
ausrauschst du aus den Falten, Sonne,
allnächtlich Welten in den Raum –
o eine der vergeßlich hingesprühten
mit junger Glut die Schläfe mir zerschmelzend,
auftrinkend das entstirnte Blut –

KRETISCHE VASE

Du, die Lippe voll Weingeruch,
blauer Ton-Zaun, Rosen-Rotte
um den Zug mykenischen Lichts,
Un-geräte, Tränke-Sehnsucht
weit verweht.

Lockerungen. Es vollzieht sich
Freigebärung. Lose leuchtend
Tiere, Felsen, Hell-Entzwecktes:
Veilchenstreifen, laue Schädel
wiesenblütig.

Welle gegen Starr und Stirn,
Glüher tiefer Bacchanale
gegen die Vernichtungsmale:
Aufwuchs und Bewußtseinshirn,
spüle, stäube – Knabenhände,
Läuferglieder, raumumschlungen,
stranden dich zu Krug und Hang,
wenn bei Fischkopf, Zwiebel, Flöten
Leda-Feste rosenröten
Paarung, Fläche, Niedergang.

AUFBLICK

Heimstrom quillt auf zu Hunger und Geschlecht.
O Mühlenglück! O Abhang! Glutgefälle
stürmt noch die alte Sonne; schon verhöhnt
Neu-Feuer sie und um Andromeda
der frische Nebel schon,
o Wander-Welt!
Vermetzung an die Dinge: Nacht-Liebe, Wiesenakt:
Ich: lagernd, bestoßen, das Gesicht voll Sterne,
aus Pranken-Ansprung, Zermalmungsschauer
blaut küstenhaft wie Bucht das Blut
mir Egge, Dolch und Hörner.
Noch Weg kausalt sich höckrig durch die Häuser
des immanenten Packs, mit Fratzen
des Raums bestanden, drohend
Unendlichkeit.
Mir aber glüht sich Morgenlicht
entraumter Räume um das Knie,
ein Hirtengang eichhörnchent in das Laub,
Euklid am Meere singt zur Dreiecksflöte:
O Rosenholz! Vergang! Amati-Cello!

O GEIST

O Geist, entfremdetest du dich! o glühe
ein einzig Mal aus Sturm- und Sterngewalten,
aus Wolkenbruch der Ferne, die
nicht Fleische zügeln und Gehirne spalten,
o Geist, o wehe doch, wie die Propheten
dich priesen – sieh, ich ringe
in Blut nach einem fernen, sterne-steten!

Wer bist du, höhnt das Mark, es stammen doch
aus meiner Wiege deine Glieder;
vergessen, wie es einst bei dir nach Mieder
und Schenkel roch?
O rauschtest du wie Meer: ich vogelfreie!
Wie Sonne stürmisch: Ich,
Entschwänzter, glühe, pfingste, sternen-maie!

Und wieder Ruf: ich ging nach Liebesrosen
zum Markt. Geschiebe. In den Bretterbauden
Gemüsefrauen, Psychophysenfosen,
verpantarheierten Kohlrabistauden –!
O sängest du nun Abgrund, Schwankung, Süd:
Ich bin die Ferne, hergeweht
aus meinen arktischen Gezeiten,
jenseitige und sterne-stet . . . !
O sängest du aus Götterweiten
einmal dies Rosenmöwenlied!

BOLSCHEWIK

Der Herbst der Herbste und das Aschenheer
der Schatten mit dem Tigerschwung der Geiser
schleudernd in Wolkenbild und Wiederkehr
des Heptameron Welkebeet und Reiser
in alle Winkel und das leere Meer –

Windrose fremden Stamms von Atlashängen
rund und vom Pol zum Azimut retour
aus scheibenförmigen Ligusterklängen
und Tritonspeiendem bei Sterngesängen
mit weiten Schritten in die Drohnenflur –

das ist die Steppe mit Entwicklungshohn
ins ewig Hoch! Empor! und Samenreiche
die hodenlose Schalaputenleiche,
die ganze Brut gestillter Sommerteiche,
die ganze Wut erlechzter Ab-vision.

Good bye, Mitropas Neophyten-Schwemme,
vom späten Strand des lethischen Gesträu
höhnen dich aufbau-degoutierte Stämme
in jedes Morgenrot und Alpenkämme,
Meer und der Nacht Plejadenlümmelei –

hinab, hinab, stygische Schattenkähne
wenden thyrsäisch auf das Drohnentor,
dunkelnd, in die das Haupt, die Rosenlehne
und tief aus Trümmern rauscht die Weltverbene,
nachts klingt es wie ahoi und nevermore.

KOKAIN

Den Ich-Zerfall, den süßen, tiefersehnten,
den gibst du mir: schon ist die Kehle rauh,
schon ist der fremde Klang an unerwähnten
Gebilden meines Ichs am Unterbau.

Nicht mehr am Schwerte, das der Mutter Scheide
entsprang, um da und dort ein Werk zu tun,
und stählern schlägt –: gesunken in die Heide,
wo Hügel kaum enthüllter Formen ruhn!

Ein laues Glatt, ein kleines Etwas, Eben –
und nun entsteigt für Hauche eines Wehns
das Ur, geballt, Nicht-seine beben
Hirnschauer mürbesten Vorübergehns.

Zersprengtes Ich – o aufgetrunkene Schwäre –
verwehte Fieber – süß zerborstene Wehr –:
verströme, o verströme du – gebäre
blutbäuchig das Entformte her.

O NACHT –:

O Nacht! Ich nahm schon Kokain,
und Blutverteilung ist im Gange,
das Haar wird grau, die Jahre fliehn,
ich muß, ich muß im Überschwange
noch einmal vorm Vergängnis blühn.

O Nacht! Ich will ja nicht so viel,
ein kleines Stück Zusammenballung,
ein Abendnebel, eine Wallung
von Raumverdrang, von Ichgefühl.

Tastkörperchen, Rotzellensaum,
ein Hin und Her und mit Gerüchen,
zerfetzt von Worte-Wolkenbrüchen –:
zu tief im Hirn, zu schmal im Traum.

Die Steine flügeln an die Erde,
nach kleinen Schatten schnappt der Fisch,
nur tückisch durch das Ding-Gewerde
taumelt der Schädel-Flederwisch.

O Nacht! Ich mag dich kaum bemühn!
Ein kleines Stück nur, eine Spange
von Ichgefühl – im Überschwange
noch einmal vorm Vergängnis blühn!

O Nacht, o leih mir Stirn und Haar,
verfließ dich um das Tag-verblühte;
sei, die mich aus der Nervenmythe
zu Kelch und Krone heimgebar.

O still! Ich spüre kleines Rammeln:
Es sternt mich an – es ist kein Spott –:
Gesicht, ich: mich, einsamen Gott,
sich groß um einen Donner sammeln.

DAS SPÄTE ICH

I

O du, sieh an: Levkoienwelle,
der schon das Auge übergeht,
Abgänger, Eigen-Immortelle,
es ist schon spät.

Bei Rosenletztem, da die Fabel
des Sommers längst die Flur verließ –
moi haïssable,
noch so mänadisch analys.

II

Im Anfang war die Flut. Ein Floß Lemuren
schiebt Elch, das Vieh, ihn schwängerte ein Stein.
Aus Totenreich, Erinnern, Tiertorturen
steigt Gott hinein.

Alle die großen Tiere: Adler der Kohorten,
Tauben aus Golgathal –
alle die großen Städte: Palm- und Purpurborden –
Blumen der Wüste, Traum des Baal.

Ost-Gerölle, Marmara-Fähre,
Rom, gib die Pferde des Lysippus her –
letztes Blut des weißen Stiers über die schweigenden
Altäre
und der Amphitrite letztes Meer –

Schutt. Bacchanalien. Propheturen.
Barkarolen. Schweinerein.
Im Anfang war die Flut. Ein Floß Lemuren
schiebt in die letzten Meere ein.

III

O Seele, um und um verweste,
kaum lebst du noch und noch zuviel,
da doch kein Staub aus keinen Feldern,
da doch kein Laub aus keinen Wäldern
nicht schwer durch deine Schatten fiel.

Die Felsen glühn, der Tartarus ist blau,
der Hades steigt in Oleanderfarben
dem Schlaf ins Lid und brennt zu Garben
mythischen Glücks die Totenschau.

Der Gummibaum, der Bambusquoll,
der See verwäscht die Inkaplatten,
das Mondchâteau: Geröll und Schatten
uralte blaue Mauern voll.

Welch Bruderglück um Kain und Abel,
für die Gott durch die Wolken strich –
kausalgenetisch, haïssable:
das späte Ich.

SYNTHESE

Schweigende Nacht. Schweigendes Haus.
Ich aber bin der stillsten Sterne,
ich treibe auch mein eignes Licht
noch in die eigne Nacht hinaus.

Ich bin gehirnlich heimgekehrt
aus Höhlen, Himmeln, Dreck und Vieh.
Auch was sich noch der Frau gewährt,
ist dunkle süße Onanie.

Ich wälze Welt. Ich röchle Raub.
Und nächtens nackte ich im Glück:
es ringt kein Tod, es stinkt kein Staub
mich, Ich-Begriff, zur Welt zurück.

BLUMEN

Ein See, vom grauen Blute
des Herbstes ganz vergiftet,
machte mich mit krank.

Vergrämt empfing das Ufer,
glückleer und laubbeworfen,
wie Gräbererde meinen Schritt.

Dann kam in einem Park ein Beet:
das überblühte das ganze Elend,
den See, die Wolken und den Sturm im Garten

und schrie: Ich bin ganz unvernichtbar!
Ich versenge dem Tod seine kalte Fratze.
Wie alles Rote, Glut und Flammenhafte
aus meinen Schenkeln hurt!
Grüß Gott!

DER SÄNGER

Keime, Begriffsgenesen,
Broadways, Azimut,
Turf- und Nebelwesen
mischt der Sänger im Blut,
immer in Gestaltung,
immer dem Worte zu
nach Vergessen der Spaltung
zwischen ich und du.

Neurogene Leier,
fahle Hyperämien,
Blutdruckschleier
mittels Koffein,
keiner kann ermessen
dies: dem einen zu,
ewig dem Vergessen
zwischen ich und du.

Wenn es einst der Sänger
dualistisch trieb,
heute ist er Zersprenger
mittels Gehirnprinzip,
stündlich webt er im Ganzen
drängend zum Traum des Gedichts
seine schweren Substanzen
selten und langsam ins Nichts.

TRUNKENE FLUT

Trunkene Flut,
trance- und traumgefleckt,
o Absolut,
das meine Stirne deckt,
um das ich ringe,
aus dem der Preis
der tiefen Dinge,
die die Seele weiß.

In Sternenfieber,
das nie ein Auge maß,
Nächte, Lieber,
daß man des Tods vergaß,
im Zeiten-Einen,
im Schöpfungsschrei
kommt das Vereinen,
nimmt hin – vorbei.

Dann du alleine
nach großer Nacht,
Korn und Weine
dargebracht,
die Wälder nieder,
die Hörner leer,
zu Gräbern wieder
steigt Demeter,

dir noch im Rücken,
im Knochenbau,
dann ein Entzücken,
ein Golf aus Blau,
von Tränen alt,
aus Not und Gebrest
eine Schöpfergestalt,
die uns leben läßt,

die viel gelitten,
die vieles sah,
immer in Schritten
dem Ufer nah
der trunkenen Flut,
die die Seele deckt
groß wie der Fingerhut
sommers die Berge fleckt.

PALAU

„Rot ist der Abend auf der Insel von Palau
und die Schatten sinken –“
singe, auch aus den Kelchen der Frau
läßt es sich trinken,
Totenvögel schrein
und die Totenuhren
pochen, bald wird es sein
Nacht und Lemuren.

Heiße Riffe. Aus Eukalypten geht
Tropik und Palmung,
was sich noch hält und steht,
will auch Zermalmung
bis in das Gliederlos,
bis in die Leere,
tief in den Schöpfungsschoß
dämmernder Meere.

Rot ist der Abend auf der Insel von Palau
und im Schattenschimmer
hebt sich steigend aus Dämmer und Tau:
„niemals und immer“,
alle Tode der Welt
sind Fähren und Furten,
und von Fremdem umstellt
auch deine Geburten –

einmal mit Opferfett
auf dem Piniengerüste
trägt sich dein Flammenbett
wie Wein zur Küste,
Megalithen zuhauf
und die Gräber und Hallen,
Hammer des Thor im Lauf
zu den Asen zerfallen –

wie die Götter vergehn
und die großen Cäsaren,
von der Wange des Zeus
emporgefahren –
singe, wandert die Welt
schon in fremdestem Schwunge,
schmeckt uns das Charonsgeld
längst unter der Zunge.

Paarung. Dein Meer belebt
Sepien, Korallen,
was sich noch hält und hebt,
will auch zerfallen,
rot ist der Abend auf der Insel von Palau,
Eukalyptenschimmer
hebt in Runen aus Dämmer und Tau:
niemals und immer.

SCHUTT

Spuk. Alle Skalen
toset die Seele bei Nacht,
Griff und Kuß und die fahlen
Fratzen, wenn man erwacht.
Bruch, und ach deine Züge
alle funkelnd von Flor,
Maréchal Niel der Lüge –
never-, o nevermore.

Schutt, alle Trümmer
liegen morgens so bloß,
wahr ist immer nur eines:
du und das Grenzenlos –
trinke und alle Schatten
hängen die Lippe ins Glas,
fütterst du dein Ermatten –
laß –!

Schamloses Schaumgeboren,
Akropolen und Gral,
Tempel, dämmernde Foren
katadyomenal;
fiebernde Galoppade,
Spuk, alle Skalen tief
schluchzend Hypermalade,
letztes Pronom jactif.

Komm, die Lettern verzogen,
hinter Gitter gebannt,
himmelleer, schütternde Wogen
alles, Züge und Hand.
Fall: verwehende Märe,
Wandel: lächelt euch zu –
alles: Sonne und Sphäre,
Pole und Astren: du.

Komm, und drängt sich mit Brüsten
Eutern zu Tête-à-tête
letztes Lebensgelüsten,
laß, es ist schon zu spät,
komm, alle Skalen tosen
Spuk, Entformungsgefühl –
komm, es fallen wie Rosen
Götter und Götter-Spiel.

MEER- UND WANDERSAGEN

Meer- und Wandersagen –
unbewegter Raum,
keine Einzeldinge ragen
in den Südseetraum,
nur Korallenchöre,
nur Atollenflor,
„ich schweige, daß ich dich höre“,
somnambul im Ohr.

Zeit und Raum sind Flüche
über Land gebaut,
ob es Rosenbrüche,
ob es Schleierkraut,
irdische Gestaltung
tragisch Sukzession,
komm, o Glückentfaltung,
sammelnde Vision.

Mit Kanu im Porte,
Muschelgeld im Haus,
sind erschöpft die Worte,
ist die Handlung aus,
Jagd noch auf Gazelle,
Betel noch gesucht,
ewig schlägt die Welle
in die Blanchebucht.

Göttern Maskenchöre.
Da ein Gott tritt vor:
„ich schweige, daß ich dich höre“,
im Korallenohr,
irdische Gestaltung
tragisch Sukzession,
ach, schon schließt die Spaltung
stürmische Vision.

Meer- und Wandersagen
kennen nur einen Raum
von den Schöpfungstagen
in den Südseetraum,
wenn die Stürme schlingen
Speere und Kanu,
wie sie sterbend singen –:
„ach, ich höre dich – du.“

THEOGONIEN

Theogonien –
von den Dingen der Welt
ziehn Melancholien
an der Sterne Zelt,
weben Götter und Drachen,
singen Brände und Baal,
sinnvoll zu machen
Knechtschaft und Qual.

Fährt Er mit leuchtender Barke
über das Himmelsmeer,
ist Er der Widder, der Starke,
von Sonnen und Monden schwer,
naht Er sich in Gewittern,
als der die Felsen verschiebt
und von den Bösen, den Bittern
die Kühe den Priestern gibt.

Ach, um Fluten, um Elche
rankt sich die Traurigkeit:
sie fahren; Stürme; welche
tauchen, das Land ist weit,
da: ihrem Möwentume
stäubt sich ein Körnchen schwer,
und Er macht aus der Krume
eine Insel auf dem Meer.

Wie mußten sie alle leiden,
um so zum Traum zu fliehn,
und sein des Kummers Weiden
wie hier die Algonkin!
Auch anderen Tieren, Steinen
vertrauten sie ihren Tod
und gingen hin zu weinen
die Völker, weiß und rot.

OSTERINSEL

Eine so kleine Insel,
wie ein Vogel über dem Meer,
kaum ein Aschengerinnsel
und doch von Kräften nicht leer,
mit Steingebilden, losen,
die Ebene besät
von einer fast monstrosen
Irrealität.

Die großen alten Worte
– sagt Ure Vaeiko –
haben die Felsen zu Horte,
die kleinen leben so;
er schwelt auf seiner Matte
bei etwas kaltem Fisch,
hühnerfeindliche Ratte
kommt nicht auf seinen Tisch.

Vom Pazifik erschlagen,
von Ozeanen bedroht,
nie ward an Land getragen
ein Polynesierboot,
doch große Schwalbenfeiern
einem transzendenten Du,
Göttern von Vogeleiern
singen die Tänzer zu.

Tierhafte Alphabete
für Sonne, Mond und Stier
mit einer Haifischgräte
– Bustrophedonmanier –:
ein Zeichen für zwölf Laute,
ein Ruf für das, was schlief
und sich im Innern baute
aus wahrem Konstruktiv.

Woher die Seelenschichten,
da das Idol entsprang
zu diesen Steingesichten
und Riesenformungszwang –
die großen alten Worte
sind ewig unverwandt,
haben die Felsen zu Horte
und alles Unbekannt.

VALSE TRISTE

Verfeinerung, Abstieg, Trauer –
dem Wüten der Natur,
der Völker, der Siegesschauer
folgt eine andere Spur:
Verwerfen von Siegen und Thronen,
die große Szene am Nil,
wo der Feldherr der Pharaonen
den Liedern der Sklavin verfiel.

Durch den Isthmus, griechisch, die Wachen,
Schleuder, Schilde und Stein
treibt im Zephir ein Nachen
tieferen Meeren ein:
Die Parthenongötter, die weißen,
ihre Zeiten, ihr Entstehn,
die schon Verfall geheißen
und den Hermenfrevel gesehn.

Verfeinerte Rinden, Blöße.
Rauschnah und todverfärbt
das Fremde, das Steile, die Größe.
die das Jahrhundert erbt,
getanzt aus Tempeln und Toren
schweigenden Einsamseins,
Erben und Ahnen verloren:
Niemandes –: deins!

Getanzt vor den finnischen Schären –
Valse triste, der Träume Schoß,
Valse triste, nur Klänge gewähren
dies eine menschliche Los:
Rosen, die blühten und hatten,
und die Farben fließen ins Meer,
blau, tiefblau atmen die Schatten
und die Nacht verzögert so sehr.

Getanzt vor dem einen, dem selten
blutenden Zaubergerät,
das sich am Saume der Welten
öffnet: Identität –:
einmal in Versen beschworen,
einmal im Marmor des Steins,
einmal zu Klängen erkoren:
Niemandes –: seins!

Niemandes –: beuge, beuge
dein Haupt in Dorn und Schlehn,
in Blut und Wunden zeuge
die Form, das Auferstehn,
gehüllt in Tücher, als Labe
den Schwamm mit Essig am Rohr,
so tritt aus den Steinen, dem Grabe
Auferstehung hervor.

MEDITERRAN

Eh du verloren
– Sichel- und Bogennäh,
schattenbeschworen
droht schon Thermopylä –
eh es dich bannte,
drängender dein:
theophagante
Länderein.

Einen Zierfisch oder eine Wasserpflanze
willst du dies,
oder Zwerge mit Angel und Lanze
auf dem Gartenkies –?
Das sind Stätten!
Man kann Glyzinien sehn
Söller in Ketten,
Fesseln, die Blau verwehn!

Oder steigen
und immer dicht
ein Blau, das schweigt, *kann* schweigen:
es tränkt das Licht;
ein Blau, das kann nicht weichen,
es trägt Heere, es trägt
Trümmer von Göttern und Reichen
um dies Meer gelegt.

Mediterrane
Ahnung des Weltgeschehns,
Stopp dem Wahne
irdischen Weitergehns,
mediterrane
götternde Succubie:
Schutzdach, Platane,
verlor die Blätter nie.

Eh du verloren
auch dir der Blätterfries,
schattenbeschworen
glänzt schon der Gartenkies,
eh es dich bannte,
drängender die
trümmerentbrannte
Theophagie.

ORPHISCHE ZELLEN

Es schlummern orphische Zellen
in Hirnen des Okzident,
Fisch und Wein und Stellen,
an denen das Opfer brennt,
die Esse aus Haschisch und Meten
und Kraut und das delphische Lied
vom Zuge der Auleten,
wenn er am Gott verschied.

Wer nie das Haupt verhüllte
und niederstieg, ein Stier,
ein rieselnd Blut erfüllte
das Grab und Sargrevier,
wen nie Vermischungslüste
mit Todesschweiß bedrohn,
der ist auch nicht der Myste
aus der phrygischen Kommunion.

Um Feuerstein, um Herde
hat sich der Sieg gerankt,
er aber haßt das Werde,
das sich dem Sieg verdankt,
er drängt nach andern Brüsten
nach andern Meeren ein,
schon nähern sich die Küsten,
die Brandungsvögel schrein.

Nun mag den Sansibaren
der Himmel hoch und still,
eine Insel voll Nelkenwaren
und der Blüte der Bougainville,
wo sie in Höfen drehen
die Mühlen für Zuckerrohr,
nun mag das still vergehen –:
Er tritt als Opfer vor.

Und wo Vergang: in Gittern,
an denen der Mörder weint,
wo sonst Vergang, ach Zittern
löst schon die Stunde, die eint –:
ihm beben Schmerz und Schaden
im Haupt, das niemand kennt,
die Brandungsvögel baden,
das Opfer brennt.

SCHÄDELSTÄTTEN

Schwer von Vergessen
und ach so hangend schon,
aus Unermessen
Ton um Ton,
und Schattenmale
des letzten Lichts,
o Finale,
Nächte des Nichts.

Die Welten halten,
Äonen-Bann.
Schwer das Erkalten
fühlt nur der Mann,
Wälder zu schweigen
und Waidmannsruh –
wenn wir uns neigen,
wer warst du,
du?

Punisch in Jochen,
Heredität,
kranke Knochen
von Philoktet,
Fratze der Glaube,
Fratze das Glück,
leer kommt die Taube
Noahs zurück.

Schädelstätten,
Begriffsmanie,
kein Zeitwort zu retten
noch Historie –
allem Vergessen,
allem Verschmähn,
dem Unermessen
Panathenän –

in Heiligtumen
tyrrhenischer See
Stier unter Blumen
an Danaë,
in Leuenzügen
Mänadenklang,
und Götter fügen
den Untergang.

QUI SAIT

Aber der Mensch wird trauern –
solange Gott, falls es das gibt,
immer neue Schauern
von Gehirnen schiebt
von den Hellesponten
zum Hobokenquai,
immer neue Fronten –
wozu, qui sait?

Spurii: die Gesäten
war einst der Männer Los,
Frauen streiften und mähten
den Samen in ihren Schoß;
dann eine Insel voll Tauben
und Werften: Schiffe fürs Meer,
und so begann der Glauben
an Handel und Verkehr.

Aber der Mensch wird trauern –
Masse, muskelstark,
Cowboy und Zentauern,
Nurmi als Jeanne d'Arc –:
Stadionsakrale
mit Khasanaspray,
Züchtungspastorale,
wozu, qui sait?

Aber der Mensch wird trauern –
kosmopoler Chic
neue Tempelmauern
Kraftwerk Pazifik:
die Meere ausgeweidet,
Kalorien-Avalun:
Meer, das wärmt, Meer, das kleidet –
neue Mythe des Neptun.

Bis nach tausend Jahren
einbricht in das Wrack
Geißlerscharen,
zementiertes Pack
mit Orang-Utanhauern
oder Kaiser Henry Clay –
wer wird das überdauern,
welch Pack – qui sait?

CHAOS

Chaos – Zeiten und Zonen
bluffende Mimikry,
großer Run der Äonen
in die Stunde des Nie –
Marmor Milets, Travertine,
hippokratischer Schein,
Leichenkolombine:
die Tauben fliegen ein.

Ebenbild, inferniertes,
Erweichungsparasit,
Formen-onduliertes
lachhaft und sodomit
lobe –: die Hirne stümmeln
leck im Sursumscharnier,
den Herrn –: die Hirne lümmeln
Leichenwachs, Adipocire.

Bruch. Gonorrhoische Schwarten
machen das Weltgericht:
Waterloo: Bonaparten
paßte der Sattel nicht –
Fraß, Suff, Gifte und Gase –
wer kennte Gottes Ziel
anders als: Ausgang der Blase
erektil?

Fatum. Flamingohähne,
Geta am Darm kommod,
anderweit Tierschutzmäzene
kommt, ersticht ihn beim Kot –
Fraß, Suff, Seuchen und Stänke
um das Modder-Modell –
à bas die Kränke:
individuell.

Keine Flucht. Kein Rauschen.
Chaos. Brüchiger Mann.
Fraß, Suff, Säfte tauschen
ihm was Lebendes an,
mit im Run der Äonen
in die Stunde des Nie
durch der Zeiten und Zonen
leere Melancholie.

NACHT

Nacht. Von Himmel zu Meeren
hungernd. Dernier cri
alles Letzten und Leeren,
sinnlos Kategorie.
Dämmer. Aus Unbekannten
Wolken, Flüge des Lichts –
alles Korybanten,
Apotheosen des Nichts.

Schließt sich eben die Feste,
löst sie wieder die See,
immer nur Reste,
immer nur Niobe,
über die pästischen Pole
sinken die Lider schwer –
ach, eine Nachtviole
blühte Erde und Meer.

Klumpen sarmatischer Lande,
Hungerschlitten, im Fond
Kadaver, die Hacken im Sande,
und nachts die Wölfe vom Don,
und frühlings die Leichenflüsse,
aus Fischen mit Bein und Haar
spülen die Regengüsse
wächsernen Kaviar.

Hopp, ihr schütteren Fratzen,
immer noch Stern und Licht,
bis euch die Bäuche platzen
in das Jüngste Gericht;
Raubtier, einsame Flamme
tödlich löschendes Los,
reißt den Müttern die Mamme
von dem trächtigen Schoß.

Ach – Äonenvergessen!
Schlaf! aus mohnigem Feld,
aus den lethischen Essen
zieht ein Atem der Welt,
von acherontischen Zonen
orphisch apotheos
rauscht die Hymne der Drohnen:
Glücke des Namenlos.

BANANE

Banane, yes, Banane:
Vie méditerranée,
Bartwichse, Lappentrane:
Vie Pol, Sargassosee:
Dreck, Hündinnen, Schakale
Geschlechtstrieb im Gesicht
und aasblau das Finale –
der Bagno läßt uns nicht.

Die großen Götter Panne,
defekt der Mythenflor,
die Machmeds und Johanne
speicheln aus Eignem vor,
der alten Samenbarden
Begattungsclownerie,
das Sago der Milliarden,
der Nil von Hedonie.

Nachts wahllos zwischen Horden
verschluckt der Zeugungsakt,
Gestirne? wo? geworden!
gewuchert! fleischlich Fakt!
Gestirne? wo? im Schweigen
eines Wechsels von Fernher –
Zyklen, Kreisen der Reigen,
Bedürfniswiederkehr.

Sinnlose Existenzen:
dreißig Millionen die Pest,
und die andern Pestilenzen
lecken am Rest,
Hochdruck! unter die Brause!
in Pferdemist und Spelt
beerdige zu Hause –
das ist das Antlitz der Welt!

Hauch von Schaufeln und Feuer
ist die Blume des Weins,
Hungerratten und Geier
sind die Lilien des Seins,
Erde birst sich zu Kreuzen,
Flußbett und Meere fällt,
sinnlose Phallen schneuzen
sich ins Antlitz der Welt.

Ewig endlose Züge
vor dem sinkenden Blick,
weite Wogen, Flüge –
wohin – zurück
in die dämmernden Rufe,
an den Schierling: Vollbracht,
umflorte Stufe
zur Urne der Nacht.

FINALE

Die Welten halten, das Astrale
wird vom Zenite leicht beregt,
in Leuenzügen das Finale
nur durch das Mark des Mannes fegt,
ach, von den Bergen ganz zu schweigen,
von Wäldern oder Waidmannsruh,
doch wenn wir in die Särge steigen –
wer warst du,
du?

Doch nicht die große Fruchtromantik
von Florida aus Meer und Rosentown,
phäakentief, vom Fjord in den Atlantik
und, was es noch nicht tat, wird auch verblaun –

und Delhi, Ernten vier, Bengalenspeicher,
Kolombo, Tigergrün, Gomorrhamehl –
Delhi, vier braune Welten stehn am Gleicher
und südlich der Malaienarchipel,

auf Ozeanen ferner Nikobaren
entsteht die Nacht und macht die Dschungeln stumm
die Affen schrein – du wirst es nie erfahren –
den Traum vom infantilen Cerebrum.

STAATSBIBLIOTHEK

Staatsbibliothek, Kaschemme,
Resultatverlies,
Satzbordell, Maremme,
Fieberparadies:
wenn die Katakomben
glühn im Wortvibrier,
und die Hekatomben
sind *ein* weißer Stier –

wenn Vergang der Zeiten,
wenn die Stunde stockt,
weil im Satz der Seiten
eine Silbe lockt,
die den Zweckgewalten,
reinem Lustgewinn
rauscht in Sturzgestalten
löwenhaft den Sinn –:

wenn das Säkulare,
tausendstimmig Blut
auferlebt im Aare
neuer Himmel ruht:
Opfer, Beil und Wunde,
Hades, Mutterhort
für der Schöpfungsstunde
traumbeladenes Wort.

STADTARZT

Stadtarzt, Muskelpresse,
schaffensfroher Hort,
auch Hygienemesse
großes Aufbauwort,
wunderbare Waltung,
was der Hochtrieb schuf,
täglich Ausgestaltung,
Schwerpunkt im Beruf.

Normung selbst der Gase,
amtlich deputiert,
ob die Säuglingsblase
luftdicht funktioniert,
vorne Prophylaxe,
hinten Testogan,
und die Mittelachse
schraubt sich himmelan.

Zuchttyp: Faustkaliber,
strebend Buhnen baun,
Pol- und Packeisschieber,
Luftverdrängungsclown,
Rundfunk und Refraktor,
Wort verkommne Zahl,
Wort als Ausdrucksfaktor
gänzlich anomal.

Wunderbares Walten,
dort der Affensteiß,
hier der Hochgestalten
Licht- und Höhenreiß,
und als Edelmesse,
Gottes Gnadensproß,
züchtet Muskelpresse
Pithekanthropos.

FÜRST KRAFT

Fürst Kraft ist — liest man — gestorben.
Latifundien weit,
ererbte, hat er erworben,
eine Nachrufpersönlichkeit:
„übte unerschrocken Kontrolle,
ob jeder rechtens tat,
Aktiengesellschaft Wolle,
Aufsichtsrat."

So starb er in den Sielen.
Doch wandt' er in Stunde der Ruh
höchsten sportlichen Zielen
sein Interesse zu;
immer wird man ihn nennen,
den delikaten Greis,
Schöpfer des Stutenrennen:
Kiscazonypreis.

Und niemals müde zu reisen!
Genug ist nicht genug!
Oft hörte man ihn preisen
den Rast-ich-so-Rost-ich-Zug,
er stieg mit festen Schritten
in seinen Sleeping-car
und schon war er inmitten
von Rom und Sansibar.

So schuf er für das Ganze
und hat noch hochbetagt
im Bergrevier der Tatra
die flinke Gemse gejagt,
drum ruft ihm über die Bahre
neben der Industrie
alles Schöne, Gute, Wahre
ein letztes Halali.

OSTAFRIKA

Ostafrika im Hirne,
Togo, der Amok tanzt:
das ist die weiche Birne
mit fremder Welt bepflanzt;
die istrisch dunklen Meere
vor dem großen Vestibül,
sein Vater fuhr eine Fähre:
historisches Lustgefühl.

Frauen lenken Schritte
während Menstruation
in eine Mattenhütte,
Indianerprozession –
ach Ost und West in Wogen,
Paris, la Grande, glüh
die Genien auf dem Bogen,
das Herz des Inconnu.

Tierisch dampfen die Beeren,
Kaktee, mexikanischer Star,
wo die Porphyrkordilleren
den Kondor, Überaar,
wo der feuchte Palmenmorgen
die Frage niederbricht:
haben Sie Gartensorgen,
gedeihn Ihre Blumen nicht?

Schlächterrote Moose
in Lianengewirrn,
wahllos fallen die Lose –
ach, Afrika im Hirn,
keine Gedanken, keiner
trösten den Denker wie
Überbesetzung seiner
mittels Geographie.

DYNAMIK

Dynamik – Born der Wogen,
Gezeitenschoß des All,
Nacht –: und die Sterne zogen,
Nacht –: und der Sterne Fall –
Erreger von Momenten,
sporadisch Höhenschwung
des Formindifferenten
zu Teilbefestigung:

– es ist im Cafétrubel,
wo sie sich stark bewegt,
mit einem Mocca double
wird es drauf angelegt,
wenn von Geranienborde
dann noch Erlöschen weht,
rauscht durch die Saison morte
High life: Identität.

Da sind dann Glockenstühle
und nicht mehr Caféstrich,
dann kommen Hochgefühle:
der ganze Raum für mich,
dann sind zwölf Mann Kapelle
und achtzehn Kellner da,
und ich allein die Stelle
für die Dynamika.

ANNONCE

„Villa in Baden-Baden,
schloßartig, Wasserlauf
im Garten, Balustraden
vermietbar oder Kauf“ –
das ist wohl so zu lesen,
von Waldessaum begrenzt,
mit Fernblick und Vogesen
und wo die Oos erglänzt.

Nun mag wohl ein Tiroler
von Burg und Martinswand
erwägen, ob ihm wohler
im wellig heitern Land
oder aus andern Kreisen,
wo Herz und Sinne weit
das Schöne offen preisen
und frohe Gastlichkeit.

Zum Beispiel Sommerstunde:
geöffnet der Salon,
berauscht die Rosenrunde
vom Klang des Steinway son,
das Lied, das Lied hat Flügel,
wie's durch den Garten zieht,
wo man vom Flaggenhügel
die Handelskammer sieht.

Oder wie seelisch offen,
wie strömt man hin so frei:
„der Mann dort in Pantoffeln,
der Gärtner zieht im Mai,
er will schon wieder gehen,
und eh man dann was fand,
man gibt die Orchideen
nicht gern von Hand zu Hand.“

So nicht nur Ehrenrunden
und Oberflächlichkeit,
es führt zu innern Stunden,
Leid und Vergänglichkeit
und hält Gesundheitsschaden
für die Familie auf
die Villa Baden-Baden,
schloßartig, Wasserlauf.

ERST WENN

Nicht die Olivenlandschaft,
nicht das Tyrrhenische Meer
sind die große Bekanntschaft:
die weißen Städte sind leer,
die Dinge lagern in stummen
Gewölben aus Substanz,
und keine Schatten vermummen
den regungslosen Glanz.

Leer steht die Weinzisterne,
in Strahlen fassungslos
bietet sie nichts an Ferne
und an Zerstörungsstoß
und hilft nicht auszubreiten,
was im Gehirne schlief:
sie bietet Südlichkeiten,
doch nicht das Südmotiv.

Ein Hof polarer Reste,
Eiszeiten, Schollenwand
selbst um die Villa d'Este
und ihren Ginsterbrand:
erst wenn die Schöpfungswunde
sich still eröffnet hat,
steigt die Verströmungsstunde
vom Saum der weißen Stadt.

ZWISCHENREICH

Nimm Abgesänge,
Fraun, die etwas schrein
und albern lachen:
laß die Dschungeln sein;
Radfahrer, Steher,
Klubheim Starterhort,
Milchflaschen, Nahrung, vorne am Verdreher –:
Reduziertensport.

Verlaß die Grate!
Wo Vermischung weich,
bezieht man Rate
aus dem Zwischenreich:
Portiergebärme
abends im Parterre
bei Sommerwärme
menschlich populär.

Rasiererwitzen
lausche aufgeräumt,
die Messer flitzen
und das Becken schäumt,
denn zwischen Seifen
zwischen Feuchtigkeit
sie alle streifen
die Vermischlichkeit.

Nach Arbeitstagen,
wenn der Sonntag naht,
sollst du dich tragen
in den Forst der Stadt,
die Massenglücke
sind schon tränennah,
bald ist die Lücke
für die Trance da.

EINZELHEITEN

Es ist in Sommertagen
ein Glück in jedem Mund,
man fährt im Buickwagen
am Ufer des Öresund,
ein Blau den Menschen zu Häupten
und des Mittags leichtes Flirrn –:
nur einer schweigt im betäubten
Wissen von ihrem Irrn.

Die im Motorboot kamen
durch manchen Wasserlauf,
sie nannten die Blumen mit Namen,
den Höhenzug darauf,
es waren geschützte Stätten
mit Böschung und mit Quelln –:
doch einer kannte die Ketten
der Ufer und Libelln.

Der Abend kam mit Schatten,
er, der den Sommer verlor,
die Sträuße der Rosen hatten
einen Schleier von Tränen vor,
man trennte sich beizeiten,
als ahnte man Schweres schon:
es waren Einzelheiten,
nicht Totalisation.

DIE DÄNIN

I

Charon oder die Hermen
oder der Daimlerflug,
was aus den Weltenschwärmen
tief dich im Atem trug,
war deine Mutter im Haine
südlich, Thalassa, o lau –
trug deine Mutter alleine
dich, den nördlichen Tau –

meerisch lagernde Stunde,
Bläue, mythischer Flor,
eine Muschel am Munde,
goldene Conca d'or –
die dich im Atem getragen:
da bist du: und alles ist gut,
was in Kismet und Heimarmene
und Knien der Götter ruht.

Stehst du, ist die Magnolie
stumm und weniger rein,
aber die große Folie
ist dein Zerlassensein:
Stäubende: – tiefe Szene,
wo sich die Seele tränkt,
während der Schizophrene
trostlos die Stirne senkt.

Rings nur Rundung und Reigen,
Trift und lohnende Odds –
ach, wer kennte das Schweigen
schlummerlosen Gotts –
noch um die Golgathascheite
schlingt sich das goldene Vlies:
„morgen an meiner Seite
bist du im Paradies."

Auch Prometheus in Schmieden
ist nicht der einsame Mann,
Io, die Okeaniden
ruft er als Zeugen an –
Philosophia perennis,
Hegels schauender Akt –:
Biologie und Tennis
über Verrat geflaggt.

Monde fallen, die Blüte
fällt im Schauer des Spät,
Nebel am Haupt die Mythe
siegenden Manns vergeht,
tief mit Rosengefälle
wird nur Verwehtes beschenkt,
während die ewige Stelle
trostlos die Stirne senkt.

II

Es ist kaum zu denken:
du in dem Garten am Meer,
die Wasser heben und senken
das Ewig-Sinnlose her,
vermischte – Didos Karthagen
und vom Saharaportal –
vermischte Wasser tragen
dahin Notturn final.

Die Fjorde blau, die Tore,
der Donner und das Licht,
durch die das Oratore
der großen Erde bricht,
davon bist du die Dolde
und blühst den Himmeln zu,
und doch des Nichts Isolde,
Vergänglichkeit auch du.

Um deinen Bau, Terrasse,
zerfällt das Nelkenhaus,
der Gärtner fegt die blasse
verblühte Stunde aus,
auch du, woher geschritten,
auch du, wohin verweht,
und was um dich gelitten,
wird auch schon kühl und spät.

Wo Räume uns umziehen,
durch die schon mancher ging,
und Wolke, die im Fliehen
um andre Häupter hing,
und Land sich an Gestalten
mit tausend Trieben gibt,
den sterblichen Gewalten,
die so wie du geliebt.

In Mythen tief, in Sagen
liegt schon der Garten am Meer;
Zerfall, in wieviel Tagen
sind Gärten und Meere leer,
vermischte – Didos Zeiten
und vom Saharaportal –
tragen die Einsamkeiten
weiter – Notturn final.

WIE LANGE NOCH

„Wie lange noch, dann fassen
wir weder Gram noch Joch,
du kannst mich doch nicht lassen,
du weißt es doch,
die Tage, die uns einten,
ihr Immer und ihr Nie,
die Nächte, die wir weinten,
vergißt du die?

Wenn du bei Sommerende
durch diese Landschaft gehst,
die Felder, das Gelände
und schon im Dämmer stehst,
ist es nicht doch die Leere,
das Dunkel, das du fliehst,
ist es nicht doch das Schwere,
wenn du mich gar nicht siehst?

Die Falten und der Kummer
auf meinen Zügen tief,
das ist doch auch der Schlummer,
den hier das Leben schlief,
die eingeglühten Zeichen,
die Male dort und hier
sind doch aus *unseren* Reichen,
die litten *wir*.

Ja, gehst du denn zu Grabe,
daß es nun gar nichts gibt,
so gehe – ach, ich habe
dich so geliebt,
doch ist es eine Wende,
vergiß auch nie,
es gibt ein Sommerende
und Nächte, die

das Herz umfassen
mit Gram und Joch
– die du verlassen,
sie atmen noch –,
mit Schmerzen, hämmernden
Verlusten, wo
du suchst die dämmernden
Entfernten so!“

WER BIST DU –

Wer bist du – alle Mythen
zerrinnen. Was geschah,
Chimären, Leda-iten
sind einen Kniefall da,

gemalt mit Blut der Beeren
der Trunkenen Schläfe rot,
und die – des Manns Erwehren –
die nun als Lorbeer loht,

mit Schlangenhaar die Lende
an Zweig und Thyrsenstab,
in Trunkenheit und Ende
und um ein Göttergrab –

was ist, sind hohle Leichen,
die Wand aus Tang und Stein,
was scheint, ist ewiges Zeichen
und spielt die Tiefe rein –

in Schattenflur, in Malen,
das sich der Form entwand –:
Ulyss, der nach den Qualen
schlafend die Heimat fand.

DIR AUCH –:

Dir auch –: tauschen die Nächte
dich in ein dunkleres Du,
Psyche, strömende Rechte
schluchzend dem andern zu,
ist es auch ungeheuer
und du littest genug:
Liebe ist Wein ins Feuer
aus dem Opferkrug.

Selbst du beugst dich und jeder
meint, hier sei es vollbracht,
ach, in Schattengeäder
flieht auch deine, die Nacht,
wohl den Lippen, den Händen
glühst du das reinste Licht,
doch die Träume vollenden
können wir nicht.

Nur die Stunden, die Nächte,
wo dein Atem erwacht,
Psyche, strömende Rechte,
tiefe tauschende Nacht,
ach, es ist ungeheuer,
ach, es ist nie genug
von deinem Wein im Feuer
aus dem Opferkrug.

AUS FERNEN, AUS REICHEN

Was dann nach jener Stunde
sein wird, wenn dies geschah,
weiß niemand, keine Kunde
kam je von da,
von den erstickten Schlünden
von dem gebrochnen Licht,
wird es sich neu entzünden,
ich meine nicht.

Doch sehe ich ein Zeichen:
über das Schattenland
aus Fernen, aus Reichen
eine große, schöne Hand,
die wird mich nicht berühren,
das läßt der Raum nicht zu:
doch werde ich sie spüren,
und das bist du.

Und du wirst niedergleiten
am Strand, am Meer,
aus Fernen, aus Weiten:
„– erlöst auch er;"
ich kannte deine Blicke
und in des tiefsten Schoß
sammelst du unsere Glücke,
den Traum, das Los.

Ein Tag ist zu Ende,
die Reifen fortgebracht,
dann spielen noch zwei Hände
das Lied der Nacht,
vom Zimmer, wo die Tasten
den dunklen Laut verwehn,
sieht man das Meer und die Masten
hoch nach Norden gehn.

Wenn die Nacht wird weichen,
wenn der Tag begann,
trägst du Zeichen,
die niemand deuten kann,
geheime Male
von fernen Stunden krank
und leerst die Schale,
aus der ich vor dir trank.

NEBEL

Ach, du zerrinnender
und schon gestürzter Laut,
eben beginnender
Lust vom Munde getaut,
ach so zerrinnst du,
Stunde, und hast kein Sein,
ewig schon spinnst du
weit in die Nebel dich ein.

Ach, wir sagen es immer,
daß es nie enden kann,
und vergessen den Schimmer
Schnees des Neige d'antan,
in das durchküßte, durchtränte
nächtedurchschluchzte Sein
strömt das Fließend-Entlehnte,
spinnen die Nebel sich ein.

Ach, wir rufen und leiden
ältesten Göttern zu:
ewig über uns beiden
„immer und alles: du“,
aber den Widdern, den Zweigen,
Altar und Opferstein,
hoch zu den Göttern, die schweigen,
spinnen die Nebel sich ein.

SCHLEIERKRAUT

Schleierkraut, Schleierkraut rauschen,
rausche die Stunde an,
Himmel, die Himmel lauschen,
wer noch leben kann,
jeder weiß von den Tagen,
wo wir die Ferne sehn:
Leben ist Brückenschlagen
über Ströme, die vergehn.

Schleierkraut, Schleierkraut rauschen,
es ist die Ewigkeit,
wo Herbst und Rosen tauschen
den Blick vom Sterben weit,
da klingt auch von den Meeren
das Ruhelose ein,
von fahlen Stränden, von Schären
der Woge Schein.

Schleierkraut, Schleierkraut neigen
zu tief Musik,
Sterbendes will schweigen:
Silence panique,
erst die Brücken geschlagen,
das Blutplateau,
dann, wenn die Brücken tragen,
die Ströme – wo?

LEVKOIENWELLE

„O du, sieh an, Levkoienwelle,
der schon das Auge übergeht" –
von früher her – es ist die Stelle,
wo eine alte Wunde steht;
denn wieder ist es in den Tagen,
wo alles auf das Ende zielt,
„mänadisch analys" und Fragen,
das sich um Rosenletztes spielt.

Man träumt, man geht in Selbstgestaltung
aus Selbstentfaltung der Vernunft;
man träumte tief; die falsche Schaltung:
das Selbst ist Trick, der Geist ist Zunft –
verlerne dich und jede Stelle,
wo du noch eine Heimat siehst,
ergib dich der Levkoienwelle,
die sich um Rosenletztes gießt,

die Bildungen der Zweige reifen,
es ist ein großes Fruchtbemühn,
die Seen dämmern hin wie Streifen,
die Gärten, welch ein quellend Glühn,
das ist lernäisches Gelände
und eine Schar Gestalten winkt,
die mähet Blut und säet Ende,
bis sie ans Herz der Schatten sinkt!

DUNKLER –

Dunkler kann es nicht werden
als diese Stunde, die sinkt,
mit allen Lasten der Erden
in fremder Nacht ertrinkt,
enteignen sich die Figuren
zu einer großen Gestalt,
drohen die Lemuren
aus dem Schattenwald.

Löst du dich von den Dingen,
trägst du fahles Los:
Trauermäntel schwingen
dir um Mund und Schoß –
faltest du die Blätter
jedes Einzelbaums,
bist du kein Verketter
deines Trance-Traums.

In Bewußtseinsbresche
über Ahnung still
steht die Weltenesche
Yggdrasil,
steht auch Aarons Rute
trocken eingestückt,
dann mit Wunderblute
Israel beglückt –

Dir nur sich enthüllte
bis zum Schlunde leer
ewig unerfüllte
Promesse du bonheur,
dir nur kann es nicht werden,
jede Stunde, die sinkt,
mit allen Lasten der Erden
in fremder Nacht ertrinkt.

ENTWURZELUNGEN

Vage Entwurzelungen,
Lösungszwänge, wer heilt
Tage und Alterungen
dessen, der ahnt und eilt,
der seine Stirn den Keulen
aller Zersprengungen gab
von den punischen Säulen
bis an Astartes Grab.

Selber wo Balustraden
mit Levkoien, auch Gras
zu Verfallungen laden,
niemals geschieht es, daß –
niemals die Lippen kosten
dessen, was sich verheißt,
dunkler als Kreuz ein Pfosten
trägt die Worte: „Du weißt."

Niemand ist alles auf Erden.
In die Blüte des Lichts,
in die Aue des Werden
strömt die Seele ihr Nichts,
vom Acheron getrunken,
in Kraut, in pythischer Nacht
wie von Mord gesunken,
wie mit Tod verbracht.

SELBSTERREGER

Dir – von Sonnenblumen,
abgeloschnem Beet,
dir von Altertumen,
das zur Rüste geht,
Vendraminpalästen,
tödlichem Lagun,
wo das Herz in Resten
und die Blicke ruhn.

Dämmerungen – keine
Allgemeintendenz,
manchmal rührt ihn eine
leise Immanenz,
ihn, den Selbsterreger,
Stern und Sternentraum,
den Bewußtseinsträger
stumm im Eigenraum.

Es sind reife Tage,
Ausgang von August,
ſast Phäakensage,
Asphodelentrust,
nirgends mehr Begründung
oder Geistesstrahl –:
dir – o Selbstentzündung,
tödliches Fanal!

BETÄUBUNG

Betäubung, Aconite,
wo Lust und Leiche winkt,
lernäische Gebiete,
die meine Seele trinkt,
aus Element-Bedrängnis
ihr Flötenlied, ihr Schrei:
o gib in Giftempfängnis
das Ich, dem Ich vorbei.

Kosmogonien – Wesen
im Rauch des Hyoscyd,
Zerstäubungen, Synthesen
des Wechsels – Heraklit:
es sind dieselben Flüsse,
doch nicht die Potamoi –
Betäubung, Regengüsse
dem Fluß, dem Ich vorbei.

Es stehen Krüge, Tische
vor Schatten, traumgewillt,
Schlafdorn und Mohnkelch, frische,
daraus das Weiße quillt
der Lippe zu – die Grenze,
an der die Flöte klingt,
eröffnet ihre Kränze
und Wein und Asche sinkt.

GRENZENLOS

Blüte des Primären,
genuines Nein
dem Gebrauchs-chimären,
dem Entwicklungs-sein,
kosmisch akausale
Arbeitsaversion
dämmernd das Totale
einer Vorregion.

Spürt man nicht im Haupte
manchmal Lücken feil,
etwa als belaubte
sich ein tiefer Teil,
oder eine Wallung
eine Woge weit
von Systementballung
durch Unendlichkeit?

Ist es Traum des Kranken:
ewig Grenzenlos,
sind es Zwangsgedanken,
ist der Zwang doch groß,
wenn als Sternbild glühte:
herbstorionschwer,
wenn als Blume blühte,
wie Päonie wär.

SCHWEIFENDE STUNDE

Schweifende Stunde
Mörtel-Angesicht,
ausgedörrt am Munde,
wenn es niederbricht,
gib Zersetzung
Misch- und Mordkomplex –:
eine Grenzverletzung,
Imperator Rex!

Laß das Leben
unkategorial,
die Welten beben
trunken zerebral,
schweife, mythe
den Rauch von Asien hin,
das Wüstenrot, wo glühte
die Nabatäerin.

Es gelten die Jahre,
es gelten Pflicht und Sinn,
soweit die Dromedare
der Nabatäerin,
Honigländer
verstößt das Wüstenmal
mit Rauch der Ränder
trunken zerebral.

WIDMUNG:

Ihnen, nubisches Land:
Ströme quellenverloren
tragend, wo an den Toren
Venus von Asien stand –

um die es steigt und endet
Ptolemäer und Pharaon,
zu der das Flaggschiff wendet
immer wieder Marc Anton –

von den Müttern, den Isen
quellenverloren: Substanz
aller Schöpfungskrisen
aller Taumel des Manns –

Ihnen: der läppisch verfärbte
Okzident, stottert, fällt,
wenn eine nubisch Vererbte
naht und sammelt die Welt.

JENA

„Jena vor uns im lieblichen Tale“
schrieb meine Mutter von einer Tour
auf einer Karte vom Ufer der Saale,
sie war in Kösen im Sommer zur Kur;
nun längst vergessen, erloschen die Ahne,
selbst ihre Handschrift, Graphologie,
Jahre des Werdens, Jahre der Wahne,
nur diese Worte vergesse ich nie.

Es war kein berühmtes Bild, keine Klasse,
für lieblich sah man wenig blühn,
schlechtes Papier, keine holzfreie Masse,
auch waren die Berge nicht rebengrün,
doch kam man vom Lande, von kleinen Hütten,
so waren die Täler wohl lieblich und schön,
man brauchte nicht Farbdruck, man brauchte nicht
Bütten,
man glaubte, auch andere würden es sehn.

Es war wohl ein Wort von hoher Warte,
ein Ausruf hatte die Hand geführt,
sie bat den Kellner um eine Karte,
so hatte die Landschaft sie berührt,
und doch – wie oben – erlosch die Ahne
und das gilt allen und auch für den,
die – Jahre des Werdens, Jahre der Wahne –
heute die Stadt im Tale sehn.

DIE HYPERÄMISCHEN REICHE

für Alfred Flechtheim, dem durch die Äonen strahlenden Gründer des „Querschnitts“ zum 50. Geburtstag

Ihnen ein Lied zur Feier,
kunstverkündender Mann,
wie sieht meine Leier
Ihre Wände an:
die hyperämischen Reiche,
Palmen und Muschelmeer,
Vorwelten, wallungsweiche,
strömen die Bilder her.

Sei es: Lianenbarren,
ananasdurchweht,
schuhlange Wespen, Farren,
wo dann der Löwe steht:
Urwald, Komplexgewalten,
Tiernacht und Mythenmeer,
daß sie ihr Reich entfalten
dunkel und überschwer.

Sei es, die Welten sind Räusche,
Schauer, welche sich irrn,
faule Brocken, Bäusche
aus unserm Restgehirn,
aber die Übergänge
mit monistischem Ziel:

Schnecken aus Blutgedränge,
Äol im Trancespiel.

Dasein! die Küsse zerblättern,
Tränen: die Salze vergehn,
Leben, Sterben – Lettern,
die für alles stehn:
doch über Wahn und Weichen
steht das Immer und Nie
aus hyperämischen Reichen,
deren Verkünder Sie.

FÜR KLABUND

Nehmen Sie jene erste
tauende Nacht im Jahr
und die strömenden blauen
Streifen des Februar,

nehmen Sie jene Verse,
Reime, Strophen, Gedicht,
die unsere Jugend erhellten
und man vergaß sie dann nicht,

nehmen Sie von den Wesen,
die man liebte und so,
jenen Hauch des Erlöschens
und dann salut und Chapeau –

ach, diese spärlichen vollen
Schläge des Herzens und
über uns fallen die Schollen –
leben Sie wohl, Klabund!

VISION DES MANNES

Vision des Mannes,
der stumm und namenlos
im Fluch des Bannes
morbider Züge groß,
des Schöpfungsscheines
auf diesem Erdenrund:
der Häupter eines
ist mehr als todeswund.

Vision des Einen,
der irdisch ausgeloht
der: Glaube, keinen,
der: Erde, Antipod:
die Flammen steigen,
er löscht mit Ozean,
die Flammen steigen,
sich mit den Meeren an.

Den Blick zurücke –:
o Herbst- und Rebenschein!
Und Abstiegglücke
schwelgen die Trauben ein,
ein Blut vom Kelter
bis an der Pferde Zaum
und dann Zerschellter
im namenlosen Raum.

SIEH DIE STERNE, DIE FÄNGE

Sieh die Sterne, die Fänge
Lichts und Himmel und Meer,
welche Hirtengesänge,
dämmernde, treiben sie her,
du auch, die Stimmen gerufen
und deinen Kreis durchdacht,
folge die schweigenden Stufen
abwärts dem Boten der Nacht.

Wenn du die Mythen und Worte
entleert hast, sollst du gehn,
eine neue Götterkohorte
wirst du nicht mehr sehn,
nicht ihre Euphratthrone,
nicht ihre Schrift und Wand –
gieße, Myrmidone,
den dunklen Wein ins Land.

Wie dann die Stunden auch hießen,
Qual und Tränen des Seins,
alles blüht im Verfließen
dieses nächtigen Weins,
schweigend strömt die Äone,
kaum noch von Ufern ein Stück –
gib nun dem Boten die Krone,
Traum und Götter zurück.

STUNDEN, STRÖME –

Stunden, Ströme, Flut der Fährensage,
welche Himmel, die so tödlich sind,
nahe Streifen, unausweichlich vage,
aus dem Reich, wo es zusammenrinnt.

Wo die Wälder glanzverloren
von zerstückten Hügeln gehn,
Marmorbrüche mit den goldnen Poren
stumm wie Löwen in die Grube wehn.

Und der Fels drängt ihrer Lust entgegen,
unter Ranke, unter Flechtenmoos
ist er schon auf allen Wegen
zum Zerlösungslos.

Überall ein alterndes Entsagen
bergend das Verwandlungsangesicht
trinkt es aus den angebrochnen Tagen
rinnend Licht,

dunkle Zeichen, alle voll Vergehn,
einem Kusse, Augen, welche glänzen,
fährt man eine Nacht nach, über Grenzen,
fremde Sterne über fremden Höhn,

doch dahinter stumm und aufgebrochen
liegt das Reich, wo es zusammenrinnt,
dunkle Meere, Sonnendiadochen,
welche Himmel, die so tödlich sind.

REGRESSIV

Ach, nicht in dir, nicht in Gestalten
der Liebe, in des Kindes Blut,
in keinem Wort, in keinem Walten
ist etwas, wo dein Dunkel ruht.

Götter und Tiere – alles Faxen.
Schöpfer und Schieber, ich und du –
Bruch, Katafalk, von Muscheln wachsen
die Augen zu.

Nur manchmal dämmert's: in Gerüchen
vom Strand, Korallenkolorit,
in Spaltungen, in Niederbrüchen
hebst du der Nacht das schwere Lid:

am Horizont die Schleierfähre,
stygische Blüten, Schlaf und Mohn,
die Träne wühlt sich in die Meere –
dir: thalassale Regression.

DU MUSST DIR ALLES GEBEN

Gib in dein Glück, dein Sterben,
Traum und Ahnen getauscht,
diese Stunde, ihr Werben
ist so doldenverrauscht,
Sichel und Sommermale
aus den Fluren gelenkt,
Krüge und Wasserschale
süß und müde gesenkt.

Du mußt dir alles geben,
Götter geben dir nicht,
gib dir das leise Verschweben
unter Rosen und Licht,
was je an Himmeln blaute,
gib dich in seinen Bann,
höre die letzten Laute
schweigend an.

Warst du so sehr der Eine,
hast das Dumpfe getan,
ach, es zieht schon die reine
stille gelöschte Bahn,
ach, schon die Stunde, jene
leichte im Spindellicht
die von Rocken und Lehne
singend die Parze flicht

Warst du der große Verlasser,
Tränen hingen dir an,
und Tränen sind hartes Wasser,
das über Steine rann,
es ist alles vollendet,
Tränen und Zürnen nicht,
alles wogengeblendet
dein in Rosen und Licht.

Süße Stunde. O Altern!
Schon das Wappen verschenkt:
Stier unter Fackelhaltern
und die Fackel gesenkt,
nun von Stränden, von Liden,
einem Orangenmeer
tief in Schwärmen Sphingiden
führen die Schatten her.

Gabst dir alles alleine,
gib dir das letzte Glück,
nimm die Olivenhaine
dir die Säulen zurück,
ach, schon lösen sich Glieder
und in dein letztes Gesicht
steigen Boten hernieder
ganz in Rosen und Licht.

LEBEN – NIEDERER WAHN

Leben – niederer Wahn!
Traum für Knaben und Knechte,
doch du von altem Geschlechte,
Rasse am Ende der Bahn,

was erwartest du hier?
immer noch eine Berauschung,
eine Stundenvertauschung
von Welt und dir?

Suchst du noch Frau und Mann?
ward dir nicht alles bereitet,
Glauben und wie es entgleitet
und die Zerstörung dann?

Form nur ist Glaube und Tat,
die erst von Händen berührten,
doch dann den Händen entführten
Statuen bergen die Saat.

WER ALLEIN IST –

Wer allein ist, ist auch im Geheimnis,
immer steht er in der Bilder Flut,
ihrer Zeugung, ihrer Keimnis,
selbst die Schatten tragen ihre Glut.

Trächtig ist er jeder Schichtung
denkerisch erfüllt und aufgespart,
mächtig ist er der Vernichtung
allem Menschlichen, das nährt und paart.

Ohne Rührung sieht er, wie die Erde
eine andere ward, als ihm begann,
nicht mehr Stirb und nicht mehr Werde:
formstill sieht ihn die Vollendung an.

SPÄT IM JAHRE –

Spät im Jahre, tief im Schweigen
dem, der ganz sich selbst gehört,
werden Blicke niedersteigen,
neue Blicke, unzerstört.

Keiner trug an deinen Losen,
keiner frug, ob es gerät –
Saum von Wunden, Saum von Rosen –
weite Blicke, sommerspät.

Dich verstreut und dich gebunden,
dich verhüllt und dich entblößt –
Saum von Rosen, Saum von Wunden –
letzte Blicke, selbsterlöst.

SUCHST DU –

Suchst du die Zeichen des Alten
Ur-Alten vor Berg und Tal,
Wandel der Gestalten,
Anbruch menschlicher Qual,

wendend die Züge des Sinnes,
ausgelittener Ruh
Endes wie Beginnes
dem Unstillbaren zu,

ach, nur im Werk der Vernichter
siehst du die Zeichen entfacht:
kühle blasse Gesichter
und das tiefe: Vollbracht.

AUF DEINE LIDER SENK ICH SCHLUMMER

Auf deine Lider senk ich Schlummer,
auf deine Lippen send ich Kuß,
indessen ich die Nacht, den Kummer,
den Traum alleine tragen muß.

Um deine Züge leg ich Trauer,
um deine Züge leg ich Lust,
indes die Nacht, die Todesschauer
weben allein durch meine Brust.

Du, die zu schwach, um tief zu geben,
du, die nicht trüge, wie ich bin –
drum muß ich abends mich erheben
und sende Kuß und Schlummer hin.

ANEMONE

Erschütterer –: Anemone,
die Erde ist kalt, ist nichts,
da murmelt deine Krone
ein Wort des Glaubens, des Lichts.

Der Erde ohne Güte,
der nur die Macht gerät,
ward deine leise Blüte
so schweigend hingesät.

Erschütterer –: Anemone,
du trägst den Glauben, das Licht,
den einst der Sommer als Krone
aus großen Blüten flicht.

EINSAMER NIE –

Einsamer nie als im August:
Erfüllungsstunde – im Gelände
die roten und die goldenen Brände,
doch wo ist deiner Gärten Lust?

Die Seen hell, die Himmel weich,
die Äcker rein und glänzen leise,
doch wo sind Sieg und Siegsbeweise
aus dem von dir vertretenen Reich?

Wo alles sich durch Glück beweist
und tauscht den Blick und tauscht die Ringe
im Weingeruch, im Rausch der Dinge –
dienst du dem Gegenglück, dem Geist.

Aus dem Oratorium

DAS UNAUFHÖRLICHE

(Musik von Paul Hindemith)

EINLEITUNGSCHOR

Das Unaufhörliche:
Großes Gesetz.

Das Unaufhörliche
mit Tag und Nacht
ernährt und spielt es sich
von Meer zu Meer,
mondlose Welten überfrüht,
hinan, hinab.

Es beugt die Häupter all,
es beugt die Jahre.

Der Tropen Brände,
der Arktis eisge Schauer,
hinan, hinab,
ein Hauch.

Und stolze Häupter,
von Gold und Kronen umarmt
oder im Helm des namenlosen Mannes:
das Unaufhörliche,
es beugt auch dich.

Das Unaufhörliche.
Verfall und Wende
die Meere über,
die Berge hoch.

Sein Lager
von Ost nach West
mit Wachen auf allen Höhn,
kein Ding hat Frieden
vor seinem Schwert.

O Haupt,
von Gold und Doppelflügeln umarmt,
es beugt auch dich.

SOPRANSOLO

Es trägt die Nacht,
das Ende.

Wenn es in Blüte steht,
wenn Salz das Meer
und Wein der Hügel gibt,
ist nicht die Stunde.

Das Markttor, in dessen Schatten
der Seiler webt, am Stein
der Ruf der Wechsler schallt,
hat nicht die Farbe dessen.

Gefilde, Säume des Meers,
die alles trugen: Öl und Herden,
Siebenflöten, helles Gestein,
bis ihnen das Herz brach
vor Glück und Göttern –:
da ist wohl Farb und Stunde.

Säulen, die ruhn, Delphine,
verlassne Scharen,
die Hyakinthos trugen, den Knaben,
früh verwandelt
zu Asche und Blumengeruch –:
da wohl noch mehr.

TERZETT UND TENORSOLO

Vor uns das All,
unnahbar und verhängt,
und wir, das Ich,
verzweifelt, todbedrängt.

Wir Vertriebenen,
wir Schädelblüten:
manchmal blicken wir auf Schilf und Rohr:
alte Ströme,
Schöpfungsmythen
schweben uns
mit Korb und Netzen
ganz unsäglich
schmerzlich vor.

Wir Vertriebenen,
wir Scheitelstunde,
die sich nie in Traum und Rausch vergißt:
manchmal werden wir davongetragen,
hören wir
von Meer- und Wandersagen,
einer Insel, wie aus Schöpfungstagen
und die ohne das Bewußtsein ist.

Durchgekämpft
durch Tier- und Vormenschmassen
irrt die späte Art
von Pol zu Pol,
bis sie endet,
bis das Joch der Rassen:
bis das weiße Ich
die Welt verlassen –:
lebe wohl.

Lied

Lebe wohl den frühen Tagen,
die mit Sommer, stillem Land
angefüllt und glücklich lagen
in des Kindes Träumerhand.
Lebe wohl, du großes Werde,
über Feldern, See und Haus,
in Gewittern brach die Erde
zu gerechtem Walten aus.
Lebe wohl, was je an Ahnen
mich aus solchem Sein gezeugt,
das sich noch den Sonnenbahnen,
das sich noch der Nacht gebeugt.
Von dem Frühen zu dem Späten,
und die Bilder sinken ab –
lebe wohl, aus großen Städten
ohne Traum und ohne Grab.

KNABENCHOR

So sprach das Fleisch zu allen Zeiten:
nichts gibt es als das Satt- und Glücklichsein!
Uns aber soll ein andres Wort begleiten:
das Ringende geht in die Schöpfung ein.

Das Ringende, von dem die Glücke sinken,
das Schmerzliche, um das die Schatten wehn,
die Lechzenden, die aus zwei Bechern trinken,
und beide Becher sind voll Untergehn.

Des Menschen Gieriges, das Fraß und Paarung
als letzte Schreie durch die Welten ruft,
verwest an Fetten, Falten und Bejahrung,
und seine Fäulnis stößt es in die Gruft.

Das Leidende wird es erstreiten,
das Einsame, das Stille, das allein
die alten Mächte fühlt, die uns begleiten –:
und dieser Mensch wird unaufhörlich sein.

SCHLUSSCHOR

Chor:

Ja, dieser Mensch wird ohne Ende sein,
wenn auch sein Sommer geht,
der Klang der Harfe,
die hellen Erntelieder
einst vergehn:
Große Gesetze
führten seine Scharen,
ewige Laute
stimmten seinen Ruf.
ahnende Weite
trug Verfall und Wende
ins Unaufhörliche,
das Alterlose.

K n a b e n c h o r zugleich:

Das Unaufhörliche –: Verfall und Wende
im Klang der Meere und im Sturz des Lichts,
mondlose Welten überfrüht.
Mit Tag und Nacht
ernährt und spielt es sich
von Meer zu Meer.

C h o r :

Das Unaufhörliche – durch Raum und Zeiten,
der Himmel Höhe und der Schlünde Tief –:
in Schöpfungen, in Dunkelheiten –:
und keiner kennt die Stimme, die es rief.

Die Welten sinken und die Welten steigen
aus einer Schöpfung stumm und namenlos,
die Götter fügen sich, die Chöre schweigen –:
ewig im Wandel und im Wandel groß.

Studien zu dem Oratorium

(nicht komponiert)

CHORAL

Was sagt ihr zu dem Wogen der Geschichte:
erst Wein, dann Blut: das Nibelungenmahl,
Mahle und Morde, Räusche und Gerichte,
Rosen und Ranken schlingen noch den Saal.

Was sagt ihr zu den Heeren, ihren Zügen,
die Merowinger enden und Pipin
läßt ihrem Letzten einen Hof zum Pflügen
und ein Spann Ochsen, die den Karren ziehn.

Die Götter enden mit in solchen Wellen,
mit Fell und Panthern klappert noch ein Fest,
die Herzen plärren, nur die Pardel schwellen:
Vieh für die Götter ist des Glaubens Rest.

Mit Brand und Seuchen schwängert sich das Werden,
am Maul, das Kronen frißt und Reiche schält,
verfallne Lande, hirtenlose Herden
von Kuh und Stuten, die das Euter quält.

Was sagt ihr zu dem Wogen der Geschichte,
ist wo ein Reich, das nicht zum Abgrund kreist,
wo ein Geschlecht in ewig gleichem Lichte,
nun gar der Mensch, sein armer Geist –:

Der Geist muß wohl in allem rauschen,
da jeder einzelne so schnell dahin
und auch so spurlos endet, nur ein Tauschen
von Angesicht und Worten scheint sein Sinn.

LEBE WOHL

Lebe wohl,
farewell,
und nevermore –:
aller Sprachen Schmerz- und Schattenlaut
sind dem Herzen,
sind dem Ohre
unaufhörlich
tief vertraut.

Lebe wohl,
good bye,
felice notte
und was sonst noch heißt, daß es nicht bleibt,
alles Ruf vom unbekannten Gotte,
der uns
unaufhörlich
treibt.

Lebe wohl – du weißt es, Feld und Aue,
alle Dünung, das Antillenmeer
lebt vom Salze, lebt vom Taue
einer Schattenwiederkehr,

über allem steht die Doppelschwinge
einer zehrenden Unendlichkeit:
Welten – Werke – letzte Dinge –:
todgeweiht.

WO KEINE TRÄNE FÄLLT

Untröstlichkeiten – in Sagen,
frühmenschlich strophischer Schau
hört man von Geistern, die tragen
den Mond, die Matte, den Tau,
in Felsen legen sie Teiche,
auf Schlünde Palmen und Wein,
und hüllen in Zauberreiche
die trauernden Völker ein.

Untröstlichkeiten – beschwören
mit Tanz und Maskenschar,
Trommeln und Rindenröhren
und die Fichte im Haar –
beschwören die Stämme, die Rassen
Dauer des süßen Scheins
und erhoffen Erlassen
der Gesetze des Seins.

Doch da an einer Warte
von Zucht und Ahnen alt
lehnt eine flügelharte
unsägliche Gestalt,
ihr Blick, der Licht und Sterne
und Buch und Zirkel hält,
der sieht in eine Ferne,
wo keine Träne fällt.

Das ist die letzte Sphäre,
ein Hoch- und Hafenland,
da wächst die schwerste Ähre
von jeder Glut gebrannt,
sie wächst nicht, um zu leben,
so singt der Ährenwind,
sie wächst sich zu ergeben,
wenn es der Genius sinnt:

Unsterblichkeit.

SILS-MARIA

I

In den Abend rannen die Stunden,
er lauschte im Abhangslicht
ihrer Strophe: „alle verwunden,
die letzte bricht . . .“

Das war zu Ende gelesen.
Doch wer die Stunden denkt:
ihre Welle, ihr Spiel, ihr Wesen,
der hat die Stunden gelenkt –:

Ein Alles-zum-Besten-Nenner
den trifft die Stunde nicht,
ein solcher Schattenkenner
der trinkt das Parzenlicht.

II

Es war kein Schnee, doch Leuchten,
das hoch herab geschah,
es war kein Tod, doch deuchten
sich alle todesnah –
es war so weiß, kein Bitten
durchdrang mehr das Opal,
ein ungeheures: Gelitten
stand über diesem Tal.

DIE SCHALE

Kommst du zum letzten Male,
wir waren doch so allein
und rannen in eine Schale
mit Bildern und Träumen ein.

Es war doch eben noch heute
und unser Meer war die Nacht,
wir waren einander die Beute,
die weiße Fracht.

Wir streiften uns wie zwei Rassen,
zwei Völker von Anbeginn,
die Stämme, die dunklen, die blassen
gaben sich hin.

Kommst du zum letzten Male,
es war doch alles nur Spiel,
oder sahst du wie in die Schale
Tränen und Schatten fiel –

sahst du, sahst du ihr Neigen
in Strömen dieses Weins
und dann ihr Fallen und Schweigen:
die Verwandlung des Seins –?

EIN LAND –

Ein Land, ein dunkles Meer,
und dann ein Reich, das endet
so fern, daß nie sich wendet
ein Strahl hierher.

Ein Tag, ein zwitternd Licht,
Urängste, Todesdränge:
das Land der Untergänge:
kennst du es nicht?

Auf Sänften und auf Truhn,
da lagern die Gestalten,
die Schweigenden, die Alten
und künden –: ruhn.

Die nur durch Tränen sahn
das tägliche Vernichten,
doch auch die Frein, die Lichten:
sie spähn, sie nahn.

IMMER SCHWEIGENDER

Du in die letzten Reiche,
du in das letzte Licht,
ist es kein Licht ins bleiche
starrende Angesicht,
da sind die Tränen deine,
da bist du dir entblößt,
da ist der Gott, der eine,
der alle Qualen löst.

Aus unnennbaren Zeiten
eine hat dich zerstört,
Rufe, Lieder begleiten
dich, am Wasser gehört,
Trümmer tropischer Bäume,
Wälder vom Grunde des Meer,
grauendurchrauschte Räume
treiben sie her.

Uralt war dein Verlangen,
uralt Sonne und Nacht,
alles: Träume und Bangen
in die Irre gedacht,
immer endender, reiner
du in Fernen gestuft,
immer schweigender, keiner
wartet und keiner ruft.

DURCH JEDE STUNDE –

Durch jede Stunde,
durch jedes Wort
blutet die Wunde
der Schöpfung fort,

verwandelnd Erde
und tropft den Seim
ans Herz dem Werde
und kehret heim.

Gab allem Flügel,
was Gott erschuf,
den Skythen die Bügel
dem Hunnen den Huf –

nur nicht fragen,
nur nicht verstehn;
den Himmel tragen,
die weitergehn,

nur diese Stunde
ihr Sagenlicht
und dann die Wunde,
mehr gibt es nicht.

Die Äcker bleichen,
der Hirte rief,
das ist das Zeichen:
tränke dich tief,

den Blick in Bläue,
ein Ferngesicht:
das ist die Treue,
mehr gibt es nicht,

Treue den Reichen,
die alles sind,
Treue dem Zeichen,
wie schnell es rinnt,

ein Tausch, ein Reigen,
ein Sagenlicht,
ein Rausch aus Schweigen,
mehr gibt es nicht.

AM BRÜCKENWEHR

I

„Ich habe weit gedacht,
nun lasse ich die Dinge
und löse ihre Ringe
der neuen Macht.

Gelehnt am Brückenwehr –
die hellen Wasser rauschen,
die Elemente tauschen
sich hin und her.

Der Lauf ist schiefergrau,
der Ton der Urgesteine,
als noch das Land alleine
im Schichtenbau.

Des Sommers Agonie
gibt auch ein Rebgehänge,
Kelter- und Weingesänge
durchstreifen sie.

Wessen ist das und wer?
Dessen, der alles machte,
dessen, der es dann dachte
vom Ende her?

Ich habe weit gedacht,
ich lebte in Gedanken,
bis ihre Häupter sanken
vor welcher Macht?“

II

„Vor keiner Macht zu sinken,
vor keinem Rausch zur Ruh,
du selbst bist Trank und Trinken,
der Denker, du.

Du bist ja nicht der Hirte
und ziehst nicht mit Schalmein,
wenn der, wie du, sich irrte,
ist nie Verzeihn.

Du bist ja nicht der Jäger
aus Megalith und Ur,
du bist der Formenpräger
der weißen Spur.

So viele sind vergangen
im Bach- und Brückenschein,
wer kennt nicht das Verlangen
zum Urgestein –:

Doch dir bestimmt: kein Werden,
du bleibst gebannt und bist
der Himmel und der Erden
Formalist.

Du kannst es keinem zeigen
und keinem du entfliehn,
du trägst durch Nacht und Schweigen
den Denker – ihn.“

III

„Doch wenn dann Stunden sind,
wo ohne Rang und Reue
das Alte und das Neue
zusammenrinnt,

wo ohne Unterschied
das Wasser und die Welle,
das Dunkle und das Helle
das eine Lied,

ein Lied, des Stimme rief
gegen Geschichtsgewalten
das in sich selbst Gestalten,
asiatisch tief –

ach, wenn die Stunden dann kommen
und dichter werden und mehr
Sommer und Jahre verglommen,
singt man am Brückenwehr:

laß mich noch einmal reich sein,
wie es die Jugend gedacht,
laß mich noch einmal weich sein
im Blumengeruch der Nacht,

nimm mir die Hölle, die Hülle,
die Form, den Formungstrieb,
gib mir die Tiefe, die Fülle,
die Schöpfung – gib!"

IV

„Bist du auf Grate gestiegen,
sahst du die Gipfel klar:
Adler, die wirklichen, fliegen
schweigend und unfruchtbar.

Kürzer steht es in Früchten,
früher, daß es verblich,
nahe am Schöpfer züchten
wenige Arten sich.

Ewig schweigend das Blaue,
wer noch an Stimmen denkt,
hat schon den Blick, die Braue
wieder in Sehnsucht gesenkt.

Du aber dienst Gestalten
über dem Brückenwehr,
über den stumpfen Gewalten
Völker und Schnee und Meer:

formen, das ist deine Fülle,
der Rasse auferlegt,
formen, bis die Hülle
die ganze Tiefe trägt,

die Hülle wird dann zeigen,
und keiner kann entfliehn,
daß Form und Tiefe Reigen,
durch den die Adler ziehn."

DIE WEISSEN SEGEL

Die weißen Segel, die Bogen,
an Bord die leuchtende Fahrt
sind eine Art von Wogen
und eine Segel-Art.

Des hohen Tiers, des Einen
zentaurisch, ohne Qual,
der frühen Welt, der seinen
bei Rauch und Widdermahl.

Der Kiel im Elemente,
der Bug in Wurf und Wehr,
wer da noch Fragen kennte,
was ist wohl der –?

Wo Spill und Tau am Lager,
der Topp sich dreht im Nu,
wer spräche da dem Frager
wohl Wesen zu?

Und doch vor Flagg' und Fahnen
erhebe dich gedämpft:
auch dein Gefühl hat Ahnen,
du hast es dir erkämpft.

Keiner kann dich beschenken
weder mit Brot noch mit Wein,
dein ist Leiden und Denken:
so empfängst du das Sein.

Östliche Ströme durchschwimmen
uralte, zaubergebleicht,
westlich die Höhe bestimmen
selber, in die man reicht.

Wachen und immer bereit sein
dem, was Verwandlung verheißt,
bald wird die Erde so weit sein,
zu dir zu steigen als Geist.

NOCH EINMAL

Noch einmal weinen – und sterben
mit dir: den dunklen Sinn
von Liebe und Verderben
den fremden Göttern hin.

Du kannst es doch nicht hüten,
es bleibt doch immer nah:
was nicht aus Meer und Blüten,
ist nur in Qualen da.

Versinken und erheben,
vergessen und erspähn,
die letzten Fluten geben,
die letzten Gluten mähn.

Das Weben ohne Masche,
das Säumen ohne Sinn –
die Tränen und die Asche
den fremden Göttern hin.

AM SAUM DES NORDISCHEN MEERS

Melancholie der Seele –
ein Haus, eine Stimme singt,
es ist ein Haus ohne Fehle,
wo englisch Money klingt,
ein Heim von heiteren Losen
geselligen Verkehrs,
vier Wände aus Silber und Rosen
am Saum des nordischen Meers.

Sie singt – und die hohe Klasse
der Nord- und English-Mann,
die gierige weiße Rasse
hält den Atem an,
auch die Ladies, die erlauchten,
geschmückt mit Pelz und Stein
und den Perlen, den ertauchten
um die Inseln von Bahrain.

Die Stimme singt – ohne Fehle,
fremde Worte sind im Raum:
„Ruhe in Frieden, Seele,
die vollendet süßen Traum –"
vollendet –! und alle trinken
die Schubertsche Litanei
und die Räuberwelten versinken
von Capetown bis Shanghai.

Geschmuggelt, gebrannt, geschunden
in Jurten und Bambuszelt,
die Peitsche durch Niggerwunden,
die Dollars durchs Opiumfeld –:
die hohe Rasse aus Norden,
die abendländische Pracht
im Raum ist still geworden –
aus die Mythe der Macht!

Fern, fern aus Silber und Rosen
das Haus und die Stimme singt
die Lieder, die grenzenlosen,
die ein anderes Volk ihr bringt,
die machen die Macht zur Beute
einer anderen Mächtigkeit:
der Mensch ist ewig und heute
fernen Himmeln geweiht.

Englische – finnische Wände –:
Häuser – die Stimme singt:
Germany ohne Ende,
wenn German song erklingt,
dann ist es ohne Fehle
und gibt seinen Söhnen Ruh –
Melancholie der Seele
der weißen Rasse, du.

DEIN IST –

Dein ist – ach, kein Belohnen,
frage nicht, was es nützt,
du leidest – die Leiden thronen
unnennbar und beschützt.

Du siehst – ach, kein Gestalten
aus dem, das dich gebeugt –
ein Glühen, ein Erkalten,
doch nicht, wohin es zeugt.

Du trägst – ach, nicht das Zeichen,
aus dem die Sagen sind,
es kommt aus hohen Reichen
ein König und ein Kind,

in dem das Ungenügen
und was als Tod erscheint
zu wundervollen Zügen
des Glücks sich eint.

Dein ist der Traum, das Täuschen,
und wenn es dich zerbricht
am Boden, in den Räuschen,
ein gläsern Angesicht.

DOPPELKONZERT

Durch die Klangwelt, welche Menschen schufen,
Tongebilde rhythmisch hingelegt,
sah ich jäh die längstverlassenen Stufen
einer Erde, die sich stumm erträgt.

Ohne Laut das Enden, Fall der Blumen,
Tod von Tieren, die sich weit bewahrt,
nur ein Runzeln, stirbt aus Altertumen
eine letzte langgenährte Art.

Spreu des All, ein grauer Bruch aus Sternen,
eine Schaufel Steine – eine Hand,
die den Wurf durch Finsternis und Fernen
zu Geröll und stummem Felsen band.

Schalentiere, Muscheln, rote Riffe,
kalte Fischwelt, doch auch Lurch und Gnu:
alle brechen unter *einem* Griffe
lautlos und die Lippe ist noch zu.

Da, noch schauernd in der Urgewalten
Runzeln, Röcheln, erster Ausdrucksspur,
hör ich Flöten einen Gram entfalten:
Tosca –: Ausdrucksstürme: Hörner spalten
die unsäglich harrende Natur!

IN MEMORIAM HÖHE 317

Auf den Bergen, wo
Unbekannte nachten
nicht auf Sarg und Stroh
Opfer aus den Schlachten –:
wie die Stunde rinnt,
spürst du's nicht im Ohr –
eine Spinne spinnt
Netze vor das Tor.

Auf den Bergen, die
Art von Leben tragen,
daß man schauert, wie
nah die Quellen lagen,
wie die Stunde rinnt,
spürst du's nicht im Ohr,
von den Bergen rinnt,
spinnt ein Aschenflor.

Ach, dem Berge, den
Frucht und Sommer kränzt,
ist nicht anzusehn
all das Ungeglänzt,
wie die Stunde rinnt,
spürst du's nicht im Ohr,
wie vom Berg im Wind
schluchzt ein Schattenchor.

TRÄUME, TRÄUME –

Träume, Träume – Flackerndes und Flammen,
Bildung, ewig dem Vergängnis nah,
Räume, Räume – Suchen und Verdammen
Schatten, Schreie der Apostata.

Stunden, Stunden – die Gebilde weichen,
letzte Lösungen der Ursubstanz,
Übergänge, Wendekreise, Gleichen,
stygisches Gemurmel, Aschenglanz.

Tote – wer ist tot – es sprühn die Weiten,
Träume, Träume schimmern sie heran,
hell die Kerzen, die Gespräche gleiten,
warme Stimmen sind es, Frau und Mann.

Das Zerfallne reicht sich Gruß und Hände:
„hätten wir gewußt, was ich dann sah –
ach, entzünde neu die Liebesbrände,
sei mir eine alte Stunde nah."

Eine alte Stunde –! Träume, Träume,
aufgetrunken vom Vergängnisbann,
von dem See mit Giften in die Räume,
über die kein Vogel fliegen kann –

Ach –! ein Leben –! dieser See am Ende,
seine fahlen Ufer, seine Nacht,
keine Morgenröte, keine Wende,
graue Bilder, stumme, seine Fracht –:

dichte Züge sind es, schwarze Kähne,
durch die Risse sickert Schlamm und Moor,
und das Wasser wirft die dunkle Mähne
über die gepreßten Opfer vor –

Räume, Räume, Räume, die verdammen,
Stunden, Stunden, da das Letzte weicht,
Träume, Träume rufen sie zusammen,
bis das Nichts auch diese Bilder bleicht.

ASTERN

Astern – schwälende Tage,
alte Beschwörung, Bann,
die Götter halten die Waage
eine zögernde Stunde an.

Noch einmal die goldenen Herden
der Himmel, das Licht, der Flor,
was brütet das alte Werden
unter den sterbenden Flügeln vor?

Noch einmal das Ersehnte,
den Rausch, der Rosen Du –
der Sommer stand und lehnte
und sah den Schwalben zu,

noch einmal ein Vermuten,
wo längst Gewißheit wacht:
die Schwalben streifen die Fluten
und trinken Fahrt und Nacht.

LIEBE

Liebe – halten die Sterne
über den Küssen Wacht,
Meere – Eros der Ferne –
rauschen, es rauscht die Nacht,
steigt um Lager, um Lehne,
eh sich das Wort verlor,
Anadyomene
ewig aus Muscheln vor.

Liebe – schluchzende Stunden
Dränge der Ewigkeit
löschen ohne viel Wunden
ein paar Monde der Zeit,
landen – schwärmender Glaube! –
Arche und Ararat
sind dem Wasser zu Raube,
das keine Grenzen hat.

Liebe – du gibst die Worte
weiter, die dir gesagt,
Reigen – wie sind die Orte
von Verwehtem durchjagt,
Tausch – und die Stunden wandern
und die Flammen wenden sich,
zwischen Schauern von andern
gibst du und nimmst du dich.

TAG, DER DEN SOMMER ENDET

Tag, der den Sommer endet,
Herz, dem das Zeichen fiel:
die Flammen sind versendet,
die Fluten und das Spiel.

Die Bilder werden blasser,
entrücken sich der Zeit,
wohl spiegelt sie noch ein Wasser,
doch auch dies Wasser ist weit.

Du hast eine Schlacht erfahren,
trägst noch ihr Stürmen, ihr Fliehn,
indessen die Schwärme, die Scharen,
die Heere weiterziehn.

Rosen und Waffenspanner,
Pfeile und Flammen weit –:
die Zeichen sinken, die Banner –:
Unwiederbringlichkeit.

TURIN

„Ich laufe auf zerrissenen Sohlen“,
schrieb dieses große Weltgenie
in seinem letzten Brief – dann holen
sie ihn nach Jena – Psychiatrie.

Ich kann mir keine Bücher kaufen,
ich sitze in den Librairien:
Notizen – dann nach Aufschnitt laufen: –
das sind die Tage von Turin.

Indes Europas Edelfäule
an Pau, Bayreuth und Epsom sog,
umarmte er zwei Droschkengäule,
bis ihn sein Wirt nach Hause zog.

EINST

Einst, wenn der Winter begann,
du hieltest von seinen Schleiern,
den Dämmerdörfern, den Weihern
die Schatten an.

Oder die Städte erglommen
sphinxblau an Schnee und Meer –
wo ist das hingekommen
und keine Wiederkehr.

Alles des Grams, der Gaben
früh her in unser Blut –:
wenn wir *gelitten* haben,
ist es *dann* gut?

DAS GANZE

Im Taumel war ein Teil, ein Teil in Tränen,
in manchen Stunden war ein Schein und mehr,
in diesen Jahren war das Herz, in jenen
waren die Stürme – wessen Stürme – wer?

Niemals im Glücke, selten mit Begleiter,
meistens verschleiert, da es tief geschah,
und alle Ströme liefen wachsend weiter
und alles Außen ward nur innen nah.

Der sah dich hart, der andre sah dich milder,
der wie es ordnet, der wie es zerstört,
doch was sie sahn, das waren halbe Bilder,
da dir das Ganze nur allein gehört.

Im Anfang war es heller, was du wolltest
und zielte vor und war dem Glauben nah,
doch als du dann erblicktest, was du solltest,
was auf das Ganze steinern niedersah,

da war es kaum ein Glanz und kaum ein Feuer,
in dem dein Blick, der letzte, sich verfing:
Ein nacktes Haupt, in Blut, ein Ungeheuer,
an dessen Wimper eine Träne hing.

MANN –

Mann – du alles auf Erden.
fielen die Masken der Welt,
fielen die Helden, die Herden –:
weites trojanisches Feld –

immer Gewölke der Feuer,
immer die Flammen der Nacht
um dich, Tiefer und Treuer,
der das Letzte bewacht,

keine Götter mehr zum Bitten
keine Mütter mehr als Schoß –
schweige und habe gelitten,
sammle dich und sei groß!

ACH, DAS ERHABENE

Nur der Gezeichnete wird reden
und das Vermischte bleibe stumm,
es ist die Lehre nicht für jeden,
doch keiner sei verworfen drum.

Ach, das Erhabne ohne Strenge,
so viel umschleiernd, tief versöhnt,
ganz unerfahrbar für die Menge,
da es aus einer Wolke tönt.

Nur wer ihm dient, ist auch verpflichtet,
es selbst verpflichtet nicht zum Sein,
nur wer sich führt, nur wer sich schichtet,
tritt in das Joch der Höhe ein.

Nur wer es trägt, ist auch berufen,
nur wer es fühlt, ist auch bestimmt –:
da ist der Traum, da sind die Stufen
und da die Gottheit, die es nimmt.

DENNOCH DIE SCHWERTER HALTEN

Der soziologische Nenner,
der hinter Jahrtausenden schlief,
heißt: ein paar große Männer
und die litten tief.

Heißt: ein paar schweigende Stunden
in Sils-Maria-Wind,
Erfüllung ist schwer von Wunden,
wenn es Erfüllungen sind.

Heißt: ein paar sterbende Krieger
gequält und schattenblaß,
sie heute und morgen der Sieger –:
warum erschufst du das?

Heißt: Schlangen schlagen die Hauer
das Gift, den Biß, den Zahn,
die Ecce-homo-Schauer
dem Mann in Blut und Bahn –

heißt: so viel Trümmer winken:
die Rassen wollen Ruh,
lasse dich doch versinken
dem nie Endenden zu –

und heißt dann: schweigen und walten,
wissend, daß sie zerfällt,
dennoch die Schwerter halten
vor die Stunde der Welt.

ACH, DAS FERNE LAND –

Ach, das ferne Land,
wo das Herzzerreißende
auf runden Kiesel
oder Schilffläche libellenflüchtig
anmurmelt,
auch der Mond
verschlagenen Lichts
– halb Reif, halb Ährenweiß –
den Doppelgrund der Nacht
so tröstlich anhebt –

ach, das ferne Land,
wo vom Schimmer der Seen
die Hügel warm sind,
zum Beispiel Asolo, wo die Duse ruht,
von Pittsburg trug sie der „Duilio“ heim,
alle Kriegsschiffe, auch die englischen, flaggten
halbmast,
als er Gibraltar passierte –

dort Selbstgespräche
ohne Beziehungen auf Nahes,
Selbstgefühle
frühe Mechanismen,
Totemfragmente
in die weiche Luft –
etwas Rosinenbrot im Rock –

so fallen die Tage,
bis der Ast am Himmel steht,
auf dem die Vögel einruhn
nach langem Flug.

QUARTÄR –

I

Die Welten trinken und tränken
sich Rausch zu neuem Raum
und die letzten Quartäre versenken
den ptolemäischen Traum.
Verfall, Verflammen, Verfehlen –
in toxischen Sphären, kalt,
noch einige stygische Seelen,
einsame, hoch und alt.

II

Komm – laß sie sinken und steigen,
die Zyklen brechen hervor:
uralte Sphinxe, Geigen
und von Babylon ein Tor,
ein Jazz vom Rio del Grande,
ein Swing und ein Gebet –
an sinkenden Feucrn, vom Rande,
wo alles zu Asche verweht.

Ich schnitt die Gurgel den Schafen
und füllte die Grube mit Blut,
die Schatten kamen und trafen
sich hier – ich horchte gut –,

ein jeglicher trank, erzählte
von Schwert und Fall und frug,
auch stier- und schwanenvermählte
Frauen weinten im Zug.

Quartäre Zyklen – Szenen,
doch keine macht dir bewußt,
ist nun das Letzte die Tränen
oder ist das Letzte die Lust
oder beides ein Regenbogen,
der einige Farben bricht,
gespiegelt oder gelogen –
du weißt, du weißt es nicht.

III

Riesige Hirne biegen
sich über ihr Dann und Wann
und sehen die Fäden fliegen,
die die alte Spinne spann,
mit Rüsseln in jede Ferne
und an alles, was verfällt,
züchten sich ihre Kerne
die sich erkennende Welt.

Einer der Träume Gottes
blickte sich selber an,
Blicke des Spiels, des Spottes

vom alten Spinnenmann,
dann pflückt er sich Asphodelen
und wandert den Styxen zu –
laß sich die Letzten quälen,
laß sie Geschichte erzählen –
Allerseelen –
Fini du tout.

CHOPIN

Nicht sehr ergiebig im Gespräch,
Ansichten waren nicht seine Stärke,
Ansichten reden drum herum,
wenn Delacroix Theorien entwickelte,
wurde er unruhig, er seinerseits konnte
die Notturnos nicht begründen.

Schwacher Liebhaber;
Schatten in Nohant,
wo George Sands Kinder
keine erzieherischen Ratschläge
von ihm annahmen.

Brustkrank in jener Form
mit Blutungen und Narbenbildung,
die sich lange hinzieht;
stiller Tod
im Gegensatz zu einem
mit Schmerzparoxysmen
oder durch Gewehrsalven:
man rückte den Flügel (Erard) an die Tür
und Delphine Potocka
sang ihm in der letzten Stunde
ein Veilchenlied.

Nach England reiste er mit drei Flügeln:
Pleyel, Erard, Broadwood,

spielte für zwanzig Guineen abends
eine Viertelstunde
bei Rothschilds, Wellingtons, im Strafford House
und vor zahllosen Hosenbändern;
verdunkelt von Müdigkeit und Todesnähe
kehrte er heim
auf den Square d'Orléans.

Dann verbrennt er seine Skizzen
und Manuskripte,
nur keine Restbestände, Fragmente, Notizen,
diese verräterischen Einblicke –
sagte zum Schluß:
„Meine Versuche sind nach Maßgabe dessen
vollendet,
was mir zu erreichen möglich war."

Spielen sollte jeder Finger
mit der seinem Bau entsprechenden Kraft,
der vierte ist der schwächste
(nur siamesisch zum Mittelfinger).
Wenn er begann, lagen sie
auf e, fis, gis, h, c.

Wer je bestimmte Präludien
von ihm hörte,
sei es in Landhäusern oder
in einem Höhengelände
oder aus offenen Terrassentüren

beispielsweise aus einem Sanatorium,
wird es schwer vergessen.

Nie eine Oper komponiert,
keine Symphonie,
nur diese tragischen Progressionen
aus artistischer Überzeugung
und mit einer kleinen Hand.

ORPHEUS' TOD

Wie du mich zurückläßt, Liebste –
von Erebos gestoßen,
dem unwirtlichen Rhodope
Wald herziehend,
zweifarbige Beeren,
rotglühendes Obst –
Belaubung schaffend,
die Leier schlagend
den Daumen an der Saite!

Drei Jahre schon im Nordsturm!
An Totes zu denken, ist süß,
so Entfernte,
man hört die Stimme reiner,
fühlt die Küsse,
die flüchtigen und die tiefen –
doch du irrend bei den Schatten!

Wie du mich zurückläßt –
anstürmen die Flußnymphen,
anwinken die Felsenschönen,
gurren: „im öden Wald
nur Faune und Schratte, doch du,
Sänger, Aufwölber
von Bronzelicht, Schwalbenhimmeln –
fort die Töne –
Vergessen –!"

– drohen –!

Und eine starrt so seltsam.
Und eine Große, Gefleckte,
bunthäutig („gelber Mohn")
lockt unter Demut, Keuschheitsandeutungen
bei hemmungsloser Lust – (Purpur
im Kelch der Liebe –!) vergeblich!

drohen –!

Nein, du sollst nicht verrinnen,
du sollst nicht übergehn in
Iole, Dryope, Prokne,
die Züge nicht vermischen mit Atalanta,
daß ich womöglich Eurydike
stammle bei Lais –

doch: drohen –!

und nun die Steine
nicht mehr der Stimme folgend,
dem Sänger,
mit Moos sich hüllend,
die Äste laubbeschwichtigt,
die Hacken ährenbesänftigt –:
nackte Haune –!

nun wehrlos dem Wurf der Hündinnen,
der wüsten –

nun schon die Wimper naß,
der Gaumen blutet –
und nun die Leier –
hinab den Fluß –

die Ufer tönen –

VERSE

Wenn je die Gottheit, tief und unerkenntlich
in einem Wesen auferstand und sprach,
so sind es Verse, da unendlich
in ihnen sich die Qual der Herzen brach;
die Herzen treiben längst im Strom der Weite,
die Strophe aber streift von Mund zu Mund,
sie übersteht die Völkerstreite
und überdauert Macht und Mörderbund.

Auch Lieder, die ein kleiner Stamm gesungen,
Indianer, Yakis mit Aztekenwort,
längst von der Gier des weißen Manns bezwungen,
leben als stille Ackerstrophen fort:
„komm, Kindlein, komm im Schmuck der Siebenähren,
komm, Kindlein, komm in Kett' und Jadestein,
der Maisgott stellt ins Feld, uns zu ernähren,
den Rasselstab und du sollst Opfer sein –“

Das große Murmeln dem, der seine Fahrten
versenkt und angejocht dem Geiste lieh,
Einhauche, Aushauch, Weghauch – Atemarten
indischer Büßungen und Fakirie –
das große Selbst, der Alltraum, einem jeden
ins Herz gegeben, der sich schweigend weiht,
hält sich in Psalmen und in Veden
und spottet alles Tuns und trotzt der Zeit.

Zwei Welten stehn in Spiel und Widerstreben,
allein der Mensch ist nieder, wenn er schwankt,
er kann vom Augenblick nicht leben,
obwohl er sich dem Augenblicke dankt;
die Macht vergeht im Abschaum ihrer Tücken,
indes ein Vers der Völker Träume baut,
die sie der Niedrigkeit entrücken,
Unsterblichkeit im Worte und im Laut.

Im Namen dessen, der die Stunden spendet,
im Schicksal des Geschlechts, dem du gehört,
hast du fraglosen Aug's den Blick gewendet
in eine Stunde, die den Blick zerstört,
die Dinge dringen kalt in die Gesichte
und reißen sich der alten Bindung fort,
es gibt nur ein Begegnen: im Gedichte
die Dinge mystisch bannen durch das Wort.

Am Steingeröll der großen Weltruine,
dem Ölberg, wo die tiefste Seele litt,
vorbei am Posilip der Anjouine,
dem Stauferblut und ihrem Racheschritt:
ein neues Kreuz, ein neues Hochgerichte,
doch eine Stätte ohne Blut und Strang,
sie schwört in Strophen, urteilt im Gedichte,
die Spindeln drehen still: die Parze sang.

Im Namen dessen, der die Stunden spendet,
erahnbar nur, wenn er vorüberzieht
an einem Schatten, der das Jahr vollendet,
doch unausdeutbar bleibt das Stundenlied –
ein Jahr am Steingeröll der Weltgeschichte,
Geröll der Himmel und Geröll der Macht,
und nun die Stunde, deine: im Gedichte
das Selbstgespräch des Leides und der Nacht.

BILDER

Siehst du auf Bildern in den Galerien
verkrümmte Rücken, graue Mäuler, Falten
anstößiger gedunsener Alten,
die schon wie Leichen durch die Dinge ziehn,

brüchige Felle, Stoppeln, käsiger Bart,
blutunterflossenes Fett von Fuselräuschen,
gewandt, für Korn zu prellen und zu täuschen,
den Stummel fischend und im Tuch verwahrt;

ein Lebensabend, reichliches Dekor,
Reichtum an Unflat, Lumpen, Pestilenzen,
ein Hochhinauf wechselnder Residenzen;
im Leihhaus tags und nachts im Abflußrohr,

siehst du auf Bildern in den Galerien,
wie diese Alten für ihr Leben zahlten,
siehst du die Züge derer, die es malten,
du siehst den großen Genius – Ihn.

WELLE DER NACHT

Welle der Nacht – Meerwidder und Delphine
mit Hyakinthos' leichtbewegter Last,
die Lorbeerrosen und die Travertine
wehn um den leeren istrischen Palast,

Welle der Nacht – zwei Muscheln miterkoren,
die Fluten strömen sie, die Felsen her,
dann Diadem und Purpur mitverloren,
die weiße Perle rollt zurück ins Meer.

DIE GEFÄHRTEN

Bis du dich selbst vergißt.
so treiben es die Mächte,
im Labyrinth der Schächte
verwandelt bist.

Ein wechselndes Gefühl,
spärliche Fackelbrände,
du tastest und die Wände
sind fremd und kühl.

Einsamer Gang wie nie,
die letzten, die Bewährten
der Jahre, die Gefährten
du ließest sie,

für wen und welche Macht?
Du siehst der Ufer keines
und nur das Leid ist deines,
das sie entfacht,

und was sie sagen will,
fühlst du vielleicht nach Jahren,
doch eh du es erfahren,
ist der Gefährte still.

DANN –

Wenn ein Gesicht, das man als junges kannte
und dem man Glanz und Tränen fortgeküßt,
sich in den ersten Zug des Alters wandte,
den frühen Zauber lebend eingebüßt.

Der Bogen einst, dem jeder Pfeil gelungen,
purpurgefiedert lag das Rohr im Blau,
die Cymbel auch, die jedes Lied gesungen:
– „Funkelnde Schale“ – „Wiesen im Dämmergrau“ –

Dem ersten Zug der zweite schon im Bunde,
ach, an der Stirne hält sie schon die Wacht,
die einsame, die letzte Stunde –
das ganze liebe Antlitz dann in Nacht.

V. JAHRHUNDERT

I

„Und einer stellt die attische Lekythe,
auf der die Überfahrt von Schlaf und Staub
in weißen Grund gemalt als Hadesmythe,
zwischen die Myrte und das Pappellaub.

Und einer steckt Zypresse an die Pfosten
der lieben Tür, mit Rosen oft behängt,
nun weißer Thymian, Tarant und Dosten
den letztesmal Gekränzten unterfängt.

Das Mahl. Der Weiheguß. Die Räucherschwaden.
Dann wird ein Hain gepflanzt das Grab umziehn
und eine Flöte singt von den Zykladen,
doch keiner folgt mir in die Plutonien."

II

Das Tal stand silbern in Olivenzweigen,
dazwischen war es von Magnolien weiß,
doch alles trug sich schwer, in Schicksalsschweigen,
sie blühten marmorn, doch es fror sie leis.

Die Felder rauh, die Herden ungesegnet,
Kore geraubt und Demeter verirrt,
bis sich die beiden Göttinnen begegnet
am Schwarzen Felsen und Eleusis wird.

Nun glüht sich in das Land die ferne Küste,
du gehst im Zuge, jedes Schicksal ruht,
glühst und zerreißest dich, du bist der Myste
und alte Dinge öffnen dir dein Blut.

III

Leuké – die weiße Insel des Achill!
Bisweilen hört man ihn den Päan singen,
Vögel mit den vom Meer benetzten Schwingen
streifen die Tempelwand, sonst ist es still.

Anlandende versinken oft im Traum.
Dann sehn sie ihn, er hat wohl viel vergessen,
er gibt ein Zeichen, zwischen den Zypressen,
weiße Zypresse ist der Hadesbaum.

Wer landet, muß vor Nacht zurück aufs Meer.
Nur Helena bleibt manchmal mit den Tauben,
dann spielen sie, an Schatten *nicht* zu glauben:
„– Paris gab dem den Pfeil, den Apfel der –"

SEPTEMBER

I

Du, über den Zaun gebeugt mit Phlox
(vom Regenguß zerspalten,
seltsamen Wildgeruchs),
der gern auf Stoppeln geht,
zu alten Leuten tritt,
die Balsaminen pflücken,
Rauch auf Feldern
mit Lust und Trauer atmet –

aufsteigenden Gemäuers,
das noch sein Dach vor Schnee und Winter will,
kalklöschenden Gesellen
ein: „ach, vergebens" zuzurufen
nur zögernd sich verhält –

gedrungen eher als hochgebaut,
auch unflätigen Kürbis nackt am Schuh,
fett und gesichtslos, dies Krötengewächs –

Ebenen-entstiegener,
Endmond aller Flammen,
aus Frucht- und Fieberschwellungen
abfallend, schon verdunkelten Gesichts –
Narr oder Täufer,
des Sommers Narr, Nachplapperer, Nachruf
oder der Gletscher Vorlied,

jedenfalls Nußknacker,
Schilfmäher,
Beschäftigter mit Binsenwahrheiten –

vor dir der Schnee,
Hochschweigen, unfruchtbar
die Unbesambarkeit der Weite:
da langt dein Arm hin,
doch über den Zaun gebeugt
die Kraut- und Käferdränge,
das Lebenwollende,
Spinnen und Feldmäuse –

II

Du, ebereschenverhangen
von Frühherbst,
Stoppelgespinst,
Kohlweißlinge im Atem,
laß viele Zeiger laufen,
Kuckucksuhren schlagen,
lärme mit Vespergeläut,
gonge
die Stunde, die so golden feststeht,
so bestimmt dahinbräunt,
in ein zitternd Herz!

Du: – anderes!
So ruhn nur Götter
oder Gewänder
unstürzbarer Titanen
langgeschaffener,
so tief eingestickt
Falter und Blumen
in die Bahnen!

Oder ein Schlummer früher Art,
als kein Erwachen war,
nur goldene Wärme und Purpurbeeren,
benagt von Schwalben, ewigen,
die nie von dannen ziehn –
Dies schlage, gonge,
diese Stunde,
denn
wenn du schweigst,
drängen die Säume herab
pappelbestanden und schon kühler.

ALLE DIE GRÄBER

Alle die Gräber, die Hügel
auf Bergen und an Seen,
die ich grub und von deren Wällen
ich die offene Erde gesehn,

die ich trug und weiter trage
als Tang und Muscheln im Haar,
die ich frug und weiter frage,
wie das Meer am Grunde denn war –

Alle die Gräber, die Hügel,
in denen ich war und bin,
jetzt streift ein weißer Flügel
manchmal über sie hin,

der kann die Kränze nicht heben,
nicht wecken der Rosen Schein,
die ich hinabgegeben,
doch ein Wandelndes deutet er ein.

WENN ETWAS LEICHT

Wenn etwas leicht und rauschend um dich ist
wie die Glyzinienpracht an dieser Mauer,
dann ist die Stunde jener Trauer,
daß du nicht reich und unerschöpflich bist,

nicht wie die Blüte oder wie das Licht:
in Strahlen kommend, sich verwandelnd,
an ähnlichen Gebilden handelnd,
die alle nur der eine Rausch verflicht,

der eine Samt, auf dem die Dinge ruhn
so strömend und so unzerspalten,
die Grenze ziehn, die Stunden halten
und nichts in jener Trauer tun.

EIN WORT

Ein Wort, ein Satz –: aus Chiffren steigen
erkanntes Leben, jäher Sinn,
die Sonne steht, die Sphären schweigen
und alles ballt sich zu ihm hin.

Ein Wort – ein Glanz, ein Flug, ein Feuer,
ein Flammenwurf, ein Sternenstrich –
und wieder Dunkel, ungeheuer,
im leeren Raum um Welt und Ich.

GÄRTEN UND NÄCHTE

Gärten und Nächte, trunken
von Tau und alter Flut,
ach, wieder eingesunken
dem bilderlosen Blut,
aus Wassern und aus Weiden
ein Atem, glutbewohnt,
verdrängt das Nichts, das Leiden
vom letzten, leeren Mond.

Ach, hinter Rosenblättern
versinken die Wüsten, die Welt,
laß sie den Rächern, den Rettern,
laß sie dem Held,
laß sie dem Siegfried, dem Hagen,
denke: ein Lindenblatt
das Drachenblut geschlagen
und die Wunde gegeben hat.

Nacht von der Schwärze der Pinien,
hoch von Planeten porös,
tief von Phlox und Glyzinien
libidinös,
hüftig schwärmen die Horen,
raffen die Blüte, das Kraut
und verschütten mit Floren
Herkules' Löwenhaut.

Sinkend an sie, an beide,
ihr feuchtes Urgesicht,
ein Wasser und eine Weide,
du schauerst nicht –
mit Menschen nichts zu sagen
und Haus und Handeln leer,
doch Gärten und Nächte tragen
ein altes Bild dir her.

EIN SPÄTER BLICK

Du, überflügelnd deine Gründe,
den ganzen Strom im Zug zurück,
den Wurzelquell, den Lauf, die Münde
als Bild im späten Späherblick.

Da ist nichts jäh, da ist nichts lange,
all eins, ob steinern, ob belebt,
es ist die Krümmung einer Schlange,
von der sich eine Zeichnung hebt:

ein Großlicht tags, dahinter Sterne,
ein Thron aus Gold, ein Volk in Mühn,
und dann ein Land, im Aufgang, ferne,
in dem die Gärten schweigend blühn.

Ein später Blick – nichts jäh, nichts lange,
all eins, ob dämmernd, ob erregt,
es ist die Krümmung einer Schlange,
die sich zu fremdem Raub bewegt.

Erkenntnis – dir, doch nichts zu künden
und nichts zu schließen, nichts zu sein –
du, flügelnd über deinen Gründen,
und einer zieht dich dann hinein.

NACHZEICHNUNG

I

O jene Jahre! Der Morgen grünes Licht,
auch die noch nicht gefegten Lusttrottoire –
der Sommer schrie von Ebenen in der Stadt
und sog an einem Horn,
das sich von oben füllte.

Lautlose Stunde. Wässrige Farben
eines hellgrünen Aug's verdünnten Strahls,
Bilder aus diesem Zaubergrün, gläserne Reigen:
Hirten und Weiher, eine Kuppel, Tauben –
gewoben und gesandt, erglänzt, erklungen –,
verwandelbare Wolken eines Glücks!

So standest du vor Tag: die Spring-
brunnen noch ohne Perlen, tatenlos
Gebautes und die Steige; die Häuser
verschlossen, du *erschufst*
den Morgen, jasminene Frühe,
sein Jauchzen, uranfänglich
sein Strahl – noch ohne Ende – o jene Jahre!

Ein Unauslöschliches im Herzen,
Ergänzungen vom Himmel und der Erde;
Zuströmendes aus Schilf und Gärten,
Gewitter abends
tränkten die Dolden ehern,

die barsten dunkel, gespannt von ihren Seimen;
und Meer und Strände,
bewimpelte mit Zelten,
glühenden Sandes trächtig,
bräunende Wochen, gerbend alles
zu Fell für Küsse, die niedergingen
achtlos und schnell verflogen
wie Wolkenbrüche!

Darüber hing die Schwere
auch jetzt – doch Trauben
aus ihr,

die Zweige niederziehend und wieder hochlassend,
nur einige Beeren,
wenn du mochtest,
erst –

noch nicht so drängend und überhangen
von kolbengroßen Fruchtfladen,
altem schwerem Traubenfleisch –

o jene Jahre!

II

Dunkle Tage des Frühlings,
nicht weichender Dämmer um Laub;
Fliederblüte gebeugt, kaum hochblickend
narzissenfarben und starken Todesgeruchs,
Glückausfälle,
sieglose Trauer des Unerfüllten.

Und in den Regen hinein,
der auf das Laub fällt,
höre ich ein altes Wälderlied,
von Wäldern, die ich einst durchfuhr
und wiedersah, doch ich ging nicht
in die Halle, wo das Lied erklungen war,
die Tasten schwiegen längst,
die Hände ruhten irgendwo,
gelöst von jenen Armen, die mich hielten,
zu Tränen rührten,
Hände aus den Oststeppen,
blutig zertretenen längst –
nur noch ihr Wälderlied
in den Regen hinein
an dunklen Tagen des Frühlings
den ewigen Steppen zu.

VERLORENES ICH

Verlorenes Ich, zersprengt von Stratosphären,
Opfer des Ion –: Gamma-Strahlen-Lamm –
Teilchen und Feld –: Unendlichkeitschimären
auf deinem grauen Stein von Notre-Dame.

Die Tage gehn dir ohne Nacht und Morgen,
die Jahre halten ohne Schnee und Frucht
bedrohend das Unendliche verborgen –
die Welt als Flucht.

Wo endest du, wo lagerst du, wo breiten
sich deine Sphären an – Verlust, Gewinn –:
ein Spiel von Bestien: Ewigkeiten,
an ihren Gittern fliehst du hin.

Der Bestienblick: die Sterne als Kaldaunen,
der Dschungeltod als Seins- und Schöpfungsgrund,
Mensch, Völkerschlachten, Katalaunen
hinab den Bestienschlund.

Die Welt zerdacht. Und Raum und Zeiten
und was die Menschheit wob und wog,
Funktion nur von Unendlichkeiten –
die Mythe log.

Woher, wohin – nicht Nacht, nicht Morgen,
kein Evoë, kein Requiem,
du möchtest dir ein Stichwort borgen –
allein bei wem?

Ach, als sich alle einer Mitte neigten
und auch die Denker nur den Gott gedacht,
sie sich den Hirten und dem Lamm verzweigten,
wenn aus dem Kelch das Blut sie rein gemacht,

und alle rannen aus der einen Wunde,
brachen das Brot, das jeglicher genoß –
o ferne zwingende erfüllte Stunde,
die einst auch das verlorne Ich umschloß.

HENRI MATISSE: „ASPHODÈLES“

„Sträuße – doch die Blätter fehlen,
Krüge – doch wie Urnen breit,
– Asphodelen,
der Proserpina geweiht –“

IST DAS NICHT SCHWERER

Ist das nicht schwerer wie Kummer:
Wände aus Stein, aus Glas,
Räume zu Essen, zu Schlummer –
trägst du denn das?

Ist dann nicht alles zu Ende,
Schatten aus Felsen, aus Stein,
schließen die Tore, die Wände,
schließen dich ein?

Denkst du nicht dann allen Leides,
aller zerstörenden Macht,
wie eines Feierkleides,
wie einer Fackelnacht –

Abende, reine Vernichtung,
wo im Gartengestühl,
– atemloser Verdichtung –
Abende –, Vorgefühl

jeder Scheidung von Treue,
von verbundenstem Du
dich bedrängen und neue
Qualen wachsen dir zu,

Sein ohne Ruhe und Schlummer,
unaufhebbare Not –:
denkst du nicht doch dann der Kummer
wie an ein großes Gebot?

ST. PETERSBURG – MITTE DES JAHRHUNDERTS

„Jeder, der einem anderen hilft,
ist Gethsemane,
jeder, der einen anderen tröstet,
ist Christi Mund“,
singt die Kathedrale des heiligen Isaak,
das Alexander-Newsky-Kloster,
die Kirche des heiligen Peter und Paul,
in der die Kaiser ruhn,
sowie die übrigen hundertzweiundneunzig griechischen,
acht römisch-katholischen,
eine anglikanische, drei armenische,
lettische, schwedische, estnische,
finnische Kapellen.

Wasserweihe
der durchsichtigen blauen Newa
am Dreikönigstag.
Sehr gesundes Wasser, führt die fremden Stoffe ab.
Trägt die herrlichen Schätze heran
für das Perlmutterzimmer,
das Bernsteinzimmer
von Zarskoje Sclo
in den Duderhoffschen Bergen,
den himmelblauen sibirischen Marmor
für die Freitreppen.
Kanonensalven

wenn sie auftaut,
Tochter der Seen
Onega und Ladoga!

Vormittagskonzert im Engelhardtschen Saal,
Madame Stepanow,
die Glinkas „Das Leben für den Zaren“
kreiert hatte, schreit unnatürlich,
Worojews Bariton hat schon gelitten.
An einem Pfeiler,
mit vorstehenden weißen Zähnen,
afrikanischer Lippe,
ohne Brauen,
Alexander Sergeitsch (Puschkin).

Neben ihm Baron Brambeus,
dessen „großer Empfang beim Satan“
als Gipfel der Vollkommenheit gilt.
Violoncellist: Davidoff.
Und dann die russischen Bässe: ultratief,
die normalen Singbässe vielfach in der Oktave
verdoppelnd,
das Contra-C rein und voll,
aus zwanzig Kehlen
ultratief.

Zu den Inseln!
Namentlich Kretowsky – Lustort, Lustwort –,
Baschkiren, Bartrussen, Renntiersamojeden
auf Sinnlichkeits- und Übersinnlichkeitserwerb!

Erster Teil:
„Vom Gorilla bis zur Vernichtung Gottes",
zweiter Teil:
„Von der Vernichtung Gottes bis zur Verwandlung
des physischen Menschen" –
Kornschnaps!
Das Ende der Dinge
ein Branntweinschluckauf
ultratief!

Raskolnikow
(als Ganzes weltanschaulich stark bedrängt)
betritt Kabak,
ordinäre Kneipe.
Klebrige Tische,
Ziehharmonika,
Dauertrinker,
Säcke unter den Augen,
einer bittet ihn
„zu einer vernünftigen Unterhaltung",
Heuabfälle im Haar.
(Anderer Mörder:
Dorian Gray, London,
Geruch des Flieders,
honigfarbener Goldregen
am Haus – Parktraum –
betrachtet Ceylonrubin für Lady B.,
bestellt Gamelangorchester.)

Raskolnikow,
stark versteift,
wird erweckt durch Sonja „mit dem gelben Billett“
(Prostituierte. Ihr Vater
steht der Sache „im Gegenteil tolerant gegenüber“),
sie sagt:
„Steh auf! Komm sofort mit!
Bleib am Kreuzweg stehn,
küsse die Erde, die du besudelt,
vor der du gesündigt hast,
verneige dich dann vor aller Welt,
sage allen laut:
Ich bin der Mörder –
willst du?
Kommst du mit?“ –
und er kam mit.

Jeder, der einen anderen tröstet,
ist Christi Mund –

MITTELMEERISCH

Ach, aus den Archipelagen,
da im Orangengeruch
selbst die Trümmer sich tragen
ohne Tränen und Fluch,

strömt in des Nordens Düster,
Nebel- und Niflheim,
Runen und Lurengeflüster
mittelmeerisch ein Reim:

Schließlich im Grenzenlosen
eint sich Wahrheit und Wahn,
wie in der Asche der Rosen
schlummert der Kiesel, Titan,

dein aber ist das Schreiten,
dein die Grenze, die Zeit,
glaube den Ewigkeiten,
fordre sie nicht zu weit,

aus ihrer halben Trauer,
rosen- und trümmerschwer,
schaffe den Dingen Dauer –
strömt es vom Mittelmeer.

UNANWENDBAR

Du wolltest nichts, als das Gebot vollenden,
zu dem zwei Völker sich in dir vereint;
aus fernen Stunden, Gipfeln und Geländen,
Hirtengeräten, Jagdzeug, Säerhänden,
stieg eine Sehnsucht, die die Tat verneint –:
„zurück, zurück, wo still die Wasser stehn
und Glück um Glück zum Strand die Rosen wehn.“

Anschauen, Prüfen, Bildersammeln –: Worte,
darin Zusammenhang, erfahrener Sinn;
ordnendes Sein: Gedichte –: reine Horte
groß unanwendbaren Geblüts, die Pforte
in die Erinnerung, den Anbeginn –:
„zurück, zurück, wo still die Wasser stehn,
du bist Erinnerung an Urgeschehn.“

Die Jäger, Säer, Hirten dröhnen
mit ihrem Ahnennotgerät,
du hörst hinweg, du siehst die schönen
Gebilde, die die Welt versöhnen,
die ewig sind und nie zu spät –:
„doch noch nach Jahren büßt du für die Stunden,
darin du sie empfangen und empfunden.“

Krank, kunstbedürftig, im Verfall erhalten,
da ein Zusammenhang sich hebt und weckt;
entartet – doch im Hauch der Weltgewalten,
du siehst ja in den herrlichsten Gestalten
den Tod von Zweig und Blüten zugedeckt –:
wer die Zerstörung flieht, wird niemals stehn,
„wo Glück um Glück zum Strand die Rosen wehn".

MONOLOG

Den Darm mit Rotz genährt, das Hirn mit Lügen –
erwählte Völker Narren eines Clowns,
in Späße, Sternelesen, Vogelzug
den eigenen Unrat deutend! Sklaven –
aus kalten Ländern und aus glühenden,
immer mehr Sklaven, ungezieferschwere,
hungernde, peitschenüberschwungene Haufen:
dann schwillt das Eigene an, der eigene Flaum,
der grindige, zum Barte des Propheten!

Ach, Alexander und Olympias Sproß
das wenigste! Sie zwinkern Hellesponte
und schäumen Asien! Aufgetriebenes, Blasen
mit Vorhut, Günstlingen, verdeckten Staffeln,
daß keiner sticht! Günstlinge: – gute Plätze
für Ring- und Rechtsgeschehn! Wenn keiner sticht!
Günstlinge, Lustvolk, Binden, breite Bänder –
mit breiten Bändern flattert Traum und Welt:
Klumpfüße sehn die Stadien zerstört,
Stinktiere treten die Lupinenfelder,
weil sie der Duft am eigenen irremacht:
nur Stoff vom After! – Fette
verfolgen die Gazelle,
die windeseilige, das schöne Tier!
Hier kehrt das Maß sich um:
die Pfütze prüft den Quell, der Wurm die Elle,
die Kröte spritzt dem Veilchen in den Mund

– Halleluja! – und wetzt den Bauch im Kies:
die Paddentrift als Mahnmal der Geschichte!
Die Ptolemäerspur als Gaunerzinke,
die Ratte kommt als Labsal gegen Pest.
Meuchel besingt den Mord. Spitzel locken
aus Psalmen Unzucht.

Und diese Erde lispelt mit dem Mond,
dann schürzt sie sich ein Maifest um die Hüfte,
dann läßt sie Rosen durch, dann schmort sie Korn,
läßt den Vesuv nicht spein, läßt nicht die Wolke
zu Lauge werden, die der Tiere Abart,
die dies erlistet, sticht und niederbrennt –
ach, dieser Erde Frucht- und Rosenspiel
ist heimgestellt der Wucherung des Bösen,
der Hirne Schwamm, der Kehle Lügensprenkeln
der obgenannten Art – die maßverkehrte!

Sterben heißt, dies alles ungelöst verlassen,
die Bilder ungesichert, die Träume
im Riß der Welten stehn und hungern lassen –
doch Handeln heißt, die Niedrigkeit bedienen,
der Schande Hilfe leihn, die Einsamkeit,
dic große Lösung der Gesichte,
das Traumverlangen hinterhältig fällen
für Vorteil, Schmuck, Beförderungen, Nachruf,
indes das Ende, taumelnd wie ein Falter,
gleichgültig wie ein Sprengstück nahe ist
und anderen Sinn verkündet –

– Ein Klang, ein Bogen, fast ein Sprung aus Bläue
stieß eines Abends durch den Park hervor,
darin ich stand –: ein Lied,
ein Abriß nur, drei hingeworfene Noten
und füllte so den Raum und lud so sehr
die Nacht, den Garten mit Erscheinungen voll
und schuf die Welt und bettete den Nacken
mir in das Strömende, die trauervolle
erhabene Schwäche der Geburt des Seins –:
ein Klang, ein Bogen nur –: Geburt des Seins –
ein Bogen nur und trug das Maß zurück,
und alles schloß es ein: die Tat, die Träume ...

Aus einem Kranz scharlachener Gehirne,
des Blüten der verstreuten Fiebersaat
sich einzeln halten, nur einander:
„unbeugsam in der Farbe" und „ausgezähnt
am Saum das letzte Haar", „gefeilt in Kälte"
zurufen, gesalzene Laken des Urstoffs:
hier geht Verwandlung aus! Der Tiere Abart
wird faulen, daß für sie das Wort Verwesung
zu sehr nach Himmeln riecht – schon streichen
die Geier an, die Falken hungern schon –!

DER TRAUM

Wenn ich dies höre: Zisa und Menami,
Normannenschlösser an verklärter See,
oder das jetzt genannte: Cubola,
so lösen sie sich von den Bogenbrücken,
auch aus dem Felsreich und den Rosengärten,
verwehn sich in den alten toten Traum.

Nur die Zypresse bleibt an ihrer Schulter,
mit dieser treiben sie: einmal die Meere;
dann dieses ewig strahlende Gewölbe,
dies unangreifbare; und dann die Stunden,
unzählbare, nie mangelnde, erfüllte —:
durch dieses treiben sie. Ein toter Traum,
doch tief in sich vereint, auf nichts auf Erden
beziehn sich seine Namen und sein Laut.
Ich trage ihn —: doch wer das ist,
ist nicht die Frage dessen, der sie leidet,
doch dessen Trauer ist sie, eine Trauer,
in die sich Tod mit hoher Lust verstreut,
doch nie das Schweigen bricht.

Oder mich streifen abends die Levkoien,
die nelkenartigen, auch Giroflée —:
ein Garten, hochgemauert, ob des Fleckens,
der ihn mit Lagern, Speichern, Schieferdächern
umzingelt und umspannt — doch dann
genannter Blumen selbstgelüster Hauch,

darin der Sommer stockt und sich bewacht
und seinen Heimgang fühlt – auch dies treibt mit,
verwandelnd sich in Flüchtigkeit, in Traum.

Wenn man Klematis auf die Wogen streute,
so schwankte kaum die Färbung *dieses* Meers:
Arearea – auch in weißen Kratern
das ozeanisch Blau – und kniend Frauen,
kaum in Zusammenhängen von Gestalt,
hoch hingehängt die Häupter in den Dämmer,
der auch in Blumen sich vollendet schiene,
den Schöpfungsdämmer – Noa-Noa – Traum.

Gleichzeitig sind die Welten dieses Traums,
einräumig ebenso, sie wehn und fallen.
Mischfarben, Halbblau der Kartoffelblüte,
Latenz der Formen dort – hier reine Bilder.
Das eine Boot zieht falsche Segel auf,
verleugnet Art und Herkunft, täuscht die Meere,
das andre Boot fährt immer hochbekränzt,
denn es ist unangreifbar –: dieses ist es,
das seine Ketten senkt in frühen Traum.

O GIB –

Ach, hin zu deinem Munde,
du Tag vor Feiertag,
Sonnabendrosenstunde,
da man noch hoffen mag!

Der Fächer noch geschlossen,
das Horn noch nicht geleert,
das Licht noch nicht verflossen,
die Lust noch nicht gewährt!

O gib – du, vor Entartung
zu Ich und Weltverwehr,
die bebende Erwartung
der reinen Wiederkehr.

Kein Trennen, kein Verneinen
von Denken und Geschehn;
ein Wesens-Vereinen,
von Oxford und Athen,

kein Hochgefühl von Räumen
und auch Erlösung nicht,
nur Stunden, nur Träumen –
o gib dein Kerzenlicht.

SOMMERS

Du – vor dem Sein der hocherglühten Tage
mit ihrem Blau von Nie- und Nieverwehn
streift dich nicht eine Flamme, eine Frage,
ein Doppelbild aus Ich und Raumgeschehn,

du – der von Äons Schöpfungsliedern allen
immer nur eines Reims gewußt und eines Lichts:
„Ach, du Hinfälliger – in eigene Fallen –"
„Ach, du Erleuchteter – vom eigenen Nichts –"

So niederen Rangs, kaum bei den Bakkalauren,
wenn sich die Menschheit prüft und tief bespricht:
vor diesem Blau vom Doppel der Zentauren
streift dich das schwere Sein der Himmel nicht?

ABSCHIED

Du füllst mich an wie Blut die frische Wunde
und rinnst hernieder seine dunkle Spur,
du dehnst dich aus wie Nacht in jener Stunde,
da sich die Matte färbt zur Schattenflur,
du blühst wie Rosen schwer in Gärten allen,
du Einsamkeit aus Alter und Verlust,
du Überleben, wenn die Träume fallen,
zuviel gelitten und zuviel gewußt.

Entfremdet früh dem Wahn der Wirklichkeiten,
versagend sich der schnell gegebenen Welt,
ermüdet von dem Trug der Einzelheiten,
da keine sich dem tiefen Ich gesellt;
nun aus der Tiefe selbst, durch nichts zu rühren,
und die kein Wort und Zeichen je verrät,
mußt du dein Schweigen nehmen, Abwärtsführen
zu Nacht und Trauer und den Rosen spät.

Manchmal noch denkst du dich —: die eigene Sage —:
das warst du doch –? ach, wie du dich vergaßt!
war das dein Bild? war das nicht deine Frage,
dein Wort, dein Himmelslicht, das du besaßt?
Mein Wort, mein Himmelslicht, dereinst besessen,
mein Wort, mein Himmelslicht, zerstört, vertan –
wem das geschah, der muß sich wohl vergessen
und rührt nicht mehr die alten Stunden an.

Ein letzter Tag –: spätglühend, weite Räume,
ein Wasser führt dich zu entrücktem Ziel,
ein hohes Licht umströmt die alten Bäume
und schafft im Schatten sich ein Widerspiel,
von Früchten nichts, aus Ähren keine Krone
und auch nach Ernten hat er nicht gefragt –
er spielt sein Spiel, und fühlt sein Licht und ohne
Erinnern nieder – alles ist gesagt.

DIE FORM –

Die Form, die Formgebärde,
die sich ergab, die wir uns gaben –
du bist zwar Erde,
doch du mußt sie graben.

Du wirst nicht ernten,
wenn jene Saat ersteht
in den Entfernten,
dein Bild ist längst verweht.

Riefst den Verlorenen,
Tschandalas, Parias, du,
den Ungeborenen
ein Wort des Glaubens zu.

STATISCHE GEDICHTE

Entwicklungsfremdheit
ist die Tiefe des Weisen,
Kinder und Kindeskinder
beunruhigen ihn nicht,
dringen nicht in ihn ein.

Richtungen vertreten,
Handeln,
Zu- und Abreisen
ist das Zeichen einer Welt,
die nicht klar sieht.
Vor meinem Fenster
– sagt der Weise –
liegt ein Tal,
darin sammeln sich die Schatten,
zwei Pappeln säumen einen Weg,
du weißt – wohin.

Perspektivismus
ist ein anderes Wort für seine Statik:
Linien anlegen,
sie weiterführen
nach Rankengesetz –
Ranken sprühen –,
auch Schwärme, Krähen,
auswerfen in Winterrot von Frühhimmeln,

dann sinken lassen –

du weißt – für wen.

ROSEN

Wenn erst die Rosen verrinnen
aus Vasen oder vom Strauch
und ihr Entblättern beginnen,
fallen die Tränen auch.

Traum von der Stunden Dauer,
Wechsel und Wiederbeginn,
Traum – vor der Tiefe der Trauer:
blättern die Rosen hin.

Wahn von der Stunden Steigen
aller ins Auferstehn,
Wahn – vor dem Fallen, dem Schweigen:
wenn die Rosen vergehn.

ACHERON

Ein Traum: – von dir! Du Tote schrittest kühl
im Durcheinander streifender Gestalten,
die ich nie sah – ein wogendes Gewühl,
mein Blick, der suchte, konnte dich nicht halten.

Und alles starrte wie aus fremder Macht,
denn alles trank sich Rausch aus weißen Drogen,
selbst Kindern ward ein Lid herabgezogen
und in die Falte Salbe eingebracht.

Zwei Knaben führtest du – von mir doch nicht,
von dir und mir – nein, ich erhielt doch keine,
auch ließest du mich dann nicht so alleine
und zeigtest mir nur flüchtig dein Gesicht,

nein, du – Diana einst und alabastern,
ganz unvermischbar jedem Fall und Raum –
schwandest in diesem Zug aus Schmach und Lastern
und littest – sah ich so – in diesem Traum.

– GEWISSE LEBENSABENDE

I

Du brauchst nicht immer die Kacheln zu scheuern,
Hendrickje,
mein Auge trinkt sich selbst,
trinkt sich zu Ende –
aber an anderen Getränken mangelt es –
dort die Buddhastatue,
chinesischen Haingott,
gegen eine Kelle Hulstkamp,
bitte!

Nie etwas gemalt
in Frostweiß oder Schlittschuhläuferblau
oder dem irischen Grün,
aus dem der Purpur schimmert –
immer nur meine Eintönigkeit,
mein Schattenzwang –
nicht angenehm,
diesen Weg so deutlich zu verfolgen.

Größe – wo?
Ich nehme den Griffel
und gewisse Dinge stehn dann da
auf Papier, Leinwand
oder ähnlichem Zunder –

Resultat: Buddhabronze gegen Sprit –
aber Huldigungen unter Blattpflanzen,
Bankett der Pinselgilde –:
was fürs Genre – !

. . . Knarren,
Schäfchen, die quietschen,
Abziehbilder
flämisch, rubenisch
für die Enkelchen – !
(ebensolche Idioten – !)

Ah – Hulstkamp –
Wärmezentrum,
Farbenmittelpunkt,
mein Schattenbraun –
Bartstoppelfluidum um Herz und Auge –

II

Der Kamin raucht
– schneuzt sich der Schwan vom Avon –,
die Stubben sind naß,
klamme Nacht, Leere vermählt mit Zugluft –
Schluß mit den Gestalten,
übervölkert die Erde
reichlicher Pfirsichfall, vier Rosenblüten
pro anno –
ausgestreut,
auf die Bretter geschoben
von dieser Hand,
faltig geworden
und mit erschlafften Adern!

Alle die Ophelias, Julias,
bekränzt, silbern, auch mörderisch –
alle die weichen Münder, die Seufzer,
die ich aus ihnen herausmanipulierte –
die ersten Aktricen längst Qualm,
Rost, ausgelaugt, Rattenpudding –
auch Herzens-Ariel bei den Elementen.

Die Epoche zieht sich den Bratenrock aus.
Diese Lord- und Lauseschädel,
ihre Gedankengänge,
die ich ins Extrem trieb –

meine Herren Geschichtsproduzenten
alles Kronen- und Zepteranalphabeten,
Großmächte des Weltraums
wie Fledermaus oder Papierdrachen!

Sir Goon schrieb neulich an mich:
„der Rest ist Schweigen“: –
ich glaube, das ist von mir,
kann nur von mir sein,
Dante tot – eine große Leere
zwischen den Jahrhunderten
bis zu meinen Wortschatzzitaten –

aber wenn sie fehlten,
der Plunder nie aufgeschlagen,
die Buden, die Schafotte, die Schellen
nie geklungen hätten –:
Lücken –?? Vielleicht Zahnlücken,
aber das große Affengebiß
mahlte weiter
seine Leere, vermählt mit Zugluft –
die Stubben sind naß
und der Butler schnarcht in Porterträumen.

DU ÜBERSIEHST DICH NICHT MEHR –

Du übersiehst dich nicht mehr?
Der Anfang ist vergessen,
die Mitte wie nie besessen,
und das Ende kommt schwer.

Was hängen nun die Girlanden,
was strömt nun das Klavier,
was zischen die Jazz und die Banden,
wenn alle Abende landen
so abgebrochen in dir?

Du könntest dich nochmals treiben
mit Rausch und Flammen und Flug,
du könntest –: das heißt, es bleiben
noch einige Töpferscheiben
und etwas Ton im Krug.

Doch du siehst im Ton nur die losen,
die Scherben, den Aschenflug –
ob Wein, ob Öl, ob Rosen,
ob Vase, Urne und Krug.

EIN SCHATTEN AN DER MAUER

Ein Schatten an der Mauer
von Ästen, bewegt im Mittagswind,
das ist genügend Erde
und hinsichtlich des Auges
genügend Teilnahme
am Himmelsspiel.

Wie weit willst du noch gehn? Verwehre
doch neuen Eindrücken
den drängenden Charakter –

stumm liegen,
die eigenen Felder sehn,
das ganze Rittergut,
besonders lange
auf Mohn verweilen,
dem unvergeßlichen,
weil er den Sommer trug –

wo ist er hin –?

FRAGMENTE

Fragmente,
Seelenauswürfe,
Blutgerinnsel des zwanzigsten Jahrhunderts –

Narben – gestörter Kreislauf der Schöpfungsfrühe,
die historischen Religionen von fünf Jahrhunderten
zertrümmert,
die Wissenschaft: Risse im Parthenon,
Planck rann mit seiner Quantentheorie
zu Kepler und Kierkegaard neu getrübt zusammen –

aber Abende gab es, die gingen in den Farben
des Allvaters, lockeren, weitwallenden,
unumstößlich in ihrem Schweigen
geströmten Blaus,
Farbe der Introvertierten,
da sammelte man sich
die Hände auf das Knie gestützt
bäuerlich, einfach
und stillem Trunk ergeben
bei den Harmonikas der Knechte –

und andere
gehetzt von inneren Konvoluten,
Wölbungsdrängen,
Stilbaukompressionen
oder Jagden nach Liebe.

Ausdruckskrisen und Anfälle von Erotik:
das ist der Mensch von heute,
das Innere ein Vakuum,
die Kontinuität der Persönlichkeit
wird gewahrt von den Anzügen,
die bei gutem Stoff zehn Jahre halten.

Der Rest Fragmente,
halbe Laute,
Melodienansätze aus Nachbarhäusern,
Negerspirituals
oder Ave Marias.

DENK DER VERGEBLICHEN

Wenn ein Verzweifeln
– der du doch große Stunden hattest
und sicher gingst und viele Beschenkungen
aus Rausch und Morgenröten und Wendungen,
unerwarteten,
dir pflegen konntest –
wenn ein Verzweifeln,
selbst mit Zerstörung und Endverglimmen
aus dem Unergründlichen
in seine Macht dich will:

denk der Vergeblichen,
die zarter Schläfe, inngewendeten Gesichts
in der Erinnerungen Treue,
die wenig Hoffnung ließen,
doch auch nach Blumen fragten
und still Verschwiegenes
mit einem Lächeln von wenig Ausdruck
in ihren kleinen Himmel hoben,
der bald verlöschen sollte.

VERHÜLLE DICH –

Verhülle dich mit Masken und mit Schminken,
auch blinzle wie gestörten Augenlichts,
laß nie erblicken, wie dein Sein, dein Sinken
sich abhebt von dem Rund des Angesichts.

Im letzten Licht, vorbei an trüben Gärten,
der Himmel ein Geröll aus Brand und Nacht –
verhülle dich, die Tränen und die Härten,
das Fleisch darf man nicht sehn, das dies vollbracht.

Die Spaltungen, den Riß, die Übergänge,
den Kern, wo die Zerstörung dir geschieht,
verhülle, tu, als ob die Ferngesänge
aus einer Gondel gehn, die jeder sieht.

SATZBAU

Alle haben den Himmel, die Liebe und das Grab,
damit wollen wir uns nicht befassen,
das ist für den Kulturkreis besprochen und
durchgearbeitet.
Was aber neu ist, ist die Frage nach dem Satzbau
und die ist dringend:
warum drücken wir etwas aus?

Warum reimen wir oder zeichnen ein Mädchen
direkt oder als Spiegelbild
oder stricheln auf eine Handbreit Büttenpapier
unzählige Pflanzen, Baumkronen, Mauern,
letztere als dicke Raupen mit Schildkrötenkopf
sich unheimlich niedrig hinziehend
in bestimmter Anordnung?

Überwältigend unbeantwortbar!
Honoraraussicht ist es nicht,
viele verhungern darüber. Nein,
es ist ein Antrieb in der Hand,
ferngesteuert, eine Gehirnlage,
vielleicht ein verspäteter Heilbringer oder Totemtier,
auf Kosten des Inhalts ein formaler Priapismus,
er wird vorübergehn,
aber heute ist der Satzbau
das Primäre.

„Die wenigen, die was davon erkannt" – (Goethe) – wovon eigentlich?
Ich nehme an: vom Satzbau.

FINIS POLONIAE

Finis Poloniae –
eine Redewendung,
die abgesehn von ihrem historischen Inhalt
das Ende großer Reiche
bedeutet.

Verhexte Atmosphäre,
alles atmet beklommen,
Zwitterluft – falls sie Gedanken hätte,
wären es solche an uneuropäische Monsune
und gelbe Meere.

Das Große geht an sich selbst zugrunde,
spricht zu sich selbst den letzten Laut,
das fremde Lied, meistens verkannt,
gelegentlich geduldet –

Finis Poloniae –
vielleicht an einem Regentag, wenig beliebt,
doch für den vorliegenden Fall ein Geräusch von Glücken
und dann das Hornsolo,
im Anschluß eine Hortensie, die ruhigste der Blumen,
die bis November im Regen aushält,
leise auf die Grube.

DER DUNKLE

I

Ach, gäb er mir zurück die alte Trauer,
die einst mein Herz so zauberschwer umfing,
da gab es Jahre, wo von jeder Mauer
ein Tränenflor aus Tristanblicken hing.

Da littest du, doch es war Auferstehung,
da starbst du hin, doch es war Liebestod,
doch jetzt bei jedem Schritt und jeder Drehung
liegen die Fluren leer und ausgeloht.

Die Leere ist wohl auch von jenen Gaben,
in denen sich der Dunkle offenbart,
er gibt sie dir, du mußt sie trauernd haben,
doch diese Trauer ist von anderer Art.

II

Auch laß die Einsamkeiten größer werden,
nimm dich zurück aus allem, was begann,
reihe dich ein in jene Weideherden,
die dämmert schon die schwarze Erde an.

Licht ist von großen Sonnen, Licht ist Handeln,
in seiner Fülle nicht zu überstehn,
ich liebe auch den Flieder und die Mandeln
mehr in Verschleierung zur Blüte gehn.

Hier spricht der Dunkle, dem wir nie begegnen,
erst hebt er uns, indem er uns verführt,
doch ob es Träume sind, ob Fluch, ob Segnen,
das läßt er alles menschlich unberührt.

III

Gemeinsamkeit von Geistern und von Weisen,
vielleicht, vielleicht auch nicht, in einem Raum,
bestimmt von Ozean und Wendekreisen
das ist für viele ein erhabner Traum.

Mythen bei Inkas und bei Sansibaren,
die Sintflutsage rings und völkerstet –
doch keiner hat noch etwas je erfahren,
das vor dem Dunklen nicht vorübergeht.

IV

Grau sind die Hügel und die Flüsse grau,
sie tragen schon Urahnen aller Jahre,
und nun am Ufer eine neue Frau
gewundene Hüften, aufgedrehte Haare.

Und auf der Wiese springen Stiere an,
gefährdend jedes, mit dem Horn zerklüften,
bis in die Koppel tritt geklärt ein Mann,
der bändigt alles, Hörner, Haare, Hüften.

Und nun beginnt der enggezogene Kreis,
der trächtige, der tragische, der schnelle,
der von der großen Wiederholung weiß –
und nur der Dunkle harrt auf seiner Stelle.

KONFETTI

Mehr ist sie nicht, mehr bist du nicht – verweile:
auch dieser Stunde – selbst sie mit Besuch,
Geplärr, Angeberei und Formverwaistem –
gibt sich die Welt, hier scheitelt sie sich ein,
mehr hat sie nicht, mehr hast du nicht – verweile!

Natürlich kannst du durch das Fenster
auf das Konfetti sehn, das in den Sträuchern
noch von Silvester hängt und flockig jetzt
zartfarbig pendelt in des Februars
blaustreifig unterkühltem Ahnungslicht,
und dich erweichen lassen von dem Blick
auf Schwärmendes, das in den Frühling geht
vielleichtiger nachfolgender Vergänge
durch Einsamkeit und Gärten schwerster Frucht,
durch Glück besonderer Art, nur dir bestimmt,
Gebrochenheiten, wo Rubine spielen,

doch nimm nicht als Gesetz, was Ahnung ist,
auch dieser Stunde – selbst sie mit Besuch –
gib Antwort, Rede wie den Kühen Heu,
das dann im Euter sich als Weißes bringt
im weiten Kreislauf, wo sich dies und das
mit großem Unterschied wohl kaum noch fühlt –

auch ahnst du tiefer, wenn es schnell vergeht.

NOTTURNO

Im Nebenzimmer die Würfel auf den Holztisch,
benachbart ein Paar im Ansaugestadium,
mit einem Kastanienast auf dem Klavier
                    tritt die Natur hinzu –
ein Milieu, das mich anspricht.

Da versinken die Denkprozesse,
die Seekrankheit, die einem tagsüber
die Brechzentren bearbeitet,
gehn unter in Alkohol und Nebulosem –
endlich Daseinsschwund und Seelenausglanz!

Auf Wogen liegen –
natürlich kann man untergehn,
aber das ist eine Zeitfrage –
doch Zeit – vor Ozeanen –?
Die waren vorher,
vor Bewußtsein und Empfängnis,
keiner fischte ihre Ungeheuer,
keiner litt tiefer als drei Meter
und das ist wenig.

GLADIOLEN

Ein Strauß Gladiolen
das ist bestimmt sehr schöpfungsdeutend,
fern von Blütengeweichel mit Fruchterhoffnung –:
langsam, haltbar, unirritiert,
großzügig, sicher der Königsträume.

Sonst die Natur- und Geisteswelt!
Dort die Wollherden:
Kleereste, mühselig, und daraus Schafsbröckel –
und hier die freundlichen Talente,
die Anna in den Mittelpunkt des Geschehens rücken,
sie läutern und einen Ausweg wissen!

Hier ist kein Ausweg:
Da sein – fallen –
nicht die Tage zählen –
Vollendung
schön, böse oder zerrissen.

RESTAURANT

Der Herr drüben bestellt sich noch ein Bier,
das ist mir angenehm, dann brauche ich mir keinen
Vorwurf zu machen
daß ich auch gelegentlich einen zische.
Man denkt immer gleich, man ist süchtig,
in einer amerikanischen Zeitschrift las ich sogar,
jede Zigarette verkürze das Leben um sechsunddreißig
Minuten,
das glaube ich nicht, vermutlich steht die Coca-Cola-
Industrie
oder eine Kaugummifabrik hinter dem Artikel.

Ein normales Leben, ein normaler Tod
das ist auch nichts. Auch ein normales Leben
führt zu einem kranken Tod. Überhaupt hat der Tod
mit Gesundheit und Krankheit nichts zu tun,
er bedient sich ihrer zu seinem Zwecke.

Wie meinen Sie das: der Tod hat mit Krankheit nichts
zu tun?
Ich meine das so: viele erkranken, ohne zu sterben,
also liegt hier noch etwas anderes vor,
ein Fragwürdigkeitsfragment,
ein Unsicherheitsfaktor,
er ist nicht so klar umrissen,
hat auch keine Hippe,
beobachtet, sieht um die Ecke, hält sich sogar zurück
und ist musikalisch in einer anderen Melodie.

BLAUE STUNDE

I

Ich trete in die dunkelblaue Stunde –
da ist der Flur, die Kette schließt sich zu
und nun im Raum ein Rot auf einem Munde
und eine Schale später Rosen – du!

Wir wissen beide, jene Worte,
die jeder oft zu anderen sprach und trug,
sind zwischen uns wie nichts und fehl am Orte:
dies ist das Ganze und der letzte Zug.

Das Schweigende ist so weit vorgeschritten
und füllt den Raum und denkt sich selber zu
die Stunde – nichts gehofft und nichts gelitten –
mit ihrer Schale später Rosen – du.

II

Dein Haupt verfließt, ist weiß und will sich hüten,
indessen sammelt sich auf deinem Mund
die ganze Lust, der Purpur und dic Blüten
aus deinem angeströmten Ahnengrund.

Du bist so weiß, man denkt, du wirst zerfallen
vor lauter Schnee, vor lauter Blütenlos,
todweiße Rosen Glied für Glied – Korallen
nur auf den Lippen, schwer und wundengroß.

Du bist so weich, du gibst von etwas Kunde,
von einem Glück aus Sinken und Gefahr
in einer blauen, dunkelblauen Stunde
und wenn sie ging, weiß keiner, ob sie war.

III

Ich frage dich, du bist doch eines andern,
was trägst du mir die späten Rosen zu?
Du sagst, die Träume gehn, die Stunden wandern,
was ist das alles: er und ich und du?

„Was sich erhebt, das will auch wieder enden,
was sich erlebt – wer weiß denn das genau,
die Kette schließt, man schweigt in diesen Wänden
und dort die Weite, hoch und dunkelblau."

IDEELLES WEITERLEBEN?

Bald
ein abgesägter, überholter
früh oder auch spät verstorbener Mann,
von dem man spricht wie von einer Sängerin
mit ausgesungenem Sopran
oder vom kleinen Hölty mit seinen paar Versen –
noch weniger: Durchschnitt,
nie geflogen,
keinen Borgward gefahren –
Zehnpfennigstücke für die Tram,
im Höchstfall Umsteiger.

Dabei ging täglich so viel bei dir durch
introvertiert, extrovertiert,
Nahrungssorgen, Ehewidrigkeit, Steuermoral –
mit allem mußtest du dich befassen,
ein gerüttelt Maß von Leben in mancherlei Gestalt.

Auf einer Karte aus Antibes,
die ich heute erhielt,
ragt eine Burg in die Méditerranée,
eine fanatische Sache:
südlich, meerisch, schneeig, am Rande hochgebirgig –
Jahrhunderte, dramatisiert,
ragen, ruhen, glänzen, firnen, strotzen
sich in die Aufnahme –

nichts von alledem bei dir,
keine Ingredienzien zu einer Ansichtskarte –
Zehnpfennigstücke für die Tram,
Umsteiger,
und schnell die obenerwähnte Wortprägung:
überholt.

DIE GITTER

Die Gitter sind verkettet,
ja mehr: die Mauer ist zu –:
du hast dich zwar gerettet,
doch *wen* rettetest du?

Drei Pappeln an einer Schleuse,
eine Möwe im Flug zum Meer,
das ist der Ebenen Weise,
da kamst du her,

dann streiftest du Haar und Häute
alljährlich windend ab
und zehrtest von Trank und Beute,
die dir ein anderer gab,

ein anderer – schweige – bitter
fängt diese Weise an –
du rettetest dich in Gitter,
die nichts mehr öffnen kann.

STILLEBEN

Wenn alles abgeblättert daliegt
Gedanken, Stimmungen, Duette
abgeschilfert – hautlos daliegt,
kein Stanniol – und das Abgehäutete
– alle Felle fortgeschwommen –
blutiger Bindehaut ins Stumme äugt –:
was ist das?

Die Frage der Fragen! Aber kein Besinnlicher
fragt sie mehr –
Renaissancereminiszenzen,
Barocküberladungen,
Schloßmuseen –

nur keine weiteren Bohrungen,
doch kein Grundwasser,
die Brunnen dunkel,
die Stile erschöpft –

die Zeit hat etwas Stilles bekommen,
die Stunde atmet,
über einem Krug,
es ist spät, die Schläge verteilt
noch ein wenig Clinch und Halten,
Gong – ich verschenke die Welt
wem sie genügt, soll sich erfreun:

der Spieler soll nicht ernst werden
der Trinker nicht in die Gobi gehn,
auch eine Dame mit Augenglas
erhebt Anspruch auf ihr Glück:
sie soll es haben –

still ruht der See,
vergißmeinnichtumsäumt,
und die Ottern lachen.

WIR ZIEHN EINEN GROSSEN BOGEN –

Wir ziehn einen großen Bogen –
wie ist nun das Ende – wie?
Über die Berge gezogen
und vor allem die Monts Maudits.

Wir holen aus Cannes Mimosen
für eine Stunde her,
wir hängen an unsern Neurosen
sonst hätten wir gar nichts mehr.

Wir träumen von Sternenbahnen
und fleischgewordner Idee,
wir spielen alle Titanen
und weinen wie Niobe.

Das Ende, immer das Ende –
schon schießt ein anderer vor
und nennt sich Wächter und Wende,
Hellene – goldenes Tor.

Die Gräber, immer die Gräber –
bald werden auch die vergehn,
hier, sagt der Friedhofsgärtner,
können neue Kreuze stehn.

Wer altert, hat nichts zu glauben,
wer endet, sieht alles leer,
sieht keine heiligen Tauben
über dem Toten Meer.

Auch wir gingen aus, uns üben
zu Sprüchen und sanfter Tat,
doch es schleifte uns zum Trüben
und zu guter Herzen Verrat.

Wir ziehn einen großen Bogen
um wen, um was, um wie?
Um Wenden, um Wogen –
und dann die Monts Maudits.

BEGEGNUNGEN

Welche Begegnungen in diesen Tagen
reif, golden, pfirsichrund,
wo immer noch die Sonnenbräute (Helenium)
wirksame Farben in den Garten tragen –
von Alter schwer,
von Alter leicht,
wo selbst die Träne sich auf den Rücken klopft:
„nur halb so schlimm und nicht mehr lange“ –

Begegnungen, zum Beispiel Dämmerstunde,
l'heure bleue, die Schöpfung zittert von Samba,
die Herren legen die Hände
zwischen die Schulterblätter der Dame,
von Fiesole bis La Paz
nun Sinnlichkeit und Freude global im Schwange –

oder die Lieder vom Ohio,
die hängen dort in den Bäumen,
im Schilfrohr und in den Träumen
der Jugend, die in das Leben zieht –
wie lange –?

Das Gelb des Strandes und das Blau der Nacht
und am Korallenriff das Weiß der Jacht,
was je an Traum und Mythen in dir war,
erblickst du vom Hotel in Denpasar –

Begegnungen, die ohne Zentrum sind,
sie haben keinen Vater und kein Kind,
Begegnungen von einer Pfirsichwange
mit einer Sonnenbraut im Himmelsgange,
Begegnungen — das Frühe und das Spät,
ein Sein, das dann an andere übergeht.

EINE HYMNE

Mit jener Eigenschaft der großen Puncher:
Schläge hinnehmen können
stehn,

Feuerwasser in der Kehle gurgeln
sub- und supraatomar
dem Rausch begegnet sein,
Sandalen
am Krater lassen wie Empedokles
und dann hinab,

nicht sagen: Wiederkehr
nicht denken: halb und halb,
Maulwurfshügel freigeben
wenn Zwerge sich vergrößern wollen,
allroundgetafelt bei sich selbst
unteilbar
und auch den Sieg verschenken können –

eine Hymne solchem Mann.

JENER

Ich habe die Erde oft gesehn
und sie manchmal auch verstanden,
Sterben und Stille und Auferstehn,
Korn und Flechten und Laubverwehn,
auch Moore, wo sie sich fanden.
Doch wie sieht die Erde für Jenen aus:
„Komm in unser umblühtes Haus“?

Ein Jubel aus Süden, ein Liebesschwarm
von Malven über den Stufen
zum Saale, zum Garten, die Brunnen warm,
Zikaden rings um den Villencharme,
die sonneversengten, rufen.
Sieht so die Erde für Jenen aus:
„Komm in unser umblühtes Haus“?

Ich weiß es nicht, ich kann auch nicht
weder Norden noch Süden trauen,
ich glaube, erst wenn der Raum zerbricht,
erst wenn die Stunde der Träume spricht,
kommen Oleander und Pfauen.
Dann sieht die Erde für Jenen aus:
„Komm in unser umblühtes Haus.“

MELODIEN

Ja, Melodien – da verbleicht der Frager,
er ist nicht mehr der Zahl- und Citymann,
die Wolken stäuben über seinem Lager,
die Ozeane schlagen unten an.

Manchmal sind Zebras oder Antilopen
im Busch des Njassaflusses auf der Flucht,
alles ist sanft, leichtfüßig, aus den Tropen
kommt Dunst, die Trommel und entrückte Sucht.

Und Eruption und Elemente
die denken noch viel länger her:
die fünf berühmten Kontinente
nur hinderliche Masse für das Meer.

Du bist nicht früh, du bist nicht später,
wahrscheinlich, daß du gar nichts bist,
und nun Sibelius' Finnenlied im Äther:
Valse triste.

Alles in Moll, in con sordino
gelassenen Blicks gelassener Gang
von Palavas bis Portofino
die schöne Küste lang.

Ja, Melodien – uralte Wesen,
die tragen dir Unendlichkeiten an:
Valse triste, Valse gaie, Valse Niegewesen
verfließend in den dunklen Ozean.

ES GIBT –

Es gibt Zerstörung, wer sie kennt, kennt Meines.
jedoch nicht nötig, daß sie jemand kennt,
kein Goldenes, ein Nebelvlies, ein reines
Bedecktsein von der Schwaden Element.

Da kann dich kein Gefühl von Glück beschwören,
von Nichts, das hält, du willst nicht mehr
von Dingen wissen, die dich nicht zerstören,
willst als Musik im Funk nur Wolga hören
und Fernes, Fremdes und von Steppen her.

Es gibt Zerstörungen, nicht daß ich leide,
man kann die Götter ja nicht anders sehn,
und eine Liebe, arm und krank ihr beide,
du mußt für sie auf Höfe singen gehn.

NIMM FORT DIE AMARYLLE

Ich kann kein Blühen mehr sehn,
es ist so leicht und so gründlich
und dauert mindestens stündlich
als Traum und Auferstehn.

Nimm fort die Amarylle,
du siehst ja: gründlich: – sie setzt
ganz rot, ganz tief, ganz Fülle
ihr Eins und Allerletzt.

Was wäre noch Stunde dauernd
in meinem zerstörten Sinn,
es bricht sich alles schauernd
in Augenblicken hin.

DESTILLE

I

Schäbig; abends Destille
in Zwang, in Trieb, in Flucht
Trunk – doch was ist der Wille
gegen Verklärungssucht.

Wenn man die Seele sichtet,
Potenz und Potential,
den Blick aufs Ganze gerichtet:
katastrophal!

Natürlich sitzen in Stuben
Gelehrte zart und matt
und machen aus Tintentuben
ihre Pandekten satt,

natürlich bauten sie Dome
dreihundert Jahre ein Stück
wissend, im Zeitenstrome
bröckelt der Stein zurück,

es ist nicht zu begreifen,
was hatten sie für Substanz,
wissend, die Zeiten schleifen
Turm, Rose, Krypte, Monstranz,

vorbei, à bas und nieder
die große Konfession,
à bas ins Hühnergefieder
konformer Konvention –

abends in Destillen
verzagt, verjagt, verflucht,
so vieles muß sich stillen,
im Trunk Verklärungssucht.

II

Es gibt Melodien und Lieder,
die bestimmte Rhythmen betreun,
die schlagen dein Inneres nieder
und du bist am Boden bis neun.

Meist nachts und du bist schon lange
in vagem Säusel und nickst
zu fremder Gäste Belange,
durch die du in Leben blickst.

Und diese Leben sind trübe,
so trübe, du würdest dich freun,
wenn ewig Rhythmenschübe
und du bliebest am Boden bis neun.

III

Ich erlebe vor allem Flaschen
und abends etwas Funk,
es sind die lauen, die laschen
Stunden der Dämmerung.

„Du mußt dich doch errichten
empor und hochgesinnt!"
„Ich erfülle meine Pflichten,
wo sie vorhanden sind."

Mir wurde nichts erlassen,
Tode und oft kein Bett,
ich mußte mit Trebern prassen
im zerrissnen Jackett.

Doch nun ist Schluß, ich glühe
von Magma und von Kern,
von Vor-Quartär und Frühe
wort-, schrift- und kupferfern,

ich lasse mich überraschen,
Versöhnung – und ich verzieh:
aus Fusel, Funk und Flaschen
die Neunte Symphonie.

IV

Ich will mich nicht erwähnen,
doch fällt mir manchmal ein
zwischen Fässern und Hähnen
eine Art von Kunstverein.

Die haben etwas errichtet,
eine Aula mit Schalmei,
da wird gespielt und gedichtet,
was längst vorbei.

Ich lasse mich zerfallen,
ich bleibe dem Ende nah,
dann steht zwischen Trümmern und Ballen
eine tiefe Stunde da.

AN –

An der Schwelle hast du wohl gestanden,
doch die Schwelle überschreiten – nein,
denn in meinem Haus kann man nicht landen,
in dem Haus muß man geboren sein.

Sieht den Wanderer kommen, sieht ihn halten,
wenn ihn dürstet, wird ein Trank geschänkt,
aber einer nur, dann sind die alten
Schlösser wieder vor- und eingehängt.

WAS SCHLIMM IST

Wenn man kein Englisch kann,
von einem guten englischen Kriminalroman zu hören,
der nicht ins Deutsche übersetzt ist.

Bei Hitze ein Bier sehn,
das man nicht bezahlen kann.

Einen neuen Gedanken haben,
den man nicht in einen Hölderlinvers einwickeln kann,
wie es die Professoren tun.

Nachts auf Reisen Wellen schlagen hören
und sich sagen, daß sie das immer tun.

Sehr schlimm: eingeladen sein,
wenn zu Hause die Räume stiller,
der Café besser
und keine Unterhaltung nötig ist.

Am schlimmsten:
nicht im Sommer sterben,
wenn alles hell ist
und die Erde für Spaten leicht.

SCHMERZLICHE STUNDE

Das ist die schmerzliche Stunde,
da öffnet sich altes Leid:
ein Panorama die Runde
von Sinn- und Menschlichkeit.

Sie tragen rote Hüte
auch Trenchcoats mit Achselstück,
so wesen sie heute als Blüte
von Sein und Glück.

Sie haben volle Gesichter,
auch Lippen mit Rouge baiser,
wer wollte als Rächer und Richter
hier sagen: entschminke dich, geh?

Sie sind geschichtlich geworden,
sie tragen das Ur und das Gen,
wer weiß, ob höhere Orden
besser wie sie bestehn?

Das ist die schmerzliche Stunde,
was littest du nur so sehr,
erhieltest du etwa Kunde
von Nach-Tod, Treue und mehr?

ENTFERNTE LIEDER

Entfernte Lieder – über Straße
und manchmal auch aus einem Nachbarhaus,
geeignet oft in hohem Maße
für einen Traum, ja Träumestrauß.

Ein Tag am Meer, mit den Gezeiten,
Gezeiten sind so ungewohnt
halb selbstbewegt, halb Ferngeleiten
halb aus der Sonne, halb vom Mond.

Und eine Nacht mit Barkarole,
im Schimmer stand ein weißes Marmorschloß,
Orion jagte oben, nun Triole,
die sich in eine stumme Welt ergoß.

Emporgerissen, doch wohin, in wessen
Gewalten, ganz zerrissen, wie zerstückt,
kein schönes Kreuz am Hügel, nie besessen
ein Zielgelingen oder Langgeglückt,

nur ferne Lieder über Straßen,
Orion, Meer – ein großes Fluidum,
in das du manchmal horchst im Camp, verlassen,
die Feuer Asche und das Lager stumm.

WIRKLICHKEIT

Eine Wirklichkeit ist nicht vonnöten,
ja es gibt sie gar nicht, wenn ein Mann
aus dem Urmotiv der Flairs und Flöten
seine Existenz beweisen kann.

Nicht Olympia oder Fleisch und Flieder
malte jener, welcher einst gemalt,
seine Trance, Kettenlieder
hatten ihn von innen angestrahlt.

Angekettet fuhr er die Galeere
tief im Schiffsbauch, Wasser sah er kaum,
Möwen, Sterne – nichts: aus eigener Schwere
unter Augenzwang entstand der Traum.

Als ihm graute, schuf er einen Fetisch,
als er litt, entstand die Pietà,
als er spielte, malte er den Teetisch,
doch es war kein Tee zum Trinken da.

BAR

Flieder in langen Vasen,
Ampeln, gedämpftes Licht
und die Amis rasen,
wenn die Sängerin spricht:

Because of you (ich denke)
romance had its start (ich dein)
because of you (ich lenke
zu dir und du bist mein).

Berlin in Klammern und Banden,
sechs Meilen eng die Town
und keine Klipper landen,
wenn so die Nebel braun,

es spielt das Cello zu bieder
für diese lastende Welt,
die Lage verlangte Lieder,
wo das Quartär zerfällt,

doch durch den Geiger schwellen
Jokohama, Bronx und Wien,
zwei Füße in Wildleder stellen
das Universum hin.

Abblendungen: Fächertänze,
ein Schwarm, die Reiher sind blau,
Kolibris, Pazifikkränze
um die dunklen Stellen der Frau,

und nun sich zwei erheben,
wird das Gesetz vollbracht:
das Harte, das Weiche, das Beben
in einer dunkelnden Nacht.

LEBE WOHL –

Lebe wohl, du Flüchtige, Freie
die Flügel zu Fahrt und Flug –
geschlossen die Rune, die Reihe,
die deinen Namen trug.

Ich muß nun wieder
meine dunklen Gärten begehn,
ich höre schon Schwanenlieder
vom Schilf der nächtigen Seen.

Lebe wohl, du Tränenbereiter,
Eröffner von Qual und Gram,
verloren – weiter
die Tiefe, die gab und nahm.

VIELE HERBSTE

Wenn viele Herbste sich verdichten
in deinem Blut, in deinem Sinn
und sie des Sommers Glücke richten,
fegt doch die fetten Rosen hin,

den ganzen Pomp, den ganzen Lüster,
Terrassennacht, den Glamour-Ball
aus Crêpe de Chine, bald wird es düster,
dann klappert euch das Leichtmetall,

das Laub, die Lasten, Abgesänge,
Balkons, geranienzerfetzt –
was bist du dann, du Weichgestänge,
was hast du seelisch eingesetzt?

AUSSENMINISTER

Aufs Ganze gerichtet
sind die Völker eine Messe wert,
aber im einzelnen: laßt die Trompete zu der Pauke
sprechen,
jetzt trinkt der König Hamlet zu –
wunderbarer Aufzug,
doch die Degenspitze vergiftet.

„Iswolski lachte."
Zitate zur Hand, Bonmots in der Kiepe,
hier kühl, dort chaleureux, Peace and Goodwill,
lieber mal eine Flöte zuviel,
die Shake-hands Wittes in Portsmouth (1905)
waren Rekord, aber der Friede wurde günstiger.

Vorm Parlament – das ist keineswegs Schaumschlägerei,
hat Methode wie Sanskrit oder Kernphysik,
enormes Labor: Referenten, Nachrichtendienst, Empirie,
auch Charakter muß man durchfühlen,
im Ernst: Charakter haben die Hochgekommenen ganz
bestimmt,
nicht wegen etwaiger Prozesse,
sondern er ist ihr moralischer Sex-Appeal –
allerdings: was ist der Staat?
„Ein Seiendes unter Seienden",
sagte schon Plato.

„Zwiespalt zwischen der öffentlichen
und der eigentlichen Meinung“ (Keynes). Opalisieren!
Man lebt zwischen les hauts et les bas,
erst Oberpräsident, dann kleiner Balkanposten,
schließlich Chef,
dann ein neues Revirement,
und man geht auf seine Güter.

Leicht gesagt: verkehrte Politik.
Wann verkehrt? Heute? Nach zehn Jahren? Nach einem
Jahrhundert?

Mésalliancen, Verrat, Intrigen,
alles geht zu unseren Lasten,
man soll das Ölzeug anziehn,
bevor man auf Fahrt geht,
beobachten, ob die Adler rechts oder links fliegen,
die heiligen Hühner das Futter verweigern.
Als Hannibal mit seinen Elefanten über den Simplon
zog,
war alles in Ordnung,
als später Karthago fiel,
weinte Salambo.

Sozialismus – Kapitalismus –: wenn die Rebe wächst
und die Volkswirtschaft verarbeitet ihren Saft
dank außerordentlicher Erfindungen und
Manipulationen
zu Mousseux – dann muß man ihn wohl auch trinken?
Oder soll man die Kelten verurteilen,

weil sie den massilischen Stock
tauschweise nach Gallien trugen –
damit würde man ja jeden zeitlichen Verlauf
und die ganze Kulturausbreitung verdammen.

„Die Außenminister kamen in einer zweistündigen
Besprechung
zu einem vorläufigen Ergebnis“
(Öl- und Pipelinefragen),
drei trugen Cutaway,
einer einen Burnus.

MÄRZ. BRIEF NACH MERAN

Blüht nicht zu früh, ach blüht erst, wenn ich komme,
dann sprüht erst euer Meer und euren Schaum,
Mandeln, Forsythien, unzerspaltene Sonne –
dem Tal den Schimmer und dem Ich den Traum.

Ich, kaum verzweigt, im Tiefen unverbunden,
Ich, ohne Wesen, doch auch ohne Schein,
meistens im Überfall von Trauerstunden,
es hat schon seinen Namen überwunden,
nur manchmal fällt er ihm noch flüchtig ein.

So hin und her – ach blüht erst, wenn ich komme,
ich suche so und finde keinen Rat,
daß einmal noch das Reich, das Glück, das fromme,
der abgeschlossenen Erfüllung naht.

TRAUM

„Haltestelle und Lebensbahn"
las ich gerade in der Zeitung
als zwei Gestalten aus dem Wald traten
längst Verstorbene
beide mit steifem Hut und Rucksack

nicht gleichzeitig
an zwei Tagen hintereinander
alte Bekannte, ja Verwandte
ich fragte, wohin sie
zu dieser ungewohnten Lebens- beziehungsweise
Sterbensstunde wollten
aber sie blickten nur unwirsch auf
und einer deutete an, er werde
mehrere Wochen bei einem Apotheker verbringen.

Beide hielten zurück
ihre Züge deuteten auf:
Querverbindungen
Überraschungen
inzwischen Verändertes

ich war so klug wie vorher
wie vor Haltestelle und Lebensbahn.

AUFERLEGT

Was Er uns auferlegt, ist ohnegleichen,
die Löwen lachen und die Schlange singt,
sie leben in gewiesenen Bereichen,
in die das Schicksal keine Reue bringt.

Was Er uns auferlegt, ist so verschlossen,
man ahnt es manchmal, doch man sieht es nie,
und was man sieht, ist schauerübergossen,
grau, übergrau, gesteigertes Cap Gris.

Was Er den Tag entlang und auch die Nächte
uns auferlegt, ist einzig, daß man irrt,
das Tränen macht, kein Glück und keine Mächte
geben ein Etwas, welches Inhalt wird.

Was Er dir auferlegt in deine Hände:
ein Flockenspielen, das du nie gewinnst,
was Er dir auferlegt, das ist am Ende,
das ist um dich ein gläsernes Gespinst.

VERZWEIFLUNG

I

Was du in Drogerien sprachst
beim Einkauf von Mitteln
oder mit deinem Schneider
außerhalb des Maßgeschäftlichen –
was für ein Nonsens diese Gesprächsfetzen,
warst du da etwa drin?

Morgens – noch etwas erschöpft
von den Aufstehmanipulationen –
leicht hingeplappert, um nicht gleich wieder
hinauszugehn,
dies und jenes, Zeitgeschichtliches,
Grundsätzliches, alles durcheinander –
Grundsätzliches ist übrigens gut!
Wo sitzt das denn bei dir? Im Magen? Wie lange?
Was ist das überhaupt? Triebfonds, Hoffnungszement,
Wirtschaftskalkül –
jedenfalls etwas ungemein Prekäres!

Alles zusammengerechnet
aus Morgen- und Tagesstunden
in Zivil und Uniform
erbricht sich rückblickend vor Überflüssigkeit,
toten Lauten, Hohlechos
und Überhaupt-mit-nichts-Zusammensein –

oder beginnt hier die menschliche Gemeinschaft?

II

Alle die Verschlagenheiten,
das Grinsen ins Gesicht von jemandem,
den du dir erhalten willst,
aber auch nicht die Wahrheit über dich sagen,
nicht fühlen lassen das Rohe, das Schielen, den Verrat,
vor allem, weil du selber gar nicht weißt,
was Schielen und Verrat eigentlich ist,
dies ganze Gewebe aus List, Unzucht und Halbtränen –

Kürten – seinerzeit in Düsseldorf –
von sieben bis neun abends Lustmörder,
im übrigen Kegelbruder und Familienvater
war das nicht vollsinnig
und der Pithekanthropus erectus?

Kulturkreise hinten und vorn,
Morgen-, Mittag- und Abendländer,
Höhlenzeichnungen, dicke Madonnen,
Hermaphroditengeschlinge,
Sodomiterei als Rasensport –
alles hin und her und keiner sinnt es
bis zu den Göttern,
bis zu Ende.

Lächle, nimm duftende Seife,
eh du zu der Geliebten eilst
und vorm Rasieren einfetten,
das schönt die Haut.

III

Sprich zu dir selbst, dann sprichst du zu den Dingen
und von den Dingen, die so bitter sind,
ein anderes Gespräch wird nie gelingen,
den Tod trägt beides, beides endet blind.

Hier singt der Osten und hier trinkt der Westen,
aus offenen Früchten rinnt es und vom Schaft
der Palmen, Gummibäume und in Resten
träuft auch die Orchidee den Seltsamsaft.

Du überall, du allem nochmals offen,
die letzte Stunde und du steigst und steigst,
dann noch ein Lied, und wunderbar getroffen
sinkst du hinüber, weißt das Sein und schweigst.

EINGEENGT

Eingeengt in Fühlen und Gedanken
deiner Stunde, der du anbestimmt,
wo so viele Glücke Trauer tranken,
einer Stunde, welche Abschied nimmt,

Trauer nur – die Sturm- und Siegeswogen,
Niederlagen, Gräber, Kuß und Kranz,
Trauer nur – die Heere abgezogen,
sammeln sie sich wo – wer weiß es ganz?

Denke dann der Herzen wechselnd Träumen,
andere Götter, anderes Bemühn,
denk der Reiche, die Pagoden säumen,
wo die feuerroten Segel blühn,

denke andres: wie vom Himmel erben
Nord und Süd durch Funken und durch Flut,
denke an das große Mammutsterben
in den Tundren zwischen Eis und Glut,

eingeengt von Fühlen und Gedanken
bleibt in dich ein großer Strom gelegt,
seine Melodie ist ohne Schranken,
trauerlos und leicht und selbstbewegt.

GEDICHT

Und was bedeuten diese Zwänge,
halb Bild, halb Wort und halb Kalkül,
was ist in dir, woher die Dränge
aus stillem trauernden Gefühl?

Es strömt dir aus dem Nichts zusammen,
aus einzelnem, aus Potpourri,
dort nimmst du Asche, dort die Flammen,
du streust und löschst und hütest sie.

Du weißt, du kannst nicht alles fassen,
umgrenze es, den grünen Zaun
um dies und das, du bleibst gelassen,
doch auch gebannt in Mißvertraun.

So Tag und Nacht bist du am Zuge,
auch sonntags meißelst du dich ein
und klopfst das Silber in die Fuge,
dann läßt du es – es ist: das Sein.

WORTE

Allein: du mit den Worten
und das ist wirklich allein,
Clairons und Ehrenpforten
sind nicht in diesem Sein.

Du siehst ihnen in die Seele
nach Vor- und Urgesicht,
Jahre um Jahre – quäle
dich ab, du findest nicht.

Und drüben brennen die Leuchten
in sanftem Menschenhort,
von Lippen, rosigen, feuchten
perlt unbedenklich das Wort.

Nur deine Jahre vergilben
in einem anderen Sinn,
bis in die Träume: Silben –
doch schweigend gehst du hin.

ABER DU –?

Flüchtiger, du mußt die Augen schließen,
denn was eindringt, ist kein Großes Los,
abends im Lokal ist kein Genießen,
selbst an diesem Ort zerfällst du bloß.

Plötzlich sitzt ein Toter an der Theke,
Rechtsanwalt, mit rotem Nierenschwund,
schon zwei Jahre tot, mit schöner Witwe,
und nun trinkt er lebhaft und gesund.

Auch die Blume hat schon oft gestanden,
die jetzt auf dem Flügel in der Bar,
schon vor fünfzig Jahren, stets vorhanden
Gott weiß wann, wo immer Sommer war.

Alles setzt sich fort, dreht von der alten
einer neuen Position sich zu,
alles bleibt in seinem Grundverhalten –
aber du –?

HEIM

Wenn du die Nacht allein bestehst
etwas getrunken, doch nicht trunken
durch Schnee und Stäubungen und Funken
gottweißwoher den Heimweg gehst

den Heim-wohin, man liegt und starrt
leer, doch natürlich könnte man sich füllen
mit Reminiszenz, Reden, Wortpostillen,
durch die die Zeit sich spreizt als Gegenwart,

doch hinter ihr und vor ihr stehn der Ahn
sowie die Enkel, wechselnd und geteilte:
meinst du, daß etwas anderes in dir weilte
mit Blick und Bild als der uralte Wahn?

MELANCHOLIE

Wenn man von Faltern liest, von Schilf und Immen,
daß sich darauf ein schöner Sommer wiegt,
dann fragt man sich, ob diese Glücke stimmen
und nicht dahinter eine Täuschung liegt,
und auch das Saitenspiel, von dem sie schreiben,
mit Schwirren, Dufthauch, flügelleichtem Kleid,
mit dem sie tun, als ob sie bleiben,
ist anderen Ohren eine Fraglichkeit:
ein künstliches, ein falsches Potpourri –
untäuschbar bleibt der Seele Agonie.

Was ist der Mensch – die Nacht vielleicht geschlafen,
doch vom Rasieren wieder schon so müd,
noch eh ihn Post und Telefone trafen,
ist die Substanz schon leer und ausgeglüht,
ein höheres, ein allgemeines Wirken,
von dem man hört und manches Mal auch ahnt,
versagt sich vielen leiblichen Bezirken,
verfehlte Kräfte, tragisch angebahnt:
Man sage nicht, der Geist kann es erreichen,
er gibt nur manchmal kurzbelichtet Zeichen.

Nicht im entferntesten ist das zu deuten,
als ob der Schöpfer ohne Seele war,
er fragt nur nicht so einzeln nach den Leuten,
nach ihren Klagen, Krebsen, Haut und Haar,
er wob sie aus Verschiedenem zusammen

das er auch noch für andere Sterne braucht,
er gab uns Mittel, selbst uns zu entflammen
– labil, stabil, labil – man träumt, man taucht:
Schon eine Pille nimmt dich auf den Arm
und macht das Trübe hell, das Kalte warm.

Du mußt aus deiner Gegend alles holen,
denn auch von Reisen kommst du leer zurück,
verläßt du dich, beginnen Kapriolen
und du verlierst dir Stück um Stück.
Von Blumen mußt du solche wählen,
die blühn am Zaun und halb im Acker schon,
die in das Zimmer tun, die Laute zählen
des Lebens Laute, seinen Ton:
vermindert oder große Terzen –
ein Kältliches verstarrt die Herzen.

Die Blumen so – dann zu Vergangenem
sich wendend oder Zukunft, wie sie wird,
da gehst du von Verschleiert zu Verhangenem,
einem Vielleicht zu einwandfrei Geirrt,
ein Hin und Her: Einmal versiegte Güsse
und Noah strahlt, die Arche streift auf Land,
und einmal ist der Nil der Fluß der Flüsse,
Antonius küßt die braune, schmale Hand:
Die Ruriks, Anjous, Judas, Rasputin
und nur dein eigenes Heute ist nicht drin.

Tiere, die Perlen bilden, sind verschlossen,
sie liegen still und kennen nur die See;

an Land und Luft: Gekrönte und Profossen –
noch eine Herme mehr in der Allee;
nur Äon schweigt, er hält die Perlengabe,
wo alles fehlt und alles zielt,
der Äon träumt, der Äon ist ein Knabe,
der mit sich selbst auf einem Brette spielt:
Noch eine Herme mehr – man lasse sie,
auch sie führt zum Gedicht: Melancholie.

„DER BROADWAY SINGT UND TANZT"

Eine magnifique Reportage!

1) Das Debüt der Negersängerin als Wahrsagerin
Ulrika im Maskenball,
bisher nur als Lieder- und Arienvirtuosin bekannt,
nun mit großem Orchester und berühmten Stimmen:
„glückte vollendet".

2) Vorfälle, dramatisiert: alles Kompromißler,
nur bei einem einzigen der Versuch, „gegen die Mühle
der Mehrheitsmeinung"
„die Wahrheit an den Tag zu bringen"
(großartig – aber siehe Pilatus).

3) Kaiserinmutter und Prinzessin Irina:
ein „mit fast unerträglicher innerer (!) Spannung
geladenes Duell",
drei Hochstapler kommen noch dazu –
(wenn das nicht prima ist!)

4) Noah und seine Familie – die ganze Sintflut,
dic Fahrt der Arche bis zum Aufstoßen,
„der bekannte Patriarch"
eine „im tiefsten Sinne spannende Haltung"
„fast betäubend",
dem Komponisten wurden die Songs
per Telefon von New York nach St. Moritz vorgespielt
(allerlei! Arche-Noah-Songs!)

Dagegen unser Europa! Vielleicht Urgrund der Seele:
aber viel Nonsens, Salbader:
„Die Wahrheit", Lebenswerk, fünfhundert Seiten –
so lang kann die Wahrheit doch gar nicht sein!
oder:
„Das Denkerische über das Denken",
das ist bestimmt nicht so betäubend
wie Broadway-Noah

Immer: Grundriß!

Kinder! Kinder!

NIKE

Die Nike opfert – was enthält die Schale:
Blut oder Wein – ist das ein Siegesschluß,
wenn sie am Abend sich vom Liebesmahle
erhebt und schweigt und steht und opfern muß?

Sie senkt auf dieser attischen Lekythe
die Stirn, hat Pfeil und Messer abgetan,
wo blickt sie hin, erblickt sie schon die Mythe
vom Heiligen mit Pfeil: – Sebastian?

Sie schlug mit Zeus die Heere der Titanen
und stieß den Fels gen Kronos in der Schlacht,
Apollon, Kore zogen dann die Bahnen –
wem opfert sie – was sieht sie in der Nacht?

IMPROMPTU

Im Radio sang einer
„In der Drosselgaß zu Rüdesheim" –
ich war erschlagen:
Drosseln, das ist doch wohl ein Frühlingstag,
wer weiß, was über die Mauern hing,
quoll, zwitscherte, sicher Hellgrünes –
das Herz stieg auf, noch nicht das alte jetzt
das junge noch, nach einem Wandertag,
berauscht und müde.

Auch wer nie Wein trank,
hier gab man Goldenes an seinen Gaumen,
schlug sich den Staub vom Rock,
dann auf ein Lager
den Rucksack unter den Kopf,
die beide nichts enthielten
als für des nächsten Tags
Gelegenheiten.

Ein Paar Schuhe. Ein Musensohn.
Damals war Liliencron mein Gott,
ich schrieb ihm eine Ansichtskarte.

BAUXIT

Diese Woche war ziemlich teuer,
sagen wir: vierhundert Mark,
aber sie hatte zauberhafte Augenblicke
sublime, innerliche, seidenweiche
mit Strömen von berauschter Transzendenz.

Ich betrachte oft mit Interesse
die rechte Hand der Herren:
Es ist die Hand, die eröffnet,
meistens lohnt es sich kaum,
aber die Fälle, deren man sich erinnert,
sind die Glücke der tiefaufatmenden
weißen weichen Kastanienblüte,
die im Mai uns segnet.

Von Nebentischen hört man oft: „Wir Grossisten",
„Herr Kraft, was nützen Kunden,
die die Solawechsel nicht zahlen",
„Dreizehn Mark fünfzig als Monatsrate":
Die ganze Welt ist voll von solchen Worten.
Demgegenüber die Inkassos des Himmels,
verderblich vielleicht, in gewissem Sinne sträflich,
aber man lag herum, abgeschabt, Ausverkauf, richtiger Verschleiß
und nun für vierhundert Mark
Quaderrisse
Felsensprengungen

die Adern leuchten
pures Gold
Bauxit

eine ganze Woche, wo, des Himmels: „Wir Grossisten.“

EURE ETÜDEN

Eure Etüden,
Arpeggios, Dankchoral
sind zum Ermüden
und bleiben rein lokal.

Das Krächzen der Raben
ist auch ein Stück –
dumm sein und Arbeit haben:
das ist das Glück.

Das Sakramentale –
schön, wer es hört und sieht,
doch Hunde, Schakale
die haben auch ihr Lied.

Ach, eine Fanfare,
doch nicht an Fleisches Mund,
daß ich erfahre,
wo aller Töne Grund.

OLYMPISCH

Erhebe dich nun aus der Reihe
der Frauen, die das ganze Land durchblühn,
du trittst hervor, du trägst die Weihe
der Hochberufenen zum Liebesglühn.

Erhebe dich aus Stamm und Zeiten,
aus Völkern, Ahnen, Mischung und Vergehn,
jetzt bist *du* die Gestalt – Gelassenheiten,
Erwartung, Lockung trägst du, aber wen

erwartest du für deine Schauer,
wer trinkt dich so und wer erkennte dich
in deiner Ewigkeit aus Lust und Trauer –
erwartest du den Gott –? Erwarte Mich!

NUR NOCH FLÜCHTIG ALLES

Nur noch flüchtig alles,
kein Orplid, keine Bleibe,
Gestalten, Ungestalten
abrupte
mit Verkürzung.

Serge Rubinstein
zwei Millionen Dollar
auf schmale, breite, strenge
zahnschöne, hell- und schmieräugige
Ladies, Stepgirls, Barvamps
umgelegt,
das Leukoplast über dem Rüssel,
als er erwürgt wurde,
auf Fingerabdrücke untersucht,
ergab keine Anhaltspunkte.

Nur noch flüchtig alles –
nun die Anden:
Ur, verrunzelt,
nichts für Geodäten,
a-nousisch
a-musisch
Randwelt
fortsehn –
gebt Steckrüben!
gebt Knollenhumus!

gebt Gottesliter,
Höllenyards,
gebt Rillen
einzuhalten,
aufzuhalten
einnisten möchte man schreien –
nichts –
gebt Rillen!

Nur noch flüchtig alles
Neuralgien morgens,
Halluzinationen abends
angelehnt an Trunk und Zigaretten

abgeschlossene Gene,
erstarrte Chromosomen,
noch etwas schwitzende Hüfte
bei Boogie-Woogie,
nach Heimkehr dann die Hose in den Bügel.

Wo schließt sich was,
wo leuchtet etwas ferne,
nichts von Orplid –
Kulturkreis:
Zahl Pi mit Seiltricks!

VERLIESS DAS HAUS –

I

Verließ das Haus, verzehrt, er litt so sehr,
so viele Jahre Mensch, mit Zwischendingen,
trotz Teilerfolg im Geistesringen
war keiner von olympischem Gewähr.

So ging er langsam durch die Reverie
des späten Herbsttags, kaum zu unterscheiden
von einem Frühlingstag mit jungen Weiden
und einem Kahlschlag, wo der Häher schrie.

So träumerisch von Dingen überspielt,
die die Natur in Lenken und Verwalten
entfernter Kreise – jüngeren und alten –
als unaufhebbar einer Ordnung fühlt –:

So trank er denn den Schnaps und nahm die Tracht
Wurstsuppe, donnerstags umsonst gereichte
an jeden Gast, und fand das angegleichte
Olympische von Lust und Leidensmacht.

II

Er hatte etwas auf der Bank gelesen
und in der letzten Rosen Grau gesehn,
es waren keine Stämme, Buschwerkwesen,
gelichtet schon von Fall und Untergehn.

Nun sank das Buch. Es war ein Tag wie alle
und Menschen auch wie alle im Revier,
das würde weiter sein, in jedem Falle
blieb dies Gemisch von Tod und Lachen hier.

Schon ein Geruch kann mancherlei entkräften,
auch kleine Blumen sind der Zeder nah –
dann ging er weiter und in Pelzgeschäften
lag manches Warme für den Winter da.

III

Ganz schön – gewiß – für Schnaps und eine Weile
im Park am Mittag, wenn die Sonne scheint,
doch wenn der Hauswirt kommt, gewisse Teile
der Steuer fehlen und die Freundin weint?

Verzehrt: wie weit darfst du dein Ich betreiben,
Absonderliches als verbindlich sehn?
Verzehrt: wie weit mußt du im Genre bleiben –
so weit wie Ludwig Richters Bilder gehn?

Verzehrt: man weiß es nicht. Verzehrt: man wendet
sich qualvoll Einzel zu wie Allgemein –
das Zwischenspiel von Macht des Schicksals endet
glorios und ewig, aber ganz allein.

Verflucht die Evergreens! Die Platten dröhnen!
Schnaps, Sonne, Zedern – was verhelfen sie
dem Ich, den Traum, den Wirt und Gott versöhnen –
die Stimmen krächzen und die Worte höhnen –
verließ das Haus und schloß die Reverie.

BITTE WO –

Wenn du noch Sehnsucht hättest
(bitte wann, bitte wo),
dich noch mit Küssen kettest
(amour – bel oiseau),

wenn du noch flügelrauschend
über den Anden schwebst
dich in zwei Meere tauschend
ahnungslos, wen du lebst,

wenn noch die Qualen sprechen,
Tränen durch bel oiseau
dich stürzen und zerbrechen –
bitte wann – bitte wo? –

IN EINER NACHT

In einer Nacht, die keiner kennt,
Substanz aus Nebel, Feuchtigkeit und Regen,
in einem Ort, der kaum sich nennt
so unbekannt, so klein, so abgelegen,

sah ich den Wahnsinn alles Liebs und Leids,
das Tiefdurchkreuzte von Begehr und Enden,
das Theatralische von allerseits,
das niemals Gottgestützte von den Händen,

die dich bestreicheln, heiß und ungewaschen,
die dich wohl halten wollen, doch nicht wissen,
wie man den anderen hält, an welchen Maschen
man Netze flicken muß, daß sie nicht rissen –

ach, diese Nebel, diese Kältlichkeit,
dies Abgefallensein von jeder Dauer,
von Bindung, Glauben, Halten, Innigkeit,
ach Gott – die Götter! Feuchtigkeit und Schauer!

KOMMT –

Kommt, reden wir zusammen
wer redet, ist nicht tot,
es züngeln doch die Flammen
schon sehr um unsere Not.

Kommt, sagen wir: die Blauen,
kommt, sagen wir: das Rot,
wir hören, lauschen, schauen
wer redet, ist nicht tot.

Allein in deiner Wüste,
in deinem Gobigraun –
du einsamst, keine Büste,
kein Zwiespruch, keine Fraun,

und schon so nah den Klippen,
du kennst dein schwaches Boot –
kommt, öffnet doch die Lippen,
wer redet, ist nicht tot.

MENSCHEN GETROFFEN

Ich habe Menschen getroffen, die,
wenn man sie nach ihrem Namen fragte,
schüchtern – als ob sie gar nicht beanspruchen könnten,
auch noch eine Benennung zu haben –
„Fräulein Christian“ antworteten und dann:
„wie der Vorname“, sie wollten einem die Erfassung
erleichtern,
kein schwieriger Name wie „Popiol“ oder
„Babendererde“ –
„wie der Vorname“ – bitte, belasten Sie Ihr
Erinnerungsvermögen nicht!

Ich habe Menschen getroffen, die
mit Eltern und vier Geschwistern in einer Stube
aufwuchsen, nachts, die Finger in den Ohren,
am Küchenherde lernten,
hochkamen, äußerlich schön und ladylike wie
Gräfinnen –
und innerlich sanft und fleißig wie Nausikaa,
die reine Stirn der Engel trugen.

Ich habe mich oft gefragt und keine Antwort gefunden,
woher das Sanfte und das Gute kommt,
weiß es auch heute nicht und muß nun gehn.

ZWEI TRÄUME

Zwei Träume. Der erste fragte,
wie ist nun dein Gesicht:
was deine Lippe sagte
oder das schluchzend Gewagte
bei verdämmerndem Licht?

Der zweite sah dich klarer:
eine Rose oder Klee,
zart, süß – ein wunderbarer
uralter Weltenbewahrer
der Muschelformen der See.

Wird noch ein dritter kommen?
Der wäre von Trauer schwer:
Ein Traum der Muschel erglommen,
die Muschel von Fluten genommen
hin in ein anderes Meer.

„ABSCHLUSS“

Nachts in den Kneipen, wo ich manchmal hause
grundlagenlos und in der Nacktheit Bann
wie in dem Mutterschoß, der Mutterklause
einst, welternährt, kommt mich ein Anblick an.

Ein Herr in Loden und mit vollen Gesten,
er wendet sich jetzt ganz dem Partner zu,
verschmilzt mit Grog und Magenbitterresten:
Sie streben beide einem *Abschluß* zu.

Ach ja, ein Abschluß, wenn auch nur in Dingen,
die zeitlich sind, besiegelbar durch Korn:
Hier ist ein Endentschluß, hier ist Gelingen,
sie saugen tief das Glas, sie liegen vorn –

mir steht ein Meer vor Augen, oben Bläue,
doch in der Tiefe waberndes Getier,
verfratzte Kolben, Glasiges – ich scheue
mich, mehr zu sagen und zu deuten hier.

EBERESCHEN

Ebereschen – noch nicht ganz rot
von jenem Farbton, wo sie sich entwickeln
zu Nachglut, Vogelbeere, Herbst und Tod.

Ebereschen – noch etwas fahl,
doch siehe schon zu einem Strauß gebunden
ankündigend halbtief die Abschiedsstunden:
vielleicht nie mehr, vielleicht dies letzte Mal.

Ebereschen – dies Jahr und Jahre immerzu
in fahlen Tönen erst und dann in roten
gefärbt, gefüllt, gereift, zu Gott geboten –
wo aber fülltest, färbtest, reiftest du –?

LETZTER FRÜHLING

Nimm die Forsythien tief in dich hinein
und wenn der Flieder kommt, vermisch auch diesen
mit deinem Blut und Glück und Elendsein,
dem dunklen Grund, auf den du angewiesen.

Langsame Tage. Alles überwunden.
Und fragst du nicht, ob Ende, ob Beginn,
dann tragen dich vielleicht die Stunden
noch bis zum Juni mit den Rosen hin.

APRÈSLUDE

Tauchen mußt du können, mußt du lernen,
einmal ist es Glück und einmal Schmach,
gib nicht auf, du darfst dich nicht entfernen,
wenn der Stunde es an Licht gebrach.

Halten, Harren, einmal abgesunken,
einmal überströmt und einmal stumm,
seltsames Gesetz, es sind nicht Funken,
nicht alleine – sieh dich um:

Die Natur will ihre Kirschen machen,
selbst mit wenig Blüten im April
hält sie ihre Kernobstsachen
bis zu guten Jahren still.

Niemand weiß, wo sich die Keime nähren,
niemand, ob die Krone einmal blüht –
Halten, Harren, sich gewähren
Dunkeln, Altern, Aprèslude.

REISEN

Meinen Sie Zürich zum Beispiel
sei eine tiefere Stadt,
wo man Wunder und Weihen
immer als Inhalt hat?

Meinen Sie, aus Habana,
weiß und hibiskusrot,
bräche ein ewiges Manna
für Ihre Wüstennot?

Bahnhofstraßen und Ruen,
Boulevards, Lidos, Laan –
selbst auf den Fifth Avenuen
fällt Sie die Leere an –

Ach, vergeblich das Fahren!
Spät erst erfahren Sie sich:
bleiben und stille bewahren
das sich umgrenzende Ich.

DIE ZÜGE DEINER...

Die Züge deiner, die dem Blut verschworen,
der Menschheit altem, allgemeinen Blut,
die sah ich wohl und gab mich doch verloren,
schlummerbedeckt und schweigend deiner Flut.

Trugst mich noch einmal zu des Spieles Pforten:
die Becher dunkel und die Würfel blind,
noch einmal zu den letzten süßen Worten
und zum Vergessen, daß sie Träume sind.

Die Vesten sinken und die Arten fallen,
die Rasse Adams, die das Tier verstieß,
nach den Legionen, nach den Göttern allen,
wenn es auch Träume sind – noch einmal dies.

SPÄT

I

Die alten schweren Bäume
in großen Parks
und die Blumengärten,
die feucht verwirrten –

herbstliche Süße,
Polster von Erika
die Autobahn entlang,
alles ist Lüneburger
Heide, lila und unfruchtbar,
Versonnenheiten, die zu nichts führen,
in sich gekehrtes Kraut,
das bald hinabbräunt
– Frage eines Monats –
ins Nieerblühte.

Dies die Natur.
Und durch die City
in freundlichem Licht
fahren die Bierwagen
Ausklangssänfte, auch Unbesorgnis
vor Reizzuständen, Durst und Ungestilltem –
was stillt sich nicht? Nur kleine Kreise!
Die großen schwelgen
in Übermaßen.

II

So enden die Blicke, die Blicke zurück:
Felder und Seen eingewachsen in deine Tage
und die ersten Lieder
aus einem alten Klavier.

Begegnungen der Seele! Jugend!
Dann selbst gestaltet
Treubruch, Verfehlen, Verfall –
die Hintergründe der Glücke.

Und Liebe!
„Ich glaube dir, daß du gerne bei mir geblieben wärest,
aber es nicht konntest,
ich spreche dich frei von jeder Schuld“ –
ja, Liebe
schwer und vielgestalt,
jahrelang verborgen
werden wir einander zurufen: „nicht vergessen“,
bis einer tot ist – –
so enden die Rosen,
Blatt um Blatt.

III

Noch einmal so sein wie früher:
unverantwortlich und nicht das Ende wissen,
das Fleisch fühlen: Durst, Zärtlichkeit, Erobern,
Verlieren,
hinüberlangen in jenes andere – in was?

Abends dasitzen, in den Schlund der Nacht sehn,
er verengert sich, aber am Grund sind Blumen,
es duftet herauf, kurz und zitternd,
dahinter natürlich die Verwesung,
dann ist es ganz dunkel und du weißt wieder dein Teil,
wirfst dein Geld hin und gehst –

so viel Lügen geliebt,
so viel Worten geglaubt,
die nur aus der Wölbung der Lippen kamen,
und dein eigenes Herz
so wandelbar, bodenlos und augenblicklich –

so viel Lügen geliebt,
so viel Lippen gesucht
(„nimm das Rouge von deinem Munde,
gib ihn mir blaß")

und der Fragen immer mehr –

IV

Little old lady
in a big red room
little old lady –
summt Marion Davies,
während Hearst, ihr Freund seit dreißig Jahren,
in schwerem Kupfersarg unter dem Schutz einer
starken Eskorte
und gefolgt von zweiundzwanzig Limousinen
vor dem Marmormausoleum eintrifft,
leise surren die Fernkameras.

Little old lady, großer roter Raum,
hennarot, sanft gladiolenrot, kaiserrot (Purpurschnecke).
Schlafzimmer in Santa Monica Schloß
à la Pompadour –

Louella, ruft sie, Radio!
Die Blues, Jitterbug – Zickzack!
Das Bürgertum im atlantischen Raum:
heiratsfähige Töchter und obliterierter Sexus,
Palazzos an den Bays, Daunendecken auf den Pfühlen,
die Welt teilen sie ein in Monde und Demimonde –
ich war immer letzteres –

Louella, meine Mischung – hochprozentig!
Was soll das alles –
gedemütigt, hochgekämpft, hündisch gelitten –

die Züge, häßliche Züge, mit denen jetzt der Kupfersarg
Schluß macht,
überrann ein Licht, wenn er mich sah,
auch Reiche lieben, zittern, kennen die Verdammnis.

Hochprozentig – das Glas an den Silberapparat,
er wird nun stumm sein zu jener Stunde,
die nur wir beide wußten –
drollige Sprüche kamen aus der Muschel,
„in Frühstücksstuben entscheidet sich das Leben,
am Strand im Bathdreß hagelt es Granit,
das Unerwartete pflegt einzutreten,
das Erhoffte geschieht nie –"
das waren seine Stories.

Schluß mit der Promenade! Nur noch einige Steinfliesen,
auf die vorderste das Glas,
hochprozentig, Klirren, letzte Rhapsodie –
little old lady,
in a big red room –

V

Fühle – doch wisse, Jahrtausende fühlten –
Meer und Getier und die kopflosen Sterne
ringen es nieder heute wie einst –

denke – doch wisse, die Allererlauchtesten
treiben in ihrem eigenen Kiel,
sind nur das Gelb der Butterblume,
auch andere Farben spielen ihr Spiel –

wisse das alles und trage die Stunde,
keine wie diese, jede wie sie,
Menschen und Engel und Cherubime,
Schwarzgeflügeltes, Hellgeäugtes,
keines war deines –
deines nie.

VI

Siehst du es nicht, wie einige halten,
viele wenden den Rücken zu,
seltsame hohe schmale Gestalten,
alle wandern den Brücken zu.

Senken die Stecken, halten die Uhren
an, die Ziffern brauchen kein Licht,
schwindenden Scharen, schwarze Figuren,
alle weinen – siehst du es nicht?

ZERSTÖRUNGEN

Zerstörungen –
aber wo nichts mehr zu zerstören ist,
selbst die Trümmer altern
mit Wegerich und Zichorie
auf ihren Humusandeutungen,
verkrampft als Erde –

Zerstörungen –
das sagt immerhin: hier war einmal
Masse, Gebautes, Festgefügtes –
o schönes Wort
voll Anklang
an Füllungsreichtum
und Heimatfluren –

Zerstörungen –
o graues Siebenschläferwort
mit Wolken, Schauern, Laubverdunkeltheiten,
gesichert für lange Zeit –
wo Sommer sein sollte
mit Fruchtgetränken,
Eisbechern, beschlagenen,
und Partys zu heller Nacht am Strande.

DAS SIND DOCH MENSCHEN

Das sind doch Menschen, denkt man,
wenn der Kellner an einen Tisch tritt,
einen unsichtbaren,
Stammtisch oder dergleichen in einer Ecke,
das sind doch Zartfühlende, Genüßlinge
sicher auch mit Empfindungen und Leid.

So allein bist du nicht
in deinem Wirrwarr, Unruhe, Zittern,
auch da wird Zweifel sein, Zaudern, Unsicherheit,
wenn auch in Geschäftsabschlüssen,
das Allgemein-Menschliche,
zwar in Wirtschaftsformen,
auch dort!

Unendlich ist der Gram der Herzen
und allgemein,
aber ob sie je geliebt haben
(außerhalb des Bettes)
brennend, verzehrt, wüstendurstig
nach einem Gaumenpfirsichsaft
aus fernem Mund,
untergehend, ertrinkend
in Unvereinbarkeit der Seelen –

das weiß man nicht, kann auch
den Kellner nicht fragen,
der an der Registrierkasse
das neue Helle eindrückt,
des Bons begierig,
um einen Durst zu löschen anderer Art,
doch auch von tiefer.

TRISTESSE

Die Schatten wandeln nicht nur in den Hainen,
davor die Asphodelenwiese liegt,
sie wandeln unter uns und schon in deinen
Umarmungen, wenn noch der Traum dich wiegt.

Was ist das Fleisch – aus Rosen und aus Dornen,
was ist die Brust – aus Falten und aus Samt,
und was das Haar, die Achseln, die verworrnen
Vertiefungen, der Blick so heiß entflammt:

Es trägt das Einst: die früheren Vertrauten
und auch das Einst: wenn du es nicht mehr küßt,
hör gar nicht hin, die leisen und die lauten
Beteuerungen haben ihre Frist.

Und dann November, Einsamkeit, Tristesse,
Grab oder Stock, der den Gelähmten trägt –
die Himmel segnen nicht, nur die Zypresse,
der Trauerbaum, steht groß und unbewegt.

TEILS – TEILS

In meinem Elternhaus hingen keine Gainsboroughs
wurde auch kein Chopin gespielt
ganz amusisches Gedankenleben
mein Vater war einmal im Theater gewesen
Anfang des Jahrhunderts
Wildenbruchs „Haubenlerche“
davon zehrten wir
das war alles.

Nun längst zu Ende
graue Herzen, graue Haare
der Garten in polnischem Besitz
die Gräber teils-teils
aber alle slawisch,
Oder-Neiße-Linie
für Sarginhalte ohne Belang
die Kinder denken an sie
die Gatten auch noch eine Weile
teils-teils
bis sie weitermüssen
Sela, Psalmenende.

Heute noch in einer Großstadtnacht
Caféterrasse
Sommersterne,
vom Nebentisch
Hotelqualitäten in Frankfurt

Vergleiche,
die Damen unbefriedigt
wenn ihre Sehnsucht Gewicht hätte
wöge jede drei Zentner.

Aber ein Fluidum! Heiße Nacht
à la Reiseprospekt und
die Ladies treten aus ihren Bildern:
unwahrscheinliche Beauties
langbeinig, hoher Wasserfall
über ihre Hingabe kann man sich gar nicht erlauben
nachzudenken.

Ehepaare fallen demgegenüber ab,
kommen nicht an, Bälle gehn ins Netz,
er raucht, sie dreht ihre Ringe,
überhaupt nachdenkenswert
Verhältnis von Ehe und Mannesschaffen
Lähmung oder Hochtrieb.

Fragen, Fragen! Erinnerungen in einer Sommernacht
hingeblinzelt, hingestrichen,
in meinem Elternhaus hingen keine Gainsboroughs
nun alles abgesunken
teils-teils das Ganze
Sela, Psalmenende.

KEINER WEINE –

Rosen, gottweißwoher so schön,
in grünen Himmeln die Stadt
abends
in der Vergänglichkeit der Jahre!

Mit welcher Sehnsucht gedenke ich der Zeit,
wo mir eine Mark dreißig lebenswichtig waren,
ja, notgedrungen, ich sie zählte,
meine Tage ihnen anpassen mußte,
was sage ich Tage: Wochen, mit Brot und Pflaumenmus
aus irdenen Töpfen
vom heimatlichen Dorf mitgenommen,
noch von häuslicher Armut beschienen,
wie weh war alles, wie schön und zitternd!

Was soll der Glanz der europäischen Auguren,
der großen Namen,
der Pour le mérite,
die auf sich sehn und weiterschaffen,

ach, nur Vergehendes ist schön,
rückblickend die Armut,
sowie das Dumpfe, das sich nicht erkennt,
schluchzt und stempeln geht,
wunderbar dieser Hades,
der das Dumpfe nimmt
wie die Auguren –
keiner weine,
keiner sage: ich, so allein.

NUR ZWEI DINGE

Durch so viel Formen geschritten,
durch Ich und Wir und Du,
doch alles blieb erlitten
durch die ewige Frage: wozu?

Das ist eine Kinderfrage.
Dir wurde erst spät bewußt,
es gibt nur eines: ertrage
– ob Sinn, ob Sucht, ob Sage –
dein fernbestimmtes: Du mußt.

Ob Rosen, ob Schnee, ob Meere,
was alles erblühte, verblich,
es gibt nur zwei Dinge: die Leere
und das gezeichnete Ich.

EPILOG 1949

I

Die trunkenen Fluten fallen –
die Stunde des sterbenden Blau
und der erblaßten Korallen
um die Insel von Palau.

Die trunkenen Fluten enden
als Fremdes, nicht dein, nicht mein,
sie lassen dir nichts in Händen
als der Bilder schweigendes Sein.

Die Fluten, die Flammen, die Fragen –
und dann auf Asche sehn:
„Leben ist Brückenschlagen
über Ströme, die vergehn."

II

Ein breiter Graben aus Schweigen,
eine hohe Mauer aus Nacht
zieht um die Stuben, die Steigen,
wo du gewohnt, gewacht.

In Vor- und Nachgefühlen
hält noch die Strophe sich:
„Auf welchen schwarzen Stühlen
woben die Parzen dich,

aus wo gefüllten Krügen
erströmst du und verrinnst
auf den verzehrten Zügen
ein altes Traumgespinst."

Bis sich die Reime schließen,
die sich der Vers erfand,
und Stein und Graben fließen
in das weite, graue Land.

III

Ein Grab am Fjord, ein Kreuz am goldenen Tore,
ein Stein im Wald und zwei an einem See –:
ein ganzes Lied, ein Ruf im Chore:
„Die Himmel wechseln ihre Sterne – geh!"

Das du dir trugst, dies Bild, halb Wahn, halb Wende,
das trägt sich selbst, du mußt nicht bange sein
und Schmetterlinge, März bis Sommerende,
das wird noch lange sein.

Und sinkt der letzte Falter in die Tiefe,
die letzte Neige und das letzte Weh,
bleibt doch der große Chor, der weiterriefe:
die Himmel wechseln ihre Sterne – geh.

IV

Es ist ein Garten, den ich manchmal sehe
östlich der Oder, wo die Ebenen weit,
ein Graben, eine Brücke, und ich stehe
an Fliederbüschen, blau und rauschbereit.

Es ist ein Knabe, dem ich manchmal trauere,
der sich am See in Schilf und Wogen ließ,
noch strömte nicht der Fluß, vor dem ich schauere,
der erst wie Glück und dann Vergessen hieß.

Es ist ein Spruch, dem oftmals ich gesonnen,
der alles sagt, da er dir nichts verheißt –
ich habe ihn auch in dies Buch versponnen,
er stand auf einem Grab: „tu sais" – du weißt.

V

Die vielen Dinge, die du tief versiegelt
durch deine Tage trägst in dir allein,
die du auch im Gespräche nie entriegelt,
in keinen Brief und Blick sie ließest ein,

die schweigenden, die guten und die bösen,
die so erlittenen, darin du gehst,
die kannst du erst in jener Sphäre lösen,
in der du stirbst und endend auferstehst.

ANHANG

RAUHREIF

Etwas aus den nebelsatten
Lüften löste sich und wuchs
über Nacht als weißer Schatten
eng um Tanne, Baum und Buchs.

Und erglänzte wie das Weiche
Weiße, das aus Wolken fällt,
und erlöste stumm in bleiche
Schönheit eine dunkle Welt.

GEFILDE DER UNSELIGEN

Satt bin ich meiner Inselsucht,
des toten Grüns, der stummen Herden;
ich will ein Ufer, eine Bucht,
ein Hafen schöner Schiffe werden.

Mein Strand will sich von Lebenden
mit warmem Fuß begangen fühlen;
die Quelle murrt in gebendem
Gelüste und will Kehlen kühlen.

Und alles will in fremdes Blut
aufsteigen und ertrunken treiben
in eines andern Lebensglut,
und nichts will in sich selber bleiben.

BLINDDARM

Alles steht weiß und schnittbereit.
Die Messer dampfen. Der Bauch ist gepinselt.
Unter weißen Tüchern etwas, das winselt.

„Herr Geheimrat, es wäre soweit."

Der erste Schnitt. Als schnitte man Brot.
„Klemmen her!" Es spritzt was rot.
Tiefer. Die Muskeln: feucht, funkelnd, frisch.
Steht ein Strauß Rosen auf dem Tisch?

Ist das Eiter, was da spritzt?
Ist der Darm etwa angeritzt?
„Doktor, wenn Sie im Lichte stehn,
kann kein Deibel das Bauchfell sehn.
Narkose, ich kann nicht operieren,
der Mann geht mit seinem Bauch spazieren."

Stille, dumpf feucht. Durch die Leere
klirrt eine zu Boden geworfene Schere.
Und die Schwester mit Engelssinn
hält sterile Tupfer hin.

„Ich kann nichts finden in dem Dreck!"
„Blut wird schwarz. Maske weg!"
„Aber – Herr des Himmels – Bester,
halten Sie bloß die Hacken fester!"

Alles verwachsen. Endlich: erwischt!
„Glüheisen, Schwester!" Es zischt.

Du hattest noch einmal Glück, mein Sohn.
Das Ding stand kurz vor der Perforation.
„Sehn Sie den kleinen grünen Fleck? –
Drei Stunden, dann war der Bauch voll Dreck."

Bauch zu. Haut zu. „Heftpflaster her!
Guten Morgen, die Herrn."
Der Saal wird leer.
Wütend klappert und knirscht mit den Backen
der Tod und schleicht in die Krebsbaracken.

MANN

(Strand am Meer)

Mann:

Nun aber ist dies alles festgefügt,
geschlossen wie ein Stein und unentrinnbar:
du und ich.
Es stößt mich nieder und ich schlage
mich an mir selber wund,
wenn ich an dich nur denke.
Denn du bist ein Halbdurchflossenes,
vom Tier getränkt, und wie im Fell der Tiere,
und doch gelöst in allen deinen Gliedern,
voll Spiel der Träume und erlöster
als je ich Mann.
Es gäbe eines nur, dies zu vergelten,
das Frieden brächte. Das ich jetzt dich frage:
Liebst du mich?

Frau:

Ja, ich will an dir vergehn.
Greif meine Haare, küsse meine Knie.
Du sollst die braune Hand des Gärtners sein
im Herbst, die all die warmen Früchte fühlt.

Mann:

Wenn ich im Spiel an deine Glieder faßte
oder beim Rudern, warst du noch viel ferner
und viel entrückter. Ja, du warst es gar nicht,
an dessen Fleisch ich faßte. Es ist anders.

Frau:

Dann will ich vor dir tanzen. Jedes Glied
soll eine Halle sein aus lauem Rot,
die dich erwartet.
So hebe ich die Schenkel aus dem Sand
und so die Brust. Kleid, fort von meinen Hüften.

(tanzt)

Mann:

. . . Du Seele, Seele tief dich niederbeugend
über die Opferungen meines Bluts –
Du leise Hand, du Flieder, stiller Garten
meinem verstoßnen Blut, so sang mein Traum –

Frau (tanzend):

. . . Die Beete bluten wie aus breiten Wunden
ihr Scharlach um mein Knie. Es röchelt
vom Meer um meine Hüften. In den Wolken
stäubt mein Gelock –

Mann:

Nun biegt der Sturm die Büsche auseinander,
wo all die Nester drin für Schlaf und Brut –

Frau:

– In langen Lauten singt das Licht
an mir entlang. O Sonne,
du Rosenmutter – komm, du, wir wollen nieder
auf diesen warm vom Meer besamten Strand.

(sinkt hin)

Mann:

Was soll behaarte Brust, behaarte Schenkel

auf Haut voll Schweiß und Talg, blutflüssigem
Schoß?
Was hat das denn mit dir und mir zu tun?
Was liegst du nun im Sand, du weißes Fleisch,
was rinnst du nicht und sickerst in das Meer?
Was kommen keine Vögel über dich
wie über anderes Fleisch?
Halt deine Falten still!
Heimkehr! Nun grüß ich euch, zerfressene Steine,
und dich, mein Blut, von Leichen aller Meere
beworfen, du zerklüftet
Gelände ohne Frucht, das taumelnd
am Rand der Erde steht.

NACHTCAFE I

Die Patentante liest das Universum.
Frau Schlächtermeister sickert übers Sofa,
unten am Arm aus einem Ballen Fett
arbeitet sich der Daumen vor.

Erni plätschert in einer Frau, die er auf dem Eis
gesehen hat.
Sie ist braun, mütterlich und wird ihn küssen.
Ich sitze im Geruche einer Frau.
Der klingt aus Heliotrop und Unterleib zusammen
und scheint mir süß, da diese Frau mir fremd ist.
Ihr Freund arbeitet in der Hosentasche.
Vielleicht handelt es sich um einen ausgetretenen
Bruch.

Der Geschäftsführer trägt überall Rechtschaffenheit
hin.
Er ist der Pionier der guten Sache.
Seine großen Zehen machen Fluchtversuche
mit den Knöcheln aus den Stiefeln.

Am Nebentisch wird gegurgelt:
Die Weiber: Ein zu blödsinniges Pack!
Ich habe tatsächlich noch keine gesehen,
die gewußt hätte, warum sich eigentlich die
Mühlenflügel drehn,
ich nehme darüber eine Statistik auf.

Erni ist bei der Frau, die er auf dem Eis
gesehen hat.
Er weidet ihre Lippen ab.
Die Leiber spielen aufeinander
unerhörte Melodien.
Dabei bohrt er einen jüngeren Herrn an: –
Der stürzt die linke Faust in seine Hüfte,
und aus den Spalten seiner Bekleidung
gebiert er einen Bierzipfel:
Sauve qui peut.

KASINO

Menge war schon auf Kriegsschule ein Idiot.
Jetzt hat er eine Brigade in Päde-Rastenburg.
Päde-Rastenburg!!! Ha, ha, ha. –

Morgens Kaffee im Bett ist wunderschön.
Gräßlich. Wunderschön.
Ganz geteilte Auffassungen. –

„Sie Junker, fahren Sie mich hottehüh.
Ich sitze so schön in meinem Sessel
und möchte mal gern auf die Retirade –“
Gesprächsabbrüche. Stille vorm Sturm:
Mensch, Arnim, Sie sind ganz unerschöpflich! –

Sind Sie schon mal dritter Klasse gefahren?
Ne, Sie? Muß mächtig intressant sein.
So ganz kleene Bänke sollen da drinstehn. –

Eine Kugel muß man sich im Kriege immer noch
aufsparen:
fürn Stabsarzt, wenn er einen verpflastern will.
Na Prost, Onkel Doktor! –

Vorläufig bin ich ja noch rüstig.
Aber wenn ich mich mal auf Abbruch verheirate:
Brüste muß sie jedenfalls haben,
daß man Wanzen drauf knacken kann! –

Kinder! Heut nacht! Ein Blutweib! Sagt:
Arm kann er sein und dumm kann er sein;
aber jung und frisch gebadet.
Darauf ich: janz Ihrer Meinung, Gnädigste,
lieber etwas weniger Moral
und etwas äußere Oberschenkel.
Auf dieser Basis fanden wir uns.

Was für Figuren habt ihr denn auf dieser Basis
aufgebaut??

Lachen einigt alles. –

EINE LEICHE SINGT

Eine Leiche singt:

Bald gehn durch mich die Felder und Gewürme.
Des Landes Lippe nagt: die Wand reißt ein.
Das Fleisch zerfließt. Und in die dunklen Türme
der Glieder jauchzt die ewige Erde ein.

Erlöst aus meinem tränenüberströmten
Gitter. Erlöst aus Hunger und aus Schwert.
Und wie die Möwen winters auf die süßen
Gewässer flüchten: also: heimgekehrt. –

MERKWÜRDIG –

Merkwürdig – murmelt ein noch nicht wieder
zugenähter Mann –
Wenn man so mit der Hand an sich runterfährt:
Wo hört die Brust auf?
Wo fängt der Bauch an?
Wo saß die Kotfistel, fragt man sich?

Völlig verändertes System.
Der Nabel über Bord geworfen.
Vereinfachter Mechanismus.
Rückkehr zur Natur scheint die Devise. –

CAFE DES WESTENS

Ein Mann tritt mit einem Mädchen in Verhandlung:
Deine Stimme, Augenausdruck, Ohrläppchen
sind mir ganz piepe.
Ich will dir in die Schultern stoßen.
Ich will mich über dir ausbreiten.
Ich will ein ausgeschlenkertes Meer sein, du Affe! –

DIRNEN

Eine entkleidet ihre Hände.
Die sind weich, weiß, groß,
wie aus Fleisch von einem Schoß. –

Ein Mund feucht und ausgefahren
voll übelriechenden Lachens. –

Eine antwortet einem Mann:
Deine Eltern haben zwar sicher versehentlich
deine Nachgeburt großgezogen,
aber du hast einen englischen Anzug an.
Komm man mit.
Aber natürlich ein großes Goldstück. –

EINER SANG:

Einer sang:
Ich liebe eine Hure, die heißt To.
Sie ist das Bräunlichste. Ja, wie aus Kähnen
den Sommer lang. Ihr Gang sticht durch mein Blut.
Sie ist ein Abgrund wilder, dunkler Blumen.
Kein Engel ist so rein. Mit Mutteraugen.
Ich liebe eine Hure. Sie heißt To. –

DON JUAN GESELLTE SICH ZU UNS

Don Juan gesellte sich zu uns:

Frühling: Samen, Schwangerschaft und Durcheinander-
treiben.

Feuchtigkeiten ein lauter Rausch.
Ein Kind! O ja, ein Kind!
Aber woher nehmen und nicht – sich schämen.
Mir träumte einmal, eine junge Birke
schenkte mir einen Sohn. –
Oh, welch ein Abend! Ein Veilchenlied des Himmels
den jungen Rosenschößen hingesungen.
Oh, durch die Nächte schluchzt bis an die Sterne
mein Männerblut. –

VOR EINEM KORNFELD

Vor einem Kornfeld sagte einer:
Die Treue und Märchenhaftigkeit der Kornblumen
ist ein hübsches Malmotiv für Damen.
Da lobe ich mir den tiefen Alt des Mohns.
Da denkt man an Blutfladen und Menstruation.
An Not, Röcheln, Hungern und Verrecken –
kurz: an des Mannes dunklen Weg.

DROHUNGEN

Aber wisse:
Ich lebe Tiertage. Ich bin eine Wasserstunde.
Des Abends schläfert mein Lid wie Wald und Himmel.
Meine Liebe weiß nur wenig Worte:
Es ist so schön an deinem Blut. –

Mein königlicher Becher!
Meine schweifende Hyäne!
Komm in meine Höhle. Wir wollen helle Haut sein.
Bis der Zedernschatten über die kleine Eidechse lief:
Du – Glück –

Ich bin Affen-Adam. Rosen blühn in mein Haar.
Meine Vorderflossen sind schon lang und haarig.
Baumast-lüstern. An den starken Daumen
kann man tagelang herunterhängen. –

Ich treibe Tierliebe.
In der ersten Nacht ist alles entschieden.
Man faßt mit den Zähnen, wonach man sich sehnt.
Hyänen, Tiger, Geier sind mein Wappen. –

Nun fährst du über Wasser. Selbst so segelhaft.
Blondhäutig. Kühles Spiel.
Doch bitterrot, das Blut darin ist tot,
ein Spalt voll Schreie ist dein Mund.
Du, daß wir nicht an einem Ufer landen!

Du machst mir Liebe: blutegelhaft:
Ich will von dir. –

Du bist Ruth. Du hast Ähren an deinem Hut.
Dein Nacken ist braun von Makkabäerblut.
Deine Stirn ist fliehend: Du sahst so lange
über die Mandeln nach Boas aus.
Du trägst sie wie ein Meer, daß nichts Vergossenes
im Spiel die Erde netzt.

Nun rüste einen Blick durch deine Lider:

Sieh: Abgrund über tausend Sternen naht.
Sieh: Schlund, in den du es ergießen sollst.
Sieh: Ich. –

RÄUBER-SCHILLER

Ich bringe Pest. Ich bin Gestank.
Vom Rand der Erde komm ich her.
Mir läuft manchmal im Maule was zusammen,
wenn ich das speie, zischten noch die Sterne
und hier ersöffe das ganze feige
Pietzengeschlabber und Abelblut.

Weil meine Mutter weint? Weil meinem Vater
das Haar vergreist? Ich schreie:
Ihr grauer Schlaf! Ihr ausgeborenen Schluchten!
Bald sän euch ein paar Handvoll Erde zu.
Mir aber rauscht die Stirn wie Wolkenflug.

Das bißchen Seuche
aus Hurenschleim in mein Blut gesickert?
Ein Bröckel Tod stinkt immer aus der Ecke –
pfeif drauf! Wisch ihm eins! Pah!

DAS AFFENLIED

Ihr Spiel Gottes! Himmel sind die Schatten
der großen Wälder um euer Fell.
Schlaf, Fraß und Liebe reift still auf eurem
Blut-Sommerland. – Ihr seligen Mäher! –

Ein schmerzlicher Auswuchs,
von irgendeiner Seuche aufgetrieben
aus euerm kleinen, runden, furchenlosen
Leib – Gehirnchen, ist unsere Seele.

Du liebes Blut! Von meinem kaum getrennt!
Tauschbar. Durchrausche mich noch einen Tag!
Sieh: Stunden, frühere, ausgelebte,
da wir noch reif am Ufer hockten:
da ist das Meer und da die Erde –
Seht diese ausgelebten Stunden.
o diese Landungen aller Sehnsucht
lagern um euch!

MADONNA

Gib mich noch nicht zurück!
Ich bin so hingesunken
an dich. Und bin so trunken
von dir. O Glück!

Die Welt ist tot. Der Himmel singt
hingestreckt an die Ströme der Sterne
hell und reif. Alles klingt
in mein Herz.

Tieferlöst und schön geworden
singt das Raubvolk meines Blutes
halleluja!

NACHTCAFE II

Und dennoch hab ich harter Mann,
blöken drei blaugraue Zahnstummel
aus ihrer muffigen Höhle mit.
Und dennoch schlug die Liebe mir,
wölben sich zwei Hurenschnauzen vor.

Matchiche:
Ida paßt ihre Formen der Musik an.
Buchtet sich ein und aus.
Wirft sich aus ganz ebenen Stellen auf:
„Mensch, Ida, du hast woll een Gelenk zu ville.“

Ein Provinziale ertrinkt in einer Minettschnauze:
Nimm mich hin. Ich will versinken.
Laß mich sterben. Gebäre mich.

IM ZIMMER DES PFARRHERRN

Im Zimmer des Pfarrherrn
zwischen Kreuzen und Christussen,
Jerusalemhölzern und Golgathakränzen
rauscht ein Rosenstrauß glückselig über die Ufer:
Wir dürfen ganz in Glück vergehn.
In unserm Blute ist kein Dorn.
Oktobertiere rechts und links:
Wir makellose,
wir letzte
Julibrut. –

HIER IST KEIN TROST

Keiner wird mein Wegrand sein.
Laß deine Blüten nur verblühen.
Mein Weg flutet und geht allein.

Zwei Hände sind eine zu kleine Schale.
Ein Herz ist ein zu kleiner Hügel,
um dran zu ruhn.

Du, ich lebe immer am Strand
und unter dem Blütenfall des Meeres,
Ägypten liegt vor meinem Herzen,
Asien dämmert auf.

Mein einer Arm liegt immer im Feuer.
Mein Blut ist Asche. Ich schluchze immer
vorbei an Brüsten und Gebeinen
den tyrrhenischen Inseln zu:

Dämmert ein Tal mit weißen Pappeln
ein Ilyssos mit Wiesenufern
Eden und Adam und eine Erde
aus Nihilismus und Musik.

FINISH

I

Das Speiglas – den Ausbrüchen
so großer grüner warmer Flüsse
nicht im entferntesten gewachsen –
schlug endlich nieder.
Der Mund fiel hinterher. Hing tief. Sog
schluckweis Erbrochenes zurück. Enttäuschte
jedes Vertrauen. Gab Stein statt Brot
dem atemlosen Blut.

II

Der kleine Klumpen roch wie ein Hühnerstall,
schlug hin und her. Wuchs. Ward still.

Die Enkelin spielte das alte Spiel:
Wenn Großmutter schläft:
Um die Schlüsselbeine war es so eingesunken,
daß sie Bohnen drin versteckte.
In die Kehle paßte sogar ein Ball,
wenn man den Staub rausblies.

III

Es handelte sich für ihn um einen Spucknapf mit
Pflaumenkernen.
Da kroch er hin und biß die Steine auf.
Man warf ihn zurück in sein Kastenbett,
und der Irre starb in seiner Streu.

Gegen Abend kam der Oberwärter
und schnauzte die Wächter an:
Ihr verdammten Faultiere,
warum ist der Kasten noch nicht ausgeräumt?

IV

Seit Wochen hielten ihr ihre Kinder,
wenn sie aus der Schule zurückgekommen waren,
den Kopf in die Höhe:
Dann ging etwas Luft durch und sie konnte schlafen.

Dabei bückte sich eines einmal unversehens
und der Kopf fiel ihm aus den Händen.
Schlug um. Hing über den Schultern
tiefblau.

V Requiem

Ein Sarg kriegt Arbeit und ein Bett wird leer.
Wenn man bedenkt: ein paar verlorene Stunden
haben nun in die stille Nacht gefunden
und wehen mit den Wolken hin und her.

Wie weiß sie sind! Die Lippen auch. Wie Garben
aus Schnee, ein Saum vom großen Winterland
tröstenden Schnees, erlöst vom Trug der Farben,
Hügel und Tal in einer flachen Hand,

Nähe und Ferne eins und ausgeglichen.
Die Flocken wehn ins Feld, dann noch ein Stück,
dann ist der letzte Funken Welt verblichen.
O kaum zu denken! Dieses ferne Glück!

EIN TRUPP HERGELAUFENER SÖHNE SCHRIE

Ein Trupp hergelaufener Söhne schrie:
Bewacht, gefesselt des Kindes Glieder schon
durch Liebe, die nur Furcht war;
waffenunkundig gemacht,
uns zu befreien,
sind wir Hasser geworden,
erlösungslos.

Als wir blutfeucht zur Welt kamen,
waren wir mehr als jetzt.
Jetzt haben Sorgen und Gebete
beschnitten uns und klein gemacht.

Wir leben klein.
Wir wollen klein.
Und unser Fühlen frißt wie zahmes Vieh
dem Willen aus der Hand.

Aber zu Zeiten klaftern Wünsche,
in unserem frühesten Blut erstarkt,
ihre Flügel adlerhaft,
als wollten sie einen Flug wagen
aus der Erde Schatten.
Doch die Mutter der Sorgen und Gebete,
die Erde, euch verbündet,
läßt sie nicht von ihrem alten faltigen Leib.

Aber ich will mein eigenes Blut.
Ich dulde keine Götter neben mir.
Heißt: Sohn sein: sich höhnen lassen von seinem Blut:
Feiger Herr, feiger Herr!
Purpurgeschleiert steht meine Schönheit
Tag und Nacht für dich.
Was zitterst du?
Ich übte mir flinke Sehnen an
für deine Wünsche,
o gib sie mir!
Laß mich tanzen!
Fege meinen Saal.
Gelbe speichelnde Gerippe
weißhaarigen, griesgrämigen Bluts
drohen mir.
Ich aber will tanzen
durch dich
schleierlos
dein Blut.

EIN MANN SPRICHT

Ein Mann spricht:

Hier ist kein Trost. Sieh, wie das Land
auch aus seinen Fiebern erwacht.
Kaum ein paar Dahlien glänzen noch. Es liegt verwüstet
wie nach einer Reiterschlacht.
Ich höre Aufbruch in meinem Blut.
Du, meine Augen trinken schon
sehr die Bläue der fernen Hügel.
An meine Schläfen streift es schon.

SCHNELLZUG

Das Gleitende, das in den Fenstern steht!
Von meinen Schultern blättern die Gefilde,
die Lauben und die zugewachsenen Dörfer;
verschollene Mütter; das ganze Land
ein Grab voll Väter: – nun sind die Söhne groß
und prunken mit der roten Götterstirne,
nackt und im Taumel des entbundenen Bluts.

Das Schwärende schickt kranke Stimmen hoch:
Wo grenzten wir ans Glück? Wir kleine Forst,
kein Adler und kein Wild! Armseliges
Geblühe färbt sich matt in unsere Flur.

Aufschreit das Herz: O Haar! Du Dagmar-blond!
Du Nest! Du tröstende erblühte Hand!
Die weiten Felder der Verlassenheit!
Das Rot der Ebereschen hat schon Blut.
O sei bei mir. Es schweigt so aus den Gärten.

Doch Gleitendes, das in dem Fenster steht:
Von meinen Schultern blättern die Gefilde,
Väter und Hügelgram und Hügelglück –:
Die Söhne wurden groß. Die Söhne gehn
nackt und im Grame des entbundenen Blutes,
die Stirn aufrötet fern ein Abgrund-glück.

NACHTCAFE III

Ein Medaillon des Mittelstandes staunt
von Fett umträumt das Kinn: da bist du ja.
Dem Manne rutscht das Auge hin und her.

Ein Schnäuzchen schmiert ein Lachen in die Luft:
Ick habe schon gehabt. Ob du noch kommst,
ick kann mir doch mein Brot mit Schinken kofen.

Besambar sitzt an jedem Tisch mit Federn
am Hut und stellt das Bein, saugt die Hüften
Samenschwers immer heißer in den Schoß.

Ein Lied wölbt eine Kuppel in die Decke
aus Glas: Die kalte Nacht verwölkt die Sterne.
Der Mond verirrt sein Gold in diesen Gram.

NACHTCAFE IV

Es lohnt kaum den Kakao. Dann schiebt man ein
und stürzt: ich bin an Gottes Saum hervor;
liebst du mich auch? Ich war so sehr allein.

Das Weserlied erregt die Sau gemütlich.
Die Lippen weinen mit. Den Strom herunter
das süße Tal! Da sitzt sie mit der Laute.

Der Ober rudert mit den Schlummerpünschen.
Er schwimmt sich frei. Fleischlaub und Hurenherbste,
ein welker Streif. Fett furcht sich. Gruben röhren:
das Fleisch ist flüssig; gieß es, wie du willst,
um dich;
ein Spalt voll Schreie unser Mund.

NACHTCAFE V

Er gibt in weichem Ton von der Verwandtschaft,
von Städten, wo er war – das reicht fürs Knie.
Quer stößt den Stummelstrauß der Gaumen vor.

Der Bürgerpfuhl tritt auf die Bänke aus:
Pack, Pickel, Ehe, Bärte und Medaillen:
viele vier Liter Blut, von denen dreie
am Darm sich mästen: und der vierte
strotzt am Geschlecht.

Die Hure To entkleidet eine Hand:
weich, wie aus Fleisch vom Schoße, angelehnt,
wo sich die Lust befühlt.

DER PSYCHIATER

Meine Innenschläfe ist die Fresse,
die mich anstinkt.
Tisch ist: Auge und Hand: Gesichts- und
Tastempfindung:
erbrechend: ICH. Die Sternblumen
betiert mein Blick, den keuschen Strauß.
Mein Hirn nächtigt mich
einen kurzen Traum;
doch aus dem Morgen
weht Altersodem, unbeholfen
Zerfallsgeruch.

Der Jurist wird durch Paragraphen enthoben
und vergewaltigt selbständig das Außenstehende.
Der Philologe ergießt sich in die Schluchten
der Gebirge
und in das Boot des Ferienmeers.
Doch mich bewurzelt das Asterbeet,
und ich kann nicht vergehen: weggeblühtes Land,
Herbst und der Bäume stillgewordenes Blatt – –:
Lymphknoten schwellen auf und ab,
bevatern mir mein Ammonshorn;
vielleicht färbt Phenylhydrazin
mein Wasser himmelblau.

Der Laie greift sich an den Schädel.
Ich fasse an ein Staatsorgan
und den Nachtwächter des Beischlafs: Grünes
über den Unterleib,
süße Saaten, Strauß und Reigen
schleiern die sanften Bregenhänge,
fromm im Auge
den guten Lauf der Welt

DAS INSTRUMENT

O du Leugnung Berkeleys,
breitbäuchig wälzt der Raum sich dir entgegen!
Gepanzertstes Gehirn zum Zweck des Zweckes,
funkelnd vor Männerfaust, bekämpfter Kurzsichtigkeit
und jener Achselhöhle,
des Morgens nur ganz sachlich ausgewaschen! –

Der Mann im Sprung, sich bäumend vor Begattung,
Straußeier fressend, daß die Schwellung schwillt.
Harnröhrenplätterin, Mutterband nadelnd
ans Bauchfett für die Samen-Winkelriede! – –

O nimm mich in den Jubel deiner Kante:
Der Raum ist Raum! Oh, in das Blitzen
des Griffes: Fokus, virtuelles Bild,
gesetzlich abgespielt! Oh, in den Augen
der Spitze funkelt
bieder blutgeboren:
ZIEL.

NOTTURNO

Schlamme den grauenvollen Unterleib,
die fratzenhafte Spalte, die Behaarung,
den Rumpf, das Leibgesicht, das Afternahe,
das sich im Dunkel vorfühlt, über meinen:

Füllt euch bis an die Gurgeln!
Verfilzt das Röhricht!
Beißt euch an die Wurzeln!
Schon ist ein Wehen an den Schläfen,
Entquellungen und Sammlung oberhalb –

Schlachtet und klafft und brütet und verdickt euch:
Aufrauschung will geschehn: Mein Hirn!! Oh! Ich! –

Flutet die Scham in Trümmer durch die Nacht –:
. . . Nun steht es dunkelblau
gewölbt von Stern und Licht. –

Blut-über. Schamstill. Irdisch abgenabelt.
In sich. Der Kreis. Der Einsame. Das Glück.
Halbgöttisch prüft die Hand die kühle
Sterntraube. Schmale helle Luft die Lippe
saugt sich ans Herz gedehnten Zuges. –

Geschlechtszersetzungen. Zerfall
der Artbedienung: Augen aufgetrunken,
Ohren zerrauscht, verwehend Lippe:
Hirnscheitelsonne. Schattenentsteigung:
Ich!? –

Ausgenackt, Hirn-anadyomene . . .??
Man bläfft die Sterne an,
und von der Schulter schmilzt das Meer,
und die Koralle aus dem Haar
und von dem Knie der Fisch –
aber die rauhe Muschel am Gemächte . . .??
Flutschändung! Schlammblut!

Und noch nicht schattenlos . . .? Die kleinen Monde
der blauen Dunkel um den Fuß der Brust?
Und Mittagszeit . . .? Und Nächtigung
im Mittagsauge . . .? –

Und leiser Überfall . . .? Und Uferschatten . . .?
Zeltgiebel wieder . . .? Rauchhemmungen
des Lichts . . .? Ein Aasgestank nach Zunge . . .?
Wo bist du, Nackter?!!
Schwinge!
Flügelrausche!!
Entfaltung!!!? –

Keine Antwort? Schweigen? Schielen nach der
Vorhaut?
Rückzug? Gutes altes Ludentum . . .?
Zerrinnung? Wahnwort? Vögelhypothese . . .??

In die Knie, Hund!
Bedunste dich!!
Rumpf, Leibgesicht, Afternahes,
über ihn! –

BALL

Ball. Hurenkreuzzug. Syphilisquadrille.
Eiert die Hirne ab, die Sackluden!
Mit diesen meinen Zähnen: zerrissen, zerbissen
Hundebregen, Männer-, Groß- und Kleinhirne:
selbst ihre Syntax klappert nach der Scheide.

Mich bauern Dorfglücke an: Kausaltriebe,
Ölzweige, stetige Koordinaten –:
Heran zu mir, ihr Heerschar der Verfluchten,
schakalt mir nach den eingegrabenen Samen:
Entlockung! Schleuderhonig! Keimverderb!

Ihr Stallverrecken, Misthaufen-Augenbruch,
verweste Blasen, Veilchenfrau-Verhungern,
ihr brandiges Geblüte – Kanalfischer,
heringsfängert ans Land
die Hodenquallen!

Finale! Huren! Grünspan der Gestirne!
Verkäst die Herrn! Speit Beulen in die Knochen!
Rast, salometert bleiche Täuferstirnen!

MARIE

Du Vollweib!
Deine Maße sind normal,
jedes Kind kann durch dein Becken.
Breithingelagert
empfähest du bis in die Stirn
und gehst. –

WIDMUNG

Mein lieber Herr Przygode,
hier kommt der Eskimode,
hier kommt der Hyperboräer,
Welteschen-eichelhäher.
Kurzum: Herr van Pameelen,
den so die Worte quälen.
Er stammt von vor drei Jahren
aus meinem roten Haus, wenn Sie
die wunderschöne Avenue
Louise hinunterfahren.

PUFF

Trimalchio dem entsprungnen Blut,
dem freien Embonpoint ein Fett,
der hehre Menschenschädel ruht
verstreut im Bett.

Koppheister hier mit Sinntendenzen
das sonnenhafte Auge zu,
hier gelten Affentranszendenzen
und Blindekuh.

Ein Schiebebock, ein Jeu de Rosen,
breitbäuchig reift der Spiegelsaal
– ihr Sursum corda in die Hosen –
die Welt anal.

Hepp, Relation und Schädelränke,
hier hoch das Bein!
Portiers, Herr Stummel und Frau Stänke
kassieren ein,

hier sind wir erst am vierten Tage,
noch nicht der ganze Pentateuch,
der Kosmos eine Schotenfrage
am Bocksgesträuch

wo Löwe sich mit Lamm beleckte,
kein Schatten aus dem Gravenstein,
wo Eva fraß und Adam weckte –
allein, allein.

CAFE

„Ick bekomme eine Brüh', Herr Ober!" –
Saldo-crack mit Mensch ist gut von Frank –
Hoch die Herren Seelenausbaldower
Breakfast-dämon, Tratten-überschwang.

„Laß dir mal von Hedwig das erzählen"
Reise-Hedwig! Aufbau, Sitte, Stand –
Wurm, Gomorrha, cyanüres Schwälen
über das verfluchte Abendland.

PROLOG 1920

Wie Kranz auf Kinderstirn, wie Rosenrot,
Granat am Ast selbst der Gefesselte
ihr alle an euerm Schicksal schwebt,
Knappen, Amoretten, Olympier,
Ledaflaneure, Hyazinthenhäupter,
noch wo ihr mit der tiefen Fackel steht,
ihr Hermen um die Blütensarkophage –
mit unsern Tränen seid ihr längst
aus allen Felsen losgewaschen.

Die Kreuze wildern auf der Schädelstätte,
Götzen und Häscher, blutflüssig dürstende
Pilatusschnauzen, Tempeljalousien
zerreißen unaufhörlich, mitternächtlich
krähn Hühnerhöfe, Zucht- und Brutkomplexe,
Verrat an Gott- und Menschen-Familiärem,
niemand weint bitterlich, man lacht, man lacht,
he, he, die Schädelstätte Abendland,
beschädigte Crescenzen, Wermutsterne,
die Orgie 1920.

Totale Auflösung, monströseste Konglomerate,
neurotische Apokalypsen, transhumane Foken,
Jaktation, hybridestes Finale –:
Individual-Ich: abgetakelt,
Psychologie: zum Kotzen,
Entwicklungsprinzip: der Hund bleibt am Ofen,

Kausalgenese: wer will das wissen,
Ergebnis: réponse payée!!
Teilergebnis: verfaulter Daseine Gift und Gas,
was über die Lippen der Frühe ging,
die Morgenfrüchte, der wirre Wein,
unsrer Hirne sterbender Brand:

Wer je vor Afra stand, der Gedankenleserin,
dem Problem der Gleichförmigkeit des psychischen
Geschehens;
je vor des Frankfurter Rektors Assoziationsversuchen
an seinen Schülern
und der einfach stupenden Einförmigkeit von Reaktion
und Qualität;
wer je aus der Kulturgeschichte ersah den Weg
historischen Geschehns:
aus der Summation kleiner Reize und der Akkumulation
trivialster Dyskrasien;
oder gar vor dem Problem der Typenbildung der
Individualitätsreihen stand,
dem Somatischen des Systems und dem Sekretorischen
der Synopsien –
was ruft der wohl noch vor des Statikers Epigenese und
des Motorischen Evolution,
des Dynamikers Juchhe, des Depressiven Basiliken,
dem Filigran des Neurotikers und der Distinction des
Brute?
Wo ist das große Nichts der Tiere?
Giraffe, halkyonisch, Känguruh,

du, du bist in Arkadien geboren,
mein Beutelhase, grunz mir zu!

Gestalten alle, Wandelnde
des mythenlosen Schritts, Düpierte
Angeschmierte, Identität
der Zeugung Rache, Embonpoint –
Metaphysik latenter Antithesen,
Synopsen-Zuckerguß und -Yohimbin –

marmelnde Schädel, Katafalken,
Zucht-Maleachis, Sursum-Johannän,
Süßstoffe, Hundekuchen, Himbeersaft
Schutzbünder vor den allgemeinen Menschheitshintern,
im Wald und auf der Heide
Knospen-Manufaktur
Hauptgeschäft Port Said
Puff in Moscheeform
Marmortafel überm Eingang:
Hier wohnte die Stammutter der Menschheit,
los
ran –

Vorortdämonen. Etagen-Mephistophen,
Anti-Prometheus greift ins Grammophon –
Dumping-Gesetze für die Tantaliden
der ganze Orbis pictus lacht sich tot,
der alte Ptolemäus, Cap Farewell,
das ganze Feuerland, der Meere Mal:

„Prometheus, los, den Wudki an die Schnauze,
für diese Blase Leber und Ragout?
Syndetikon! Und schmiers dir auf die Plauze
und dann im Cutaway zum Rendezvous –

Die Zeuse Kitsch, wo du die Fackeln klautest,
und sonst die Viechheit über Stall und Haus
wird schrein, als ob du auf die Pauke hautest,
Herr Branddirektor, Mensch, so siehst du aus."

TRIPPER

Blut, myrtengrüner Eiter,
das ist kein Bräutigamsurin,
die Luft ist klar und heiter
von Staatsbenzin.

Familienglück: der Rammelalte,
der Schweißfuß und das Spülklosett –
hier tröpfelt die geschwollne Falte
das Flirt-Minette.

Die Götter wehn, die Kosmen knacken,
der Dotter fault, es hebt sich ab
der Lust-Lenin in Eisschabracken –
Polar-Satrap.

PASTORENSOHN

Von Senkern aus dem Patronat,
aus Grafenblasen, Diadochen
beschiffte Windeln um die Knochen
beflaggte noch vom Darmsalat.

Der Alte pumpt die Dörfer rum
und klappert die Kollektenmappe,
verehrtes Konsistorium,
Fruchtwasser, neunte Kaulquappe.

Der Alte ist im Winter grün
wie Mistel und im Sommer Hecken,
lobsingt dem Herrn und preiset ihn
und hat schon wieder Frucht am Stecken.

In Gottes Namen denn, mein Sohn,
ein feste Burg und Stipendiate,
Herr Schneider Kunz vom Kirchenrate
gewährt dir eine Freiportion.

In Gottes Namen denn, habt acht,
bei Mutters Krebs die Dunstverbände
woher –? Befiehl du deine Hände –
zwölf Kinder heulen durch die Nacht.

Der Alte ist im Winter grün
wie Mistel und im Sommer Hecke,

'ne neue Rippe und sie brühn
schon wieder in die Betten Flecke.

Verfluchter alter Abraham,
zwölf schwere Plagen Isaake
haun dir mit einer Nudelhacke
den alten Zeugeschwengel lahm.

Von wegen Land und Lilientum
Brecheisen durch die Gottesflabbe –
verehrtes Konsistorium,
Gut Beil, die neunte Kaulquappe!

INNERLICH

I

Innerlich, bis man die Schwalbe greift,
Schwermut lagernd vor das Harngebilde,
bis man sich das Seelchen überstreift
knack die Braut, Gemüt und Schützengilde –

aber dann gehörig ausgeschlammt,
schließt sich die politische Kaverne,
fort den Kleister! und die Hölle flammt
frisch die Zentren an und Schädelkerne.

II

Knochen, schamlos, unbewohnt,
Nacht von Trümmern braun und brüchig,
alles faul und alles flüchtig,
Jurtenjahr und Raidenmond,

Palmbusch, Klatschmohn, Coquelicot,
Asphodelen, Gangesloten,
Strauchsymbole, Affenpfoten
aus dem großen Nitschewo.

III

Mein Blick, der über alle Himmel schied
und alle Flüsse, Styxe und Saline,
kennt nur noch eine Reise: in das Lid
unter die Konjunktiven-Baldachine.

Was war der Trall, was war das Gottgefäß –
Furunkelhiob, Lazarusgehäuse,
Stinknase, Rotz, Karbunkel am Gesäß,
Kniewasser und den Hodenschurz voll Läuse.

IV

Auf alte Weiber stürzt man sich, zur Blüte
des Greisentums, zu letzter Kommunion
entleide mich, entlichte mich, entwüte –
Zementfabrik, Treuhandel-Kommission.

An kalte Euter klotzt man die Gedärme
nach Mutterkuchenfett und Molkenkuh,
schon halben Leichen scheucht die Bärme
zersetzten Hirns den Schädelkranken zu.

V

Das Dichterpack, der abgefeimte Pöbel,
das Schleimgeschmeiß, der Menschheitslititi,
ein Stuhlbein her, ein alter Abtrittsmöbel,
ein Schlag – der Rest ist Knochenchirurgie.

Und dann den Mörtel auf die Strafgalionen
verlötet und den After zugespickt,
Gehirn-Kamorra, Barrabas-Kujonen,
nun den gestirnten Himmel angenickt.

VI

O Seele, futsch die Apanage
Baal-Bethlehem, der letzte Chip,
hau ab zur Augiasgarage,
friß Saures, hoch der Drogenflip –

im kalten Blick Verströmungsdränge,
Orgasmen in den leeren Raum,
Visions-Verkalkungsübergänge,
Geröll im Traum.

WIDMUNG

Man denkt, man dichtet
gottweiß wie schön.
Und schließlich war man
bloß hebephren.

Man denkt, persönlich
ist Stil und Lied –
Quatsch: Typenreihe
schizoid.

Verfluchtes Sperma
von Müller und Cohn
Mist die Meschinne
Gehirnfunktion –

Elende Meute
magischer Topp
Zoff und Pleite
wann ist Stopp??

PROLOG ZU EINEM DEUTSCHEN DICHTERWETTSTREIT

Verlauste Schieber, Rixdorf, Lichtenrade,
sind Göttersöhne und ins Licht gebeugt,
Freibier für Luden und Spionfassade –
der warme Tag ist's, der die Natter zeugt:
Am Tauentzien und dann die Prunkparade
der Villenwälder, wo die Chuzpe seucht:
Fortschritt, Zylinderglanz und Westenweiße
des Bürgermastdarms und der Bauchgeschmeiße.

Jungdeutschland, hoch die Aufbauschiebefahne!
Refrains per Saldo! Zeitstrom, jeder Preis!
Der Genius und die sterblichen Organe
vereint beschmunzeln ihm den fetten Steiß.
Los, gebt ihm Lustmord, Sodomitensahne
und schäkert ihm den Blasenausgang heiß
und singt dem Aasgestrüpp und Hurentorte:
Empor! (zu Kaviar) Sursum! (zur Importe).

Vergeßt auch nicht die vielbesungene Fose
mit leichter Venerologie bedeckt,
bei Gasglühlicht und Saint-Lazare die Pose
das kitzelt ihn; Gott, wie der Chablis schmeckt.
Und amüsiert das Vieh und Frau Mimose
will auch was haben, was ein bißchen neckt –
Gott, gebt ihr doch, Gott, steckt ihr doch ein Licht
in die – ein Licht des Geistes ins Gesicht.

Die Massenjauche in den Massenkuhlen
die stinkt nicht mehr, die ist schon fortgetaut.
Die Börsenbullen und die Bänkeljulen,
die haben Deutschland wieder aufgebaut.
Der Jobber und die liederreichen Thulen,
zwei Ferkel, aus demselben Stall gesaut –
Streik? Doofe Bande! Eignes Licht im Haus!
Wer fixt per Saldo kessen Schlager raus?

Avant! Die Hosen runter, smarte Geister,
an Spree und Jordan großer Samenfang!
Und dann das Onanat mit Demos-Kleister
versalbt zu flottem Nebbich mit Gesang.
Hoch der Familientisch! Und mixt auch dreister
den ganzen süßen Westen mitten mang –
Und aller Fluch der ganzen Kreatur
gequälten Seins in eure Appretur.

CHANSON

Verranzten Fettes
bei offner Scham
Fliegenfang – Rest des Bettes,
einstiges Polygam.
Gesundheitswesen
Röntgenglas
wer hat nicht schon gelesen:
Sanitas?

Palmblätter, Euangelien:
Lotophagien, Rattengracht;
zu schweigen von den überseligen
Paraphilien der Bagnonacht,
und hohes Lied und Mandoline
gegen was auf der Planke schwebt
von dieser trocknen Guillotine:
abgelebt.
Gesundheitswesen
Röntgenglas
wer hat nicht schon gelesen:
Sanitas?

Gehenna: wurmige Hunde
schaben noch Aas im Gras.
Gehenna: alles Rotunde
blasennaß.
Ausgang, Vermalmungssphäre

mach mir's, die Seele spricht's;
Klafter, mythische Leere
bröckelndes Lid des Nichts.
Gesundheitswesen
Röntgenglas
wer hat nicht schon gelesen:
Vanitas?

STUNDEN – ANTHROPOPHAGEN

Stunden – Anthropophagen:
Was ist das? Kindermast!
Nimm mehr – der Leichenwagen
hat weniger Last.

Ins Nichts. Die Monumente
der Welt, das Meer
hinab – Ponente,
hinab – ins Leer.

Ein Palmenmorgen,
der Anden Schall:
Das Nichts anborgen –
Verfall, Verfall.

Der Styx spült Aale
der Acheron treibt
Wasserpedale –:
was von Göttern bleibt!

Das Zeiten-eine,
der Schöpfungsschrei
bist du alleine –
nimm mehr – vorbei.

DIE HEIMAT NIE–

Die Heimat nie – Und ohne Ende
Verwehende am Herz, wer heilt
im Blick die Woge und die Wende
der Zeiten, die herniedereilt.

Verwandlungen. Wenn die Zenite
erklingen, trägst du Duft und Schrei
Chimäre oder Leda-ite
an neuem Gott und Schwan vorbei.

Die Himmel hoch, die Lippen kosten
und finden nicht, was sich verheißt –
Die Heimat nie – auf einem Pfosten
steht stumm: „Du weißt –“

WAS SINGST DU DENN –

Was singst du denn, die Sunde
sind hell von Dorerschnee,
es ist eine alte Stunde,
eine alte Sage der See:
Meerwiddern und Delphinen
die leichtbewegte Last –
gilt es den Göttern, ihnen,
was du gesungen hast?

Singst du des Blickes Sage,
des Menschenauges Schein,
über Werden und Frage,
tief von Ferne und Sein,
eingewoben der Kummer
und der Verluste Zug,
nur manchmal ein Glanz, ein stummer,
des, was man litt und trug?

Singst du der Liebe Leben,
des Mannes Qualenlied,
dem doch ein Gott gegeben,
daß er die Glücke flieht,
der immer neu sich kettet
und immer neu vorbei
sich zu sich selber rettet,
den Fluch- und Felsenschrei?

Ja singe nur das Eine,
das Eine ist so tief:
die Rettung sie alleine
des Hirn ins Regressiv:
die Fjorde und die Sunde
im taumelnden Vergeh –
singe die alte Stunde,
die alte Sage der See.

WEISSE WÄNDE

O Schlachtgefild,
wo man den Tod bekämpft
dem Kranken wattemild
und jodgedämpft,
was blüht Jasmin,
der Strauch des grünen Lichts,
wo hier die Wände ziehn,
die Wand am Nichts?

Ach, wieviel Hochmut schlägt
hier noch und Pracht,
was weiße Kittel trägt
und Schwesterntracht;
doch der Entfleischte dort,
der Madenpfühl,
liegt schon in Hauch und Wort
erlösungskühl.

Auch tagt wohl ein Kongreß
in Wissens Bann,
zieht Fall von Zelebes
vergleichend an;
ach, wieviel Fett und Bauch
nährt Krankenstand
und die Familie auch
an See und Strand.

Wo Frau bescheiden
– Kinderschar –
zum Krebsbeschneiden
spart ein Jahr – –
Wunden und Greul –
Sternalle, bellt
Hundegeheul
an den Schöpfer der Welt – !

Was Federlesen,
Weltgeschehn!
Mutter von Wesen,
die auch vergehn;
was blüht Jasmin
am Saum der weißen Wand,
so weiße Wände ziehn
durchs ganze Land.

SCHÖPFUNG

Aus Dschungeln, krokodilverschlammten
six days – wer weiß, wer kennt den Ort –,
nach all dem Schluck- und Schreiverdammten:
das erste Ich, das erste Wort.

Ein Wort, ein Ich, ein Flaum, ein Feuer,
ein Fackelblau, ein Sternenstrich –
woher, wohin – ins Ungeheuer
von leerem Raum um Wort, um Ich.

SÄT DICH DER TRAUM IN DIE WEITE

Sät dich der Traum in die Weite,
hebt er den Schleier des Blicks
von der nie endenden Breite
deines Geschicks:
auf kambodschanischen Steinen,
von einer Grenze entrückt,
steht eine Schrift, der deinen
ähnlich, eingestückt.

Oder Aschantispeere
eisernen Gewichts,
denkt man darüber die Leere
des afrikanischen Lichts,
die Elefantenherden
die Jagden im Kanu,
dunkles Werden
auch das bist du.

Hörte die Irre lallen:
„Hunde lösen dich ab" –
ja das reicht ja zu allen
Isispriestern ins Grab,
das ist der Visigoten
Kynoskephalenschar –
selber im Wahne loten
wir in Frühe, die war.

Eben streifen die Schwingen
Haine, hörnerdurchlaubt,
Wein, den sie Bäumen bringen,
Öl für der Felsen Haupt,
Thyrsen und Traubenblüten
um den bacchischen Sohn –
und nun die Haine der Mythen
in einem Schatten schon.

PRIMÄRE TAGE

Primäre Tage, Herbst, auf welchen Sonnen,
von welchem Meer durchblaut, vom Meer gekühlt,
hat dies unwandelbare Licht begonnen,
das rückwärts reicht und *alte* Dinge fühlt,
die Fernen mischen sich, die Völkerheere,
es klingt ein Horn, es klingt das Schilfrohr an:
es ist das Lied vom Busch der Alderbeere,
aus dem die Menschheit weich und sterblich rann.

Primäre Tage, Herbst, die Ebenen träumen,
wie hat das Kind die Tage so geliebt,
die Tage Ruths, die Ährensammler säumen
nach letzten Früchten, die die Stoppel gibt –
ach, da berührt mich was mit vagen Zeichen,
ach, da verführt mich was mit tiefem Zwang:
schon eine blaue Jalousie kann reichen
zu Asterhaftem, das aus Gärten drang.

Vielleicht ein Übergang, vielleicht das Ende,
vielleicht die Götter und vielleicht das Meer,
Rosen und Trauben trägt es auf der Lende:
uralter Wandel, Schattenwiederkehr.
Primäre Tage, Herbst, die Ebenen schweigen
in einem Licht, das *alte* Dinge liebt,
das Ernten fallen läßt und Schatten steigen
und alles nimmt und leise weitergibt.

FÜR OSKAR LOERKE ZUM 50. GEBURTSTAGE

Wenn Du noch leidest und
kämpfst für Dein Walten,
Glücke und Lebensgrund,
bebst um Erhalten.

Wenn Du noch Dinge siehst,
die Dir gehören,
wenn Du noch Ringe fliehst,
die Dich zerstören.

Wenn Du noch Formen willst,
um nicht zu enden,
wenn Du noch Normen stillst,
statt Dich zu wenden.

Bist Du noch Zwischenrang,
Spieler und Spötter,
Larve und Larvendrang
dunkler Götter.

Doch wenn Du ganz versinkst,
kommt Dir die Wende,
Du schweigend weitertrinkst
Wunden und Ende.

Wenn Du dann ganz am Grund
der Höllenscharen,
naht sich ein Geistermund,
hallen Fanfaren.

Dann über Einsamkeit,
Spieler und Spötter,
naht die Unsterblichkeit:
Strophen und Götter.

OLYMPISCHE HYMNE

Olympia –, steige hernieder
geschirmt und binde das Haar,
nimm das erste der Lieder,
weihe das große Jahr,
von deinen Wogen gefeuchtet,
auf deinen Wagen ins Feld
und der Himmel von Hellas leuchtet –:
liebet die Welt.

Olympia –, schimmerndes Ahnen
von deinem ewigen Sein
bricht aus dem Flüstern der Fahnen,
flügelt durch unsere Reihn,
aus den Liedern steigen die Träume
von Sieg und Kranz und Held
und die Spiele segnen die Räume –:
liebet die Welt.

Olympia –, alle die Scharen,
hart, bis der Lorbeer sich neigt,
haben die Zucht erfahren,
der auch der Frieden entsteigt:
rühmt die Heimat durch Taten,
doch dann – ruft der Sieger und Held –
grüßt die Völker, ehret die Staaten –:
liebet die Welt.

INTERIEUR

(Haingott mit Buddhazügen, 17. Jahrhundert)

Gangesgott
unter der Pendeluhr –:
welcher Spott
in deine Lotosflur!

Schläge, Zeiten,
Stunden und Stundensinn
vor Ewigkeiten,
Rätsel und Unbeginn!

Zielen, Zeigen,
Rufen für wann und wen,
wo dort im Schweigen
die alten Tiefen stehn,

die lächeln allen,
und alles ist sich nah –
die Zeiger fallen
und nur der Gott ist da.

DU TRÄGST

Du trägst die Züge der Heloten
und lebst von Griffen mancher Art,
ein Außensein ist dem verboten,
der das Gedicht im Keim bewahrt.

Du kannst dein Wesen keinem nennen,
verschlossen jedem Bund und Brauch,
du kannst dich nur im Wort erkennen
und geben dich und trauern auch.

Gefragt nach deinem Tun und Meinen,
nach deinen Ernten, deiner Saat,
kannst du die Frage nur verneinen
und deuten auf geheime Tat.

ALTER KELLNER

Das Nichts, das Menschenlos, die Parzennähe
ein alter Kellner, schuftend prägt sie ein:
wenn eins ihn seiner Kinder sähe:
er möchte wohl ein anderer sein.

Ein anderer konnte er nicht werden,
Geburt und Schicksal, Trieb und Not,
verwehte Lust uralter Erden,
versehrte Vordern, früher Tod,

des Geistes Ahnenschaft, des Fleisches Sippe,
Belastungen, Verrat, der Arten Lauf –
das alles stand um sein Gerippe
und schuf den alten Klepper auf.

Sein Leben fließt dahin – ein Gast wird jäher –
er schleift den kranken Fuß, er ballt den Schuh,
ein anderer scherzt mit ihm und tritt ihm näher
und flüchtigt ihm ein Wohlwort zu –

Gewalt der Ewigkeit, Gesetz der Erden,
Reiz und Ermattung, spielerisch und groß –
ein andrer konnte er nicht werden,
geschaffen in das Nichts, das Menschenlos.

WOHIN –

Wohin kannst du mich noch führen,
dem längst die Sterne entfacht,
die Weiten atmen und spüren
die ganze Tiefe der Nacht?

Wovon kannst du mich noch lösen,
dem alles gleitet und rinnt,
die Stimmen, die guten, die bösen,
ihre Schilfe rauschen im Wind?

Wovon gibst du noch Kunde,
wozu, von wem erwählt,
dem in Fäden der Spinne die Stunde,
nur sie, die fallende, zählt?

GENERAL

Meine Herren –: Stichwort: Reginald!
Spannungsstufe III, Sofortmaßnahmen –!
Zwanzig Uhr Verladung der beschleunigten Divisionen!

Wozu die ganze Chose in Bewegung geht –
keine Fragestellung! Geschieht!
Spähtrupps, mechanisierte Abteilungen,
mot.-, t-mot.-, Raupenschlepper
durch die blaue Zone,
wo die Maschinen schweigen müssen,
die letzten zweihundert Meter
für die Infanterie!

Vernichtung! Ein Rausch die Gräben!
Wenn Sie wollen, vorher doppelte Rumration.
Hinweis auf die Feldpolizei.
Gefangene – Sie verstehn! Auf keinen Fall schriftlichen Befehl darüber!
Der Materialwert der Angrenzerländer
ist Reichsmark zehntausend für den Morgen,
in der Avenue de l'Opéra und den Docks von Bizerta wesentlich höher,
demnach Bomber nie zum Luftkampf
alle Last auf Produktionszentren!

– Jemand noch eine Frage? *Kriegserklärung?*
meine Herren, auf der Reede von Tschemulpo

versenkten 1904 acht dreckige Japszerstörer
die halbe russische Kriegsflotte
mitten im heitersten Frieden
frühmorgens, als die Brötchen ausgetragen wurden,
dann machten sie leider kehrt, statt zu vollenden:
das wird nie wieder vorkommen!
Einbrechen! Lost über das eingesiedelte Ungeziefer!
Steilfeuer! Sauerstoff an die Tresors!
Kostenanschlag – möchte ich sagen,
und dann bedienen wir die Maschinen!

Meine Herren – Sieg! Pylone, wenn Sie heimkehren
und ein ewiges Feuer den Toten!
Halsorden! Beinamen wie: „Löwe von –",
Nachrufe mit Stabreimen wie: „in Frieden und Front –",
Kranzschleifen bei Todesfall, Lorbeer, Mythen –!

Ich danke Ihnen, meine Herren! Für die Jüngeren:
beim letzten großen Ausmarsch war *ich* Zugführer!
Hier spricht ein Herz!
Vernichtung!
Und wer mich sucht,
im Gegensatz zum Weltkrieg
bei Kampfwagenangriff
im vordersten Tank! –

SO STILL –

Es würden Vögel, wanderweit,
sich ruhig und in breiten Massen
in ihren Ästen niederlassen:
so still ist die Unendlichkeit.

Auch unerbittlich ist das nicht?
sie spinnen und die Spindeln rauschen
und Lachesis und Klotho tauschen
den Rocken und die Wolleschicht.

Auch ob es wachte, ob es schlief,
ob es Gestaltung zeigt und Weiten –:
in Schöpfungen, in Dunkelheiten
sind es die Götter, fremd und tief.

WENN DIR AM ENDE –

„Wenn dir am Ende der Reise
Erde und Wolke verrinnt,
sie nur noch Laute, leise,
vom Himmel gefallene sind,

und nur noch Farben, getönte
aus einem wechselnden Reich,
nicht bittere, nicht versöhnte,
Austausch alles und gleich,

wenn dir die Blicke nach oben
und dir die Blicke zu Tal
schweigend das Nämliche loben,
schweigend die nämliche Qual,

schließen sich die Gesichte
über der lastenden Flut:
ach, die vielen Gewichte,
doch die Wage, sie ruht."

DANN GLIEDERTEN SICH DIE LAUTE

„Dann gliederten sich die Laute,
erst war nur Chaos und Schrei,
fremde Sprachen, uralte,
vergangene Stimmen dabei.

Die eine sagte: gelitten,
die zweite sagte: geweint,
die dritte: keine Bitten
nützen, der Gott verneint.

Eine gellende: in Räuschen
aus Kraut, aus Säften, aus Wein –:
vergessen, vergessen, täuschen
dich selbst und jeden, der dein.

Eine andere: keine Zeichen,
keine Weisung und kein Sinn –
im Wechsel Blüten und Leichen
und Geier drüber hin.

Eine andere: Müdigkeiten,
eine Schwäche ohne Maß –
und nur laute Hunde, die streiten,
erhalten Knochen und Fraß.

Doch dann in zögernder Wende
und die Stimmen hielten sich an,

sprach eine: ich sehe am Ende
einen großen schweigenden Mann.

Der weiß, daß keinen Bitten
jemals ein Gott erscheint,
er hat es ausgelitten,
er weiß, der Gott verneint.

Er sieht den Menschen vergehen
im Raub- und Rassenraum,
er läßt die Welt geschehen
und bildet seinen Traum."

WER WIEDERKEHR IN TRÄUMEN WEISS –

„Wer Wiederkehr in Träumen weiß,
den dämmt kein sterbliches Gefüge,
dem aufersteht der alte Kreis,
die Sphinxallee, die Sagenzüge.

Starben die Götter? Nein, sie leben her!
Sie haben noch ihr Tier und ihre Reben
und nehmen Opfer über und vergeben,
wohnen im Hain und wandeln auf dem Meer.

Das Auge stirbt nur, das sich über sah,
das seinen Blick ins Unbegrenzte rollte,
das sich vor dem nicht senkte, was geschah
und still in jedem wirkt und wirken sollte.

Wer sich begrenzt, vollendet seine Spur,
wer trägt, damit es nicht das Sein verletze,
verzögernd sich, den sammelt die Natur,
den Schweigenden erhalten die Gesetze.“

VALSE D'AUTOMNE

Das Rot in den Bäumen
und die Gärten am Ziel –
Farben, die träumen,
doch sie sagen so viel.

In allen, in allen
das Larvengesicht:
„befreit – zum Zerfallen,
Erfüllung – nicht."

An Weihern, auf Matten
das seltsame Rot
und dahinter die Schatten
von Fähre und Boot,

die Ufer beschlagen
vom ewigen Meer
und es kreuzen sich Sagen
und Völker her,

das Locken der Frühe,
der Späte Sang
und der große
einsame
Untergang.

Der Farben so viele,
die Kelche weit,
und das Ziel der Ziele:
Verlorenheit.

In allen, in allen
den Gärten am Ziel,
befreit zum Zerfallen,
der Farben so viel.

IN EINER STADT

In einer Stadt einst, wo – ich unzuhause –
die Abende oft auf ein Wasser sahn,
ein Rosenwasser, in der Rosen-Pause
vollzogen Schwäne ihren weißen Wahn,

und Klänge oft, erst dämmernder, dann jäher,
dem Nichts entstiegen und dem Nichts gesandt –
laß leise klingen – nur, wer näher,
vernehme, was ich dort empfand.

KLEINES SÜSSES GESICHT

Kleines süßes Gesicht,
eingesunken schon vor Vergängnis,
schneeblaß und tödlich,
Ausschütter großen Leids,
wenn du hingegangen
bald –

ach, wie wir spielten
entwicklungsvergessen,
Rück- und Weitblicke
abgefallen von unseren Rändern,
nichts lebend
außer dem Umkreis
unserer Laute!

Beschränkt! Doch dann
einmal der astverborgenen Männer
Oliven-Niederschlagen,
die Haufen gären.
Einmal Weine vom Löwengolf
in Rauchkammern, mit Seewasser beschönigt.
Oder Eukalyptus, Riesen, hundertsechsundfünfzig
Meter hoch
und das zitternde Zwielicht in ihren Wäldern.
Einmal Cotroceni –
nicht mehr!

Kleines Gesicht
Schneeflocke
immer so weiß
und dann die Ader an der Schläfe
vom Blau der Traubenhyazinthe,
die ligurische,
die bisamartig duftet.

ÜBERBLICKT MAN DIE JAHRE

Überblickt man die Jahre
von Ur bis El Alamein,
wo lag denn nun das Wahre,
Kabbala, der Schwarze Stein –
Perser, Hunnen, Laskaren,
Pfeile, Fahnen und Schwert –
über die Meere gefahren,
von den Meeren versehrt?

Wasser- und Sonnenuhren –
welche Stunde gemeint?
Welche Gestirne fuhren
häuptlings – alles vereint?
Welche Wasserkaskade
bis in die Träume erscheint –:
jene Uhr als Dryade,
aus der es tränt und weint.

Waffen mit Lorbeer gereinigt
brachten den Sieg ins Haus,
Stirn und Lorbeer vereinigt
ruhten die Helden dann aus,
Lorbeer, Marmor, Pylone,
Gordon und Prinz Eugen,
goldene Städte, Zione –:
thanatogen –

Palmen bei Christen, bei Heiden,
frühester Schöpfungsrest,
Palmen mit Myrten und Weiden
beim Laubhüttenfest,
Palmen an Syrten, an Küsten
königlich hoch und rein –
doch dann wandern die Wüsten
in Palmyra ein.

Überblickt man die Jahre,
ewig wühlende Flut
und die dunkle Barke, die Bahre
mit Helden, Heeren und Blut,
und die Sonnen- und Wasseruhren
schatten und rinnen es ein:
alles deine Figuren,
Kabbala, Schwarzer Stein.

NASSE ZÄUNE

Nasse Zäune
über Land geweht,
dunkelgrüne Stakete,
Krähenunruhe und Pappelentblätterung
als Umwelt.

Nasse Zäune,
Gartenabgrenzung,
doch nicht für Abkömmlinge
der berühmten Tulpe Semper Augustus,
die Paris im siebzehnten Jahrhundert mit unerhörten
Preisen
bezahlte,
oder die Hyazinthe „Bleu Passe“
(1600 fl. anno 1734),
man trug seinen Namen in ein Buch ein,
erst mehrere Tage später
führte einen ein Gartendirektor vorbei –
vielmehr für die alten bewährten Ranunkeln Ostades.

Nasse Zäune,
Holzfäulnis und Moosansatz
in der Stille der Dörfer,
kleine Ordnungszeile
über Land geweht,
doch Schnee und Salze sammeln sich,
rinnen Verfall –
die alten Laute.

CLEMENCEAU

„Mit dem Blick auf das Ende
ist das Leben schön“,
der Blick lag auf den Rosen der Vendée.
Ferner:
„die Menschen haben keine Seele,
wenn sie doch wenigstens Haltung hätten.“

Ein überlegenes Gefühl zeigt folgende Bemerkung:
„es gibt Sterne,
die seit zweitausend Jahren erloschen sind
und deren Licht wir noch erhalten.
Wenn man daran denkt,
ist alles in Ordnung.“

Über Kunst wußte er Bescheid.
Betreffend seinen Gutsnachbar Monet schrieb er:
„er hätte noch zehn Jahre leben müssen,
dann hätte man nichts von dem verstanden,
was er schuf,
auf seiner Leinewand
wäre dann vielleicht nichts mehr zu sehn gewesen.“

Witzig ist folgender Dialog:
„C.: er soll ein leidenschaftlicher Päderast
gewesen sein?
M.: nein, er spricht von der Päderastie,
ohne sich zu erregen.
C.: was, er erregte sich nicht einmal?“

Hinsichtlich unserer Besonderheit scherzte er:
„die Deutschen sehen,
wie ein niedliches Tier im Wasser umhertändelt
und das nennen sie dann Meerschwein.“

Die Perspektive tritt an Stelle der Emphase;
fünfundachtzigjährig faßte er zusammen:
„nichts ist wahr. Alles ist wahr.
Das ist der Weisheit letzter Schluß.“

Oft war er in Griechenland gewesen,
hatte von der Akropolis manches mitgebracht;
sein Testament schloß:
„auf mein Grab den Marmor aus Hellas.“

DU LIEGST UND SCHWEIGST –

Du liegst und schweigst und träumst der Stunde nach,
der Süßigkeit, dem sanften Sein des andern,
keiner ist übermächtig oder schwach,
du gibst und nimmst und gibst – die Kräfte wandern.

Gewisses Fühlen und gewisses Sehn,
gewisse Worte aus gewisser Stunde,
und keiner löst sich je aus diesem Bunde
der Veilchen, Nesseln und der Orchideen.

Und dennoch mußt du es den Parzen lassen,
dem Fädenspinnen und dem Flockenstreun –
du kannst nur diese Hand, die schmale, fassen
und diesmal noch das tiefe Wort erneun.

BERLIN

Wenn die Brücken, wenn die Bogen
von der Steppe aufgesogen
und die Burg im Sand verrinnt,
wenn die Häuser leer geworden,
wenn die Heere und die Horden
über unseren Gräbern sind,

eines kann man nicht vertreiben:
dieser Steine Male bleiben
Löwen noch im Wüstensand,
wenn die Mauern niederbrechen,
werden noch die Trümmer sprechen
von dem großen Abendland.

ERINNERUNGEN –

Erinnerungen –, Klänge, nachtverhangen,
und Farben, die ein Wind vom Meer bewegt,
sind eine Traumumarmung eingegangen
zu einem Bild, das etwas Letztes trägt:

Ein Uferschloß mit weißen Marmorsteigen
und plötzlich eines Liedes Übermacht –,
die Serenade spielen viele Geigen,
doch hier am Meer in dieser warmen Nacht –.

Es ist nicht viel, – Viel trägt nicht mehr das Eine,
nach einem Bogen greifen dann und wann –
ein Spiel im Nichts –, ein Bild, alleine,
und alle Farben tragen Bleu mourant.

ACH, WIE MEIN HERZ –

Ach, wie mein Herz in neuer Trauer ruht,
wenn Sie von offenen Türen schreiben,
durch die vom Rasen Perlen treiben
terrassenwärts als Krokusflut.

Wenn Sie in warmen Regen stehn, –
Vorgänge, stille, Sie berühren,
die über Nacht zu Blüten führen,
um Sie so nahe niedergehn.

Der Selige, dem jetzt ein Park gehört
und übers Meer gekommene Quitten,
er geht mit abgewogenen Schritten
so gartensanft, so unzerstört.

RADAR

Ein Nebel wie auf See –
und meine Belle-etage
fährt ohne Takelage
von Quai zu Quai.

Sie findet keinen Ort,
daran das Tau zu schlingen,
denn neue Wellen bringen
sie wieder fort.

Wie weit sind Sund und Belt
und schwer die Hafenfrage,
wenn, ohne Takelage,
noch Nebel fällt.

WAS MEINTE LUTHER MIT DEM APFELBAUM?

Was meinte Luther mit dem Apfelbaum?
Mir ist es gleich – auch Untergang ist Traum –
ich stehe hier in meinem Apfelgarten
und kann den Untergang getrost erwarten –
ich bin in Gott, der außerhalb der Welt
noch manchen Trumpf in seinem Skatblatt hält –
wenn morgen früh die Welt zu Bruche geht,
ich bleibe ewig sein und sternestet –

meinte er das, der alte Biedermann
und blickt noch einmal seine Käte an?
und trinkt noch einmal einen Humpen Bier
und schläft, bis es beginnt – frühmorgens vier?
Dann war er wirklich ein sehr großer Mann,
den man auch heute nur bewundern kann.

KÜNSTLERMORAL

Nur in Worten darfst du dich zeigen,
die klar in Formen stehn,
sein Menschliches muß verschweigen,
wer so mit Qualen versehn.

Du mußt dich selber verzehren –
gib acht, daß es niemand sieht,
und laß es keinen beschweren,
was dir so dunkel geschieht.

Du trägst deine eigenen Sünden,
du trägst dein eigenes Blut,
du darfst nur dir selber verkünden,
auf wem dein Sterbliches ruht.

AUF –

Auf – drüben in den Weiden,
da will ein Gauch, ein Gang
uns das Geschäft verleiden
und unseren Rundgesang.

Da steht ein Unbekannter,
der wittert jeden Wind,
es ist ein schwarzer Panther,
der schlägt das Rind.

Sechs Büchsen und vier Panzer –
das Fell vors Vertiko –:
nun sind die guten Pflanzer
im Blockhaus wieder froh.

ERST – DANN

Erst Wahn von Größe
mit Kronen besteckt,
dann nichts wie Blöße,
die niemand bedeckt.

Erst in Gewittern,
in Räuschen und Rauch
und dann das Zittern:
durftest du auch –?

Und am Schlusse des Wahnes,
man sagt es nicht gern:
Domini canes –
Hunde des Herrn.

FÜR ERHARD HÜRSCH

Von Tropen, Wüsten und Anden
das blonde Haar gebleicht,
Señoras von so viel Landen
haben ihm den Becher gereicht,

voll Pulque, Schnaps der Agaven,
voll Feuerwasser und Wein –
nun zieht er in Zürichs Hafen
zu Keller und Meyer ein.

RADIO

I

„– die Wissenschaft als solche" –
wenn ich Derartiges am Radio höre,
bin ich immer ganz erschlagen.
Gibt es auch eine Wissenschaft nicht als solche?
Ich sehe nicht viel Natur, komme selten an Seen,
Gärten nur sporadisch, mit Gittern vor,
oder Laubenkolonien, das ist alles,
ich bin auf Surrogate angewiesen:
Radio, Zeitung, Illustrierte –
wie kann man mir da so was bieten?

Da muß man doch Zweifel hegen,
ob das Ersatz ist für Levkoien,
für warmes Leben, Zungenkuß, Seitensprünge,
alles, was das Dasein ein bißchen üppig macht
und es soll doch alles zusammengehören!

Nein, diese vielen Denkprozesse sind nichts für mich,
aber es gibt volle Stunden,
wo man auf keinem Sender (Mittel-, Kurz-, Lang-
und Ultrawelle)
eine Damenstimme hört („erst sagt man nein, dann
vielleicht, dann ja"),
immer nur diese pädagogischen Sentenzen,
eigentlich ist alles im männlichen Sitzen produziert,
was das Abendland sein Höheres nennt –
ich aber bin, wie gesagt, für Seitensprünge!

II

„– würden alte Kulturbestände völlig verschwunden sein –“
(nun, wenn schon)
„– klingende Vergangenheit –“
(von mir aus)
„– in den Orten Neu-Mexikos
segnen die Farmer ihre Tiere und Felder
mit diesen Liedern –“
(angenehm,
aber ich meinerseits komme aus Brandenburg kaum heraus)

Wir hören Professor Salem Aleikum,
der Reporter beliebäugelt ihn noch:
„der Professor liegt auf der Terrasse seines Hauses
die Laute im Arm
und singt die alten Balladen“ –
wahrscheinlich auf einer Ottomane,
Eiswasser neben sich,
widerlegt Hypothesen, stößt neue aus –

die größten Ströme der Welt
Nil, Brahmaputra oder was weiß ich,
wären zu klein, alle diese Professoren zu ersäufen –

ich habe kein Feld, ich habe kein Tier,
mich segnet nichts, es ist reiner Unsegen,
aber diese Professoren
sie lehren in Saus und Braus
sie lehren aus allen Poren
und machen Kulturkreis draus.

DEN JUNGEN LEUTEN

„Als ob das alles nicht gewesen wäre" –
es war auch nicht!
war ich es denn, der dir gebot: gebäre
und daß dich etwas in die Ferse sticht?

„Der dichtet wie vor hundert Jahren,
kein Krieg, kein Planck, kein USA.,
was wir erlitten und erfahren,
das ist ihm Hekuba!"

Lang her, aus Dunkel, Fackeln und Laterne
versuchten sich um eine klare Welt,
versuchten sich – doch Näh und Ferne
blieb reichlich unerhellt!

Nun sollte ich – nun müßte ich – beileibe
ich müßte nicht, ich bin kein Ort,
wo etwas sich erhellt, ich treibe
nur meinen kleinen Rasensport!

Allons enfants, tut nicht so wichtig,
die Erde war schon vor euch da
und auch das Wasser war schon richtig –
Hipp, hipp, hurra!

DER GEDANKE

Der Gedanke –
anderthalb Meter reicht er,
eine Dose Daten erschleicht er,
aber sonst –?

Zum Beispiel Schafzucht,
ein Erdteil lebt davon,
dann kommen die Ersatzstoffe
und die Mufflons sind k.o.
Ursache: die asozialen Erfinder,
besessenen Retortenchefs –
Fehltritte der Natur.

Oder die Wissenschaft
so eingleisig
ganz aus angelsächsischem Material.

Oder die Essaywelt,
einer webt den anderen ein
unter Aufsicht der Gewerkschaft.

„Sie kann man nicht mehr ernst nehmen" –
Gottseibeiuns – wunderbar!

Aber eines ist die Wirklichkeit der Götter,
vielleicht aus trüben Quellen,
aber wenn sie da ist,
voll Erinnerung an jene

den Namen nenne ich nicht.

AUFATMEN

Spannungen, Zerfallenheiten
direkt pelzgefüttert
und dann sieht man:

– „Zwei gesunde Schnäpse trinken
kalte
klaren Köhm
das Bier heben
soliden Blicks
schaumgeboren
unzerstört ohne
Irritationen
Zwischenstufen
Abbauprodukte,
reiner Abendausklang
musikmitwiegend
etwas muffig, aber
gebißsicher
undunstig
unschwitzig
rückentrocken

Mitte des Lebens,
Fleisch, das die Nacht durchsteht
schlafeingekränzt
reich behangen“ –

Aufatmen!

Bis wieder die Verlustziffern
Spannungen
Zerfallenheiten
direkt pelzgefüttert.

AN ERNST JÜNGER

Wir sind von außen oft verbunden,
wir sind von innen meist getrennt,
doch teilen wir den Strom, die Stunden,
den Ecce-Zug, den Wahn, die Wunden
des, das sich das Jahrhundert nennt.

SCHÖNER ABEND

Ich ging den kleinen Weg, den oft begangenen,
und diesen Abend war er seltsam klar,
man sah ihn schon als einen herbstbefangenen,
obschon es mitten noch im Sommer war.

Die Himmelsblüte hatte weiße Dolden,
die Wolken blätterten das Blau herab,
auch arme Leute wurden golden,
was ihrem Antlitz Glück und Lächeln gab.

So auch in mir, – den immer graute
früh her, verschlimmert Jahr um Jahr –
entstand ein Sein, das etwas blaute,
und eine Stunde ohne Trauer war.

STILLE

Stille,
belebt von Innen her:
Gewesenheiten
ganz frühe Bande,
zarte, todgelöste;
auch Tage voll von Büschen von Jasmin
und Früchteschalen zwischen einem Paar
fragloser Gläubigkeit, zwei Flammen.

Stille,
von fernen Höfen her
Bereitungen von Fest und Heimatfühlen:
Klopfen von Teppichen,
auf denen, frisch gerichtet,
dann Schritte vieler gehn
in Glück und Liebe.

Stille,
das Einstige und Kommendes für Fremde,
und wo das Heutige, ein dunkler Laut:
„bleib noch an meiner Seite,
vielleicht nicht lange mehr,
zuviel Verfall in mir
zu schwer
und müde."

SCHUMANN

Wie bist du darauf gekommen,
wie kamen die Töne dir bei,
wo aufgestiegen, erglommen
F-dur, die Träumerei?

War es die Frühe, die leere,
in der die Träume vergehn,
oder war es die Nacht, die schwere,
in der die Träume geschehn?

Waren Stunden, tränenerhebende,
oder Stunden des Glückes dein –
eine alles-zusammen-erlebende
muß es gewesen sein,

noch heute sendet sie Streifen
aus Einst und Immer und Nie,
wenn wir ans Radio greifen
F-dur – die Reverie.

LEID DER GÖTTER

Wohin können Götter weinen,
das Meer nimmt die Tränen nicht auf,
sie drohen den Ufern, den Steinen
und die Flüsse verlören den Lauf.

Wohin könnten Götter klagen,
sie haben doch alles gemacht
und können zum Schluß nicht sagen:
vertan – verdacht –

Und dann die vielen Stunden,
an denen niemand teil
und für die sie nichts gefunden:
nicht Form, nicht Formen-heil.

Sie sind ja nicht allmächtig,
sie ringen einander ab,
und sind nicht immer trächtig,
sie nehmen Wünsche ins Grab,

sie möchten im Sommer sterben,
da stirbt es sich leicht und froh,
und müssen im Dunkel verderben
schneehin und anderswo,

ach, satt der ewigen Quadern,
der Bronzen nah und fern,

sehn sie die alternden Adern
auf ihren Händen gern,

denn ihr großes Land heißt Schweigen,
bis sie als süßer Wahn
von den Säulen niedersteigen,
weil andere Zeichen nahn.

TURIN

In deinen letzten Tagen
vor deiner letzten Nacht,
was hast du wohl für Fragen
in deiner Seele gedacht?

In Vor- und Nachgefühlen
den Vers, der nie verblich:
auf welchen schwarzen Stühlen
woben die Parzen dich?

Oder vor Drachenthronen
hat dich der Pfeil erreicht,
wo Ming und Mandschu wohnen
und nie das Gold verbleicht?

Wo Schwarz und Gold sich trinken
wem Stuhl und Thron gebracht,
wohin kann der versinken –:
trug das dich in die Nacht?

EIN STILLER TAG

Ein stiller Tag, die Knospen tragen Zeichen,
ein warmer Regen, der die Quitten treibt,
jene kanadischen, die ohnegleichen
ein Kapitän der Heimat einverleibt.

Weither, weithin, in das ich mich versenke,
vieles vergessen, einiges gelernt –
ein stiller Tag für mich, denn ich gedenke
an einen andern Tag, der weit entfernt.

MELODIE

Ich sterbe an diesem Sommer,
sein wolkenvoller Verlauf,
nur wenige Tage glomm er
etwas glühender auf.

Mein Herz schlug so zerschlagen,
daß es am Ende war,
wenn die Radios immer sagen
ihre Sprüche von Millibar.

Nun kommen die Raben geflogen
– mit Odin flogen sie hell –
dunkel nach Norden gebogen,
schwarze, undeutbare Wogen –
noch nie geschaute – farewell.

HÖR ZU

Hör zu, so wird der letzte Abend sein,
wo du noch ausgehn kannst: du rauchst die „Juno“,
„Würzburger Hofbräu“ drei, und liest die Uno,
wie sie der „Spiegel“ sieht, du sitzt allein

an kleinem Tisch, an abgeschlossenem Rund
dicht an der Heizung, denn du liebst das Warme.
Um dich das Menschentum und sein Gebarme,
das Ehepaar und der verhaßte Hund.

Mehr bist du nicht, kein Haus, kein Hügel dein,
zu träumen in ein sonniges Gelände,
dich schlossen immer ziemlich enge Wände
von der Geburt bis diesen Abend ein.

Mehr warst du nicht, doch Zeus und alle Macht,
das All, die großen Geister, alle Sonnen
sind auch für dich geschehn, durch dich geronnen,
mehr warst du nicht, beendet wie begonnen –
der letzte Abend – gute Nacht.

EIN SEE

Immer füllst du dich neu,
See, den die Trauerweiden,
Schilf und Rohre umkleiden,
eben den Ufern treu –:

Ufern – Kiesel im Sand,
einem feuchten, glänzenden, hellen,
doch schon beginnst du zu schwellen,
denn die Flüsse im Land

wenden zu dir den Lauf,
füllen dich – Tränen, das Wasser
Verlassener und Verlasser,
trinken die Ufer auf.

Wasser, das zögernd spricht,
dunkles, derer und dessen,
sein Wort heißt: „willst du vergessen?"
„Nein, ich will es nicht."

KELCHE

Unfaßlich sind die Kelche
der Blumen im Gewind,
man fragt sich, wo und welche
die rätselvollsten sind.

Sie stehen flach und gläsern
doch auch mit Knoll und Stab,
sie stammen von den Gräsern
doch auch vom Fleische ab.

Man kann sie nie erfassen
zweideutig, wesenlos,
Erglühen und Erblassen
in kaum verdecktem Schoß.

HERR WEHNER

Dies ist meiner
dieser Herr Wehner
der bei uns Hauslehrer war,
früh an Lungenphtise verschied,
nachdem er meinen jüngsten Bruder
angesteckt hatte,
der starb an meningitis tuberculosa.

Stammte aus Lissa
Sohn eines Schmiedes
ging immer in Holzpantinen
was bei uns unüblich war,
seine Braut Liska
war einen Pfingsten bei uns
Tochter eines Polizeimajors
also was Besseres
sie kicherten oft abends
wenn die Mücken summten
und wir schlafen gehn mußten
aber, wie ich später hörte,
war es wohl doch nichts Rechtes.

Dieser Herr Wehner
ist insofern meiner
als er irgendwo begraben liegt,
vermodert in polnischem Kombinat,
keiner der Gemeindemitglieder

wird seiner gedenken,
aber vor mir steigt er manchmal auf
grau und isoliert
unter geschichtlichen Aspekten.

KLEINER KULTURSPIEGEL

Die Zeitalter wechseln langsam,
Tosca (1902) ist immer noch die Leidenschaft,
Bohème (1900) die Liebe,
selbst aus dem Schluß der Götterdämmerung (1876)
stürzen immer noch unsere Scheite.
Einiges blieb schemenhaft:
Iphigenie, V. Akt
(bei der Premiere 1779 spielte Goethe den Orest):
Thoas' Verzicht und Humanitas
hat sich politisch
nicht durchgesetzt.

Die Iden des März stehn in Zwielicht:
wenn eine neue Regierungsform hochwill,
muß die alte weichen.
Über Leonidas wird heute die Mehrzahl lachen
(ich persönlich allerdings nicht).

Ein Friseur, der wirklich gut rasiert,
(äußerst selten!)
ist bemerkenswerter als ein Hofprediger
(ich verkenne das Tragische und das Schuldproblem
nicht).

Und sprechen Sie viel von der Lebensangst
zum Frühstück etwas Midgardschlange,
abends Okeanos, das Unbegrenzte,

nachts die Geworfenheit – dann schläft es sich gut ein –
Verteidigen will sich das Abendland nicht mehr –
Angst will es haben, geworfen will es sein.

Ein Schlager von Rang ist mehr 1950
als fünfhundert Seiten Kulturkrise.
Im Kino, wo man Hut und Mantel mitnehmen kann,
ist mehr Feuerwasser als auf dem Kothurn
und ohne die lästige Pause.

(Das Quartär war der nach innen gewendete Mensch,
jetzt kommt der triploide)
sechsundsechzig Chromosomen, Riesenwuchs –,

Und nun die neue Nationalhymne!
Der Text ganz ansprechend, vielleicht etwas marklos,
der nächste Schritt wäre dann
ein Kaninchenfell als Reichsflagge.

Persönlich unfruchtbar,
aber es wird schon werden.

DAS UNAUFHÖRLICHE

Oratorium in drei Teilen für Soli, gemischten Chor, Knabenchor und Orchester

(Musik von Paul Hindemith)

I

CHOR

Das Unaufhörliche:
Großes Gesetz.

Das Unaufhörliche
mit Tag und Nacht
ernährt und spielt es sich
von Meer zu Meer,
mondlose Welten überfrüht,
hinan, hinab.

Es beugt die Häupter all,
es beugt die Jahre.

Der Tropen Brände,
der Arktis eisge Schauer,
hinan, hinab,
ein Hauch.

Und stolze Häupter,
von Gold und Kronen umarmt

oder im Helm des namenlosen Mannes:
das Unaufhörliche,
es beugt auch dich.

Das Unaufhörliche.
Verfall und Wende
die Meere über,
die Berge hoch.

Sein Lager
von Ost nach West
mit Wachen auf allen Höhn,
kein Ding hat Frieden
vor seinem Schwert.

O Haupt,
von Gold und Doppelflügeln umarmt,
es beugt auch dich.

SOPRAN- UND TENORSOLO

Sopran:

Es beugt die Häupter all,
es beugt die Jahre,
wie dunkel ist sein Farb und Angesicht.

Tenor:

Das Unaufhörliche.
Ein dunkler Trank,

eine dunkle Stimme
und nur ein Laut.
Wie bitter ist sein Farb und Angesicht.

Beide:

Es beugt die Berge,
Opferhöhn.

BASS-SOLO MIT MÄNNERCHOR

Baß:

Das war einst Sinai: in eherne
Gesetzestafeln rann es ein –,
nun steht ein Pfau
im Mittag zwischen dem verstreuten Stein.

Männerchor:

Es beugt die Wälle der Cäsaren,
die Römerquader,
Schanze der Legionen.

Baß:

Hinan, hinab,
fünf Erdteile
zwei Pole
acht Meere
aus Unaufhörlich!

M ä n n e r c h o r :

Hinan, hinab.

SOPRANSOLO

Es trägt die Nacht,
das Ende.

Wenn es in Blüte steht,
wenn Salz das Meer
und Wein der Hügel gibt,
ist nicht die Stunde.

Das Markttor, in dessen Schatten
der Seiler webt, am Stein
der Ruf der Wechsler schallt,
hat nicht die Farbe dessen.

Gefilde, Säume des Meers,
die alles trugen: Öl und Herden,
Siebenflöten, helles Gestein,
bis ihnen das Herz brach
vor Glück und Göttern –:
da ist wohl Farb und Stunde.

Säulen, die ruhn, Delphine,
verlassne Scharen,
die Hyakinthos trugen, den Knaben,
früh verwandelt

zu Asche und Blumengeruch –:
da wohl noch mehr.

SOLI UND CHOR

Chor:

Verlassne Scharen.

Soli:

Von Tag und Nacht ernährt,
spielen die Globen sich von Meer zu Meer

Chor:

Mondlose Welten überfrüht
hinan, hinab.

Soli:

Die Morgen- und die Abendröten
brennen die Speichen seines Rads.

Chor:

Das Unaufhörliche,
hinan, hinab.

Soli:

Uralter Wandel, hell Gestein
und Flucht der Herden bald verwandelt
zu Asche und Blumengeruch.

II

SOPRANSOLO UND FRAUENCHOR

Sopran:

Immer die Sterne,
immer die Morgen- und Abendröten!
Aber der Tag, der helle Tag!
Soll man denn keine Kinder gebären,
weil sie vergehn;
muß man sie denn mit
Tränen ernähren –
wen soll man fragen – wen?

Frauenchor:

Fragen, Fragen –
gegen wieviel Himmel geschleudert.
Fragen, Fragen –
Sturm gelaufen im Jagen
der Geschlechter!

TENOR- UND BASS-SOLO

Tenor:

Aber die Wissenschaft,
das große Wesen!
Der Mann, der Denker,
das Hirn der Höhe:

es zählt die Sterne,
es teilt die Tiere,
es nennt die Blumen
nach Farb und Frucht.
An Salz und Erden
der große Gräber:
in ahnenalten,
gelassnen Reihen
umzieht er Welten ordnend:
Gesetz!

B a ß :

Im Kern der Dinge,
im Herz der weiten,
gelassnen Reihen,
wo Schlamm und Feuer,
wo Uraltes zerbirst der Rinde
ordnendes Sein,
zerreißt der Worte
herrliche Formeln,
Zählen der Sterne,
der Blumen Namen
Verwandlung,
unaufhörlich,
reicht ihren Becher Nichts,
den dunklen Trank.

T e n o r :

Der Mann,

der Denker,
das Hirn der Höhe,
der große Gräber:
in ahnenalten Reihen
umzieht er Welten ordnend:
Gesetz.

B a ß zugleich:

Verwandlung,
unaufhörlich,
reicht ihren Becher Nichts,
den dunklen Trank.

KLEINER MARSCH

B a r i t o n :

Aber die Fortschritte
der modernen Technik!
Raketenautos
an den Mond,
Projektilaviatik
an die Sterne,
Zeit und Raum in Fetzen,
Norden, Süden simultan,
Abendland durch alle
Stratosphären:
hoch die mythenlose weiße Rasse.
Minen,

Öltürme, Rubberplantagen,
Grab der mythenlosen weißen Rasse.

Chor:

Schmeckt ihr den Becher Nichts,
den dunklen Trank?

SOPRAN- UND BASS-SOLO

Sopran:

Aber die Kunst,
das große Wesen!
Auf alten Inseln,
trümmerstillen,
zwischen Feigen,
am Huf von Rindern
tausendjährig
Vase und Krug.

Aus Kammern,
dürftigen,
am Himmelssaum der Städte,
Ungestilltem,
aus wieviel Schlünden,
Gefäll des Grauens,
wieviel Rabenschwärmen
des Elends:
aufgestiegen,

leicht erhoben,
reine Gliederung:
Harmonie.

B a ß :

Des Unaufhörlichen Gesetz
sehr nahe,
doch unterworfen Vergänglichkeit.
Im Schlamm von Flüssen,
verlagerten, versiegten,
in Gruben verwehter Reiche:
die Sonnensäulen,
die Löwentore.
Vergänglichkeit!
Säulen, die ruhn,
von Hermen rinnt es:
weiße, parische Asche –:
Vergänglichkeit
von hellen Himmeln.

S o p r a n :

Die Kunst,
das große Wesen,
unvergänglich.

B a ß zugleich:

Der Becher Nichts,
der dunkle Trank.
Vergänglichkeit.

BASS-SOLO UND CHOR

Chor:

Aber die Götter,
das ist doch Grund und Boden.

Baß:

Boden aus Lehm,
Grund aus Dornen.

Chor:

Die großen Götter,
die Felsenhäupter,
sie schmieden Sonnen,
sie schmieden Blitze –

Baß:

Sie schmieden Sicheln,
hinab, hinab!

Chor:

Mit Drachenfüßen,
mit Donnerwagen,
an Erd und Himmeln,
sie schleudern Eichen,
sie stürzen Wogen –

B a ß :

Auch Himmel stürzen
hinab, hinab.
Wie viele Fluten
von Göttern nieder!
Um alle Hügel,
die tempelschönen,
ruht Staub,
rinnt Asche
der großen Wesen.

C h o r :

Aber sie lebten mit Blumen
und Opfern
doch die Träume der Menschen vor,
aus den zerstörten Heiligtumen
drangen die Chöre
des Rauschs empor.

B a ß :

Die Schritte derer sind vor der Tür,
die alles rufen.
Die Verstörer fahren einher
um alle Hütten.
Im Kern der Dinge,
im Herz der weiten
gelassnen Reihen
ist Sturz und Feuer.

Aus den zerstörten Heiligtumen:
schmeckst du den Becher Nichts,
den dunklen Trank?

TENORSOLO

Dunkle Stunde der Welt,
zerfallnes Heute:
frühe Stunde der Erde,
einst unzerklüftet,
Hirten und Jägern
ahnend geweiht –
alle Glücke hinab
an Unaufhörlich.

SOPRANSOLO MIT CHOR

Sopran:

Frühe Stunde der Menschheit,
unzerklüftet,
ewig dem Herzen,
ewig der Liebe.

Chor:

Frühe Stunde der Menschheit,
unzerklüftet,
ewig dem Herzen,
ewig der Liebe.

S o p r a n :

Ohne Alter das Blut,
ohne Schatten der Traum.
Komm –
an den Bäumen
am Gartenbrunnen
halten die Welten –

C h o r :

Ohne Alter das Blut,
ohne Schatten der Traum.

S o p r a n :

Komm –
ohne Alter das Herz,
hinrauschend die Liebe.

C h o r :

Komm –
an den Bäumen
am Gartenbrunnen
halten die Welten –

S o p r a n :

Rauschend die Liebe.

B a r i t o n :

Die zarte Stimmung der Fraun!

Daß alles dies von jeher schön war!
Die herrlichen Formeln,
die Staatsanleihen liegen fester!
Man denkt, man erkennt:
neue Formeln,
neue Redensarten,
neue Schatten.

Sopran:

Ewig unzerklüftet das Herz,
trägt Dauer, Schweigen und Glück.

Chor:

Dauer! Dauer!
Ach, Unaufhörlich!
Schmeckst du den Becher Nichts,
den dunklen Trank?

III

WECHSELCHOR

I
Uralte Völker
träumen Asiens
dämmerndes Lied.

II

Die jungen Völker
werfen die Reiche vor.
Kein Traum,
kein Dämmer.

I

Menschen sind Asche,
Asche an Flüssen,
Wehn und Wandern
an heiliger Flut;
ein Feuer brennt sie,
ein Name nennt sie,
der tief im Sein
der ewigen Schöpfung ruht.

II

Wenn die Gebirge glühn,
die Pracht der Erze
unsäglich morgenrot
die Frühe stimmt,
der Ackertag
der Sichelschlag
den alten Sommerweg
zur Ernte nimmt –
wirkender Arm,
ändernder Sinn,
schaffendes Herz.

I

Der Weg ist weit

von der Hütte zum Reisfeld
und ohne Ruhm!
Innere Bilder:
in Einem ruhend,
in Eins verschlungen:
Heiliges Dunkel!
Innere Bilder:
Geburt wie
Verderben,
Sieg wie
Vernichtung:
ein Tanz
ein Name!
Heiliges Dunkel,
kein Himmel
hat Sterne wie du.

II

Meere,
der Segel Acker und Flur,
Wogen,
der Völker Fahrten und Tausch,
Stürme,
des Mannes Wagnis und Not.
Weit reicht sein Arm,
stumm kämpft sein Herz
um der Erde Häfen und Bai,
des Unaufhörlichen
Segen und Frucht.

I

Von Segen und Frucht
sind nur die Träume schwer.
Ein Teich zum Baden,
ein Tempel zum Beten,
eine Mattenhütte,
das genügt uns.
Meere,
weißer kein Segel
als die des Traums.
Wogen,
tiefer kein Glück
als das des Rauschs.
Stürme,
gestillt in des uralten
Asiens
unaufhörlichem Lied.

II

Von Segen und Frucht sind die Taten schwer.

I

Von Segen und Frucht sind die Träume schwer.

TERZETT UND TENORSOLO

Vor uns das All,
unnahbar und verhängt,
und wir, das Ich,

verzweifelt, todbedrängt.

Wir Vertriebenen,
wir Schädelblüten:
manchmal blicken wir auf Schilf und Rohr:
alte Ströme,
Schöpfungsmythen
schweben uns
mit Korb und Netzen
ganz unsäglich
schmerzlich vor.

Wir Vertriebenen,
wir Scheitelstunde,
die sich nie in Traum und Rausch vergißt:
manchmal werden wir davongetragen,
hören wir
von Meer- und Wandersagen,
einer Insel, wie aus Schöpfungstagen,
und die ohne das Bewußtsein ist.

Durchgekämpft
durch Tier- und Vormenschmassen
irrt die späte Art
von Pol zu Pol,
bis sie endet,
bis das Joch der Rassen:
bis das weiße Ich
die Welt verlassen – :
lebe wohl.

Lied

Lebe wohl den frühen Tagen,
die mit Sommer, stillem Land
angefüllt und glücklich lagen
in des Kindes Träumerhand.
Lebe wohl, du großes Werde
über Feldern, See und Haus,
in Gewittern brach die Erde
zu gerechtem Walten aus.
Lebe wohl, was je an Ahnen
mich aus solchem Sein gezeugt,
das sich noch den Sonnenbahnen,
das sich noch der Nacht gebeugt.
Von dem Frühen zu dem Späten,
und die Bilder sinken ab –
lebe wohl, aus großen Städten
ohne Traum und ohne Grab.

BARITONSOLO

Das ist ja alles Tiefsinn,
Feldkult, Mythe –
ich bin von heute,
ich bin Relativist!
Gesetze! Werte!
Edel sei der Mensch,
hilfreich und gut,
solange es die Verhältnisse gestatten,
aber wenn ein Umschwung eintritt,

dann vor allem selber gut essen und trinken
und abends ein gesunder Schlaf!
Wahrheit!
Wenn einer stirbt,
werden Ansichten mit ihm begraben:
sinnlose,
halbwüchsige,
rührende,
überholte –
und ebensolche wachsen anderswo
heran!
Maßstäbe!
Hatte Dschingis-Khan einen guten Maßstab
oder Prinz Eugen,
Mongolen,
Turkmenen,
Burgunder,
Dalekarlier – ?
Mit einem Wort –: die Geschichte
sie übersteht den Niagara,
um in der Badewanne zu ertrinken;
die Notwendigkeit ruft
und der Zufall antwortet.
Mit einem Wort:
die Völker wechseln,
doch
unaufhörlich
bleiben die Geschäfte!
Alles andere ist Tiefsinn,
ich bin Relativist.

KNABEN- UND MÄNNERCHOR

M ä n n e r c h o r :

So sprach das Fleisch zu allen Zeiten:
nichts gibt es als das Satt- und Glücklich-sein!

K n a b e n c h o r :

Uns aber soll ein andres Wort begleiten:
das Ringende geht in die Schöpfung ein.
Das Ringende, von dem die Glücke sinken,
das Schmerzliche, um das die Schatten wehn,
die Lechzenden, die aus zwei Bechern trinken,
und beide Becher sind voll Untergehn.

M ä n n e r c h o r :

Des Menschen Gieriges, das Fraß und Paarung
als letzte Schreie durch die Welten ruft,
verwest an Fetten, Falten und Bejahrung,
und seine Fäulnis stößt es in die Gruft.

K n a b e n c h o r :

Das Leidende wird es erstreiten,
das Einsame, das Stille, das allein
die alten Mächte fühlt, die uns begleiten – :
und dieser Mensch wird unaufhörlich sein.

SCHLUSSCHOR

Chor:

Ja, dieser Mensch wird ohne Ende sein,
wenn auch sein Sommer geht,
der Klang der Harfe,
die hellen Erntelieder
einst vergehn:
Große Gesetze
führten seine Scharen,
ewige Laute
stimmten seinen Ruf,
ahnende Weite
trug Verfall und Wende
ins Unaufhörliche,
das Alterslose.

Knabenchor zugleich:

Das Unaufhörliche – : Verfall und Wende
im Klang der Meere und im Sturz des Lichts,
mondlose Welten überfrüht.
Mit Tag und Nacht
ernährt und spielt es sich
von Meer zu Meer.

Sopran- und Tenorsolo:

Das Unaufhörliche – durch Raum und Zeiten,
der Himmel Höhe und der Schlünde Tief – :

in Schöpfungen, in Dunkelheiten – :
und keiner kennt die Stimme, die es rief.

Chor:

Die Welten sinken und die Welten steigen
aus einer Schöpfung stumm und namenlos
die Götter fügen sich, die Chöre schweigen – :
ewig im Wandel und im Wandel groß.

Sopran- und Tenorsolo zugleich:

ewig im Wandel und im Wandel groß.

Knabenchor zugleich:

ewig im Wandel und im Wandel groß.

FRAGMENT EINES SINGSPIELS

PROLOG ODER EINLEITUNGSCHOR

Unendlichkeit,
wo Lilien sind wie Gift
und Schlangen wie Libellen:
zart und tödlich
in einem –

Unendlichkeit,
zwiespältig, Doppellicht:
der *Götter* Leiherin: die Wage hin,
über die Meere gleichend ihr Gewicht,
nun nach der Himmel
ausgelohtem Brand,
den Tagen, den unendlichen,
Hundstagen, wo der Krug verdorrt,
und so viel Flocken Purpur
an die Rosen,
nach solcher Himmel ausgelohtem Licht:
hast du den *Mann* nicht niedriger gemacht,
den späten, götterlosen,
den Rauschtyp,
denn Nihilismus ist ein Glücksgefühl,
wie sammelt seine deszendente[1] Trauer
den großen Bund der Erde,
der Völker letzten Glanz
den Schatten zu.

Unendlichkeit
finalen Fiebern zu,
von frühen Welten und von Mohn umsungen:
der Stundengott,
der Spättyp:
Nihilist.

Großes Zimmer. Fenster nach der Straße. Links Tapetentür in einen Nebenraum, rechts Korridortür zum Flur. Anwesend Pfändungsbeamter, als solcher kenntlich, besieht die Einrichtungsgegenstände, taxiert, klebt Pfändungsmarken an.

LIED DES GERICHTSVOLLZIEHERS

Das ist die Zeit,
und keiner weiß ihr Rat:
den eigenen Bürger
untergräbt der Staat.

Abgaben, Mieten – Steuern, Steuern –!
und kein Geschäft, die Schätze zu erneuern.

(vorsichtig, leise)

was ist das: Staat??
was ist so groß??

(laut)

meine Sorge! Geld für Gehälter soll er haben –:

(öffnet die Korridortür, läßt die Packer herein)

– los!

SONG DER MÖBELPACKER

wir schleppen,
wir schrammen auf den Treppen,
dann lassen wir's im Hausflur stehn[2],
soll jeder diesen Plunder sehn.

Wir kippen
die Schnäpse auf die Schrippen –,
die Schränke klirrn, die Dame schreit:
Behutsamkeit,
Behutsamkeit!

ein Schluck –
die Stube kommt in Ruck!
die ganze Bleibe einverleibt
dem Club, der nur mit Schrammen schreibt –:
– Zuck –!

Herein stürzen: Arzt und Notar:
(beide):

hier sind Vorpfändungsrechte!
Dieser Blumentopf (Stiefelknecht) bleibt stehn.
Mein Honorar!
Meine Liquidation!
Dieser Gewissenlose!

Herein tritt von links Hauptfigur.
Beschwörende Geste, Finger auf den Mund, Handbewegung nach dem Nebenzimmer:

Stille!
Bitte!
Die Kranke!
Kein Gewissenloser!
die Möbel:
wir gingen durch die Straßen,
wir lasen: Zimmer für junge Paare,
direkt Fabrik an Konsumenten
treten Sie ein,
kein Risiko!
wir traten ein,
wer konnte das ahnen.

NOTAR:

Geschwätz! Realitäten!
Mein Resthonorar!
haben Sie Verwandte,
irgendeinen Wohlstand,
heimliche Reserven,
verborgene Hypotheken,
Wassergrundstücke?

ARZT:

Doktor Müller
vorzüglich ausgebildet,

kann keiner mit,
zwölf Besuche bei Ihrer Frau
schon die niedrigsten Sätze berechnet, –

HAUPTFIGUR:

Ach noch einmal zu ihr! Dort! Herr Doktor!
Ich flehe Sie an,
sie leidet so sehr.

ARZT:

völlig zwecklos
ein wahrer Abschaum von Herzmuskel,
richtige Hefe von Organen
prellt den Arzt
den Wohltäter der Menschheit
den selbstlosen!

HAUPTFIGUR:

Prelle keinen!
Ich habe gekämpft
um sie,
sie ist doch ein Leben
ein Mensch
kehrt nie wieder
bedenken Sie: nie wieder!
Bedenken Sie, wie alles zusammenhängt,
ihr Saum geht durch mein Herz

streifte der Mutter Herz,
alle die Ahnen –

GERICHTSVOLLZIEHER:

Geld[3] bei sich?
Taschen auf!
an geheimen Stellen
in Stiefeln
unter der Zunge!

HAUPTFIGUR:

prellte niemanden

NOTAR UND ARZT:

Geschwätz. Realitäten.
wie gedenken Sie Ihre Zukunft zu gestalten,
was werden Sie arbeiten[4]
schleppen, schuften,
schinden
abzahlen?

HAUPTFIGUR:

was arbeitete ich nicht
wie jene Gepäckträger –
hier lebten wir
ohne Böses,

Brot und Früchte seit Jahren
unsere Speise,
abends atmeten wir am Fenster
ein wenig Licht,
wußten, daß wir nicht die Großen waren,
aber lebten nicht ohne Hoffnung
und gefaßt, –[5]

darf man denn einen Menschen so zermalmen
oh, ich werde sie weitertragen
über Sie hinaus – meine Herren,
diese Frage werde ich tragen,
unter alle Himmel
über Sie alle hinaus:
dürfen Sie einen Menschen so zermalmen,
Sie alle zusammen,
den schwachen Menschen
die Seele,
eine blasse,
den Hauch?
Herr Doktor Sie sagten selbst:
ein Abschaum von Herzmuskel,
also nur noch wenige Tage –
lassen Sie nur diese Räume hier,
so tief durchlebt,
und nichts als diese Räume –

ja so zermalmen –

Geifer aus welchem Maul,

Gezücht aus welchen Ottern,
öffentliches Geschmeiß ihr –

kehrt nie wieder
bedenken Sie: nie wieder.

(alle ab)

[Zweite Fassung des Szenenschlusses:

wußten, daß wir nicht die Großen waren,
aber lebten nicht ohne Hoffnung
und gefaßt –,

in diesen Räumen
hier: tief durchlebt
und nichts wie diese Räume –,

nun so zermalmt,
Geifer aus welchem Maul,
Gezücht aus welchen Ottern,
öffentliches Geschmeiß ihr –

nein, verzeihen Sie,
gedulden Sie sich
helfen Sie mir
es wird doch wieder anders werden
Herr Rechtsanwalt: die Wohnung zurück –
Herr Doktor, noch ein Mittel, eine Hilfe –

kehrt nie wieder
bedenken Sie: nie wieder –!

(alle spucken aus, lachen, zeigen auf die Stirn: Idiot, alle ab)]

ER
(führt sie auf den Sessel):

Sieh mich an,
erkennst du den Gefährten,
höre mich an,
Herzen die litten,
so süße Herzen
können nicht sterben.
Du wirst gesunden,
wir werden durch das Land ziehn,
wir werden es in Brand stecken
gegen die Harten,
das neue Gesetz werden wir bringen
von dem Herzen, das litt.
Siehst du nicht das Land
ich sehe die Wände nicht mehr
an die du dein Haar lehntest
wo deine Tränen rannen
siehst du es nicht?

FRAU:

eine Wiese voll Sonnenblumen
ja die kann ich im Dämmer sehn

ER:

und solche Blumen wird es geben
auf allen Welten, durch die wir gehn

FRAU:

frühe Stunde die Adler steigen
und du läßt mich doch nicht der Nacht

ER:

diese Frühe wird nie sich neigen
deine Stunde die bleibt entfacht

aber die Schauer aber die Schatten
nimm sie doch von den Bildern du

doch ein Bild wird nie ermatten
hält dein Leben und trägt dein Du

trägt durch eine ewige Dauer
alles Leben von Sinn zu Sinn
alle die Schatten alle die Schauer

(die Frau sinkt zurück)

gib dich hin.

Korridortür wird aufgerissen, ein Möbelpacker herein und ruft:

„ein Sessel soll hier stehngeblieben sein –?“ *(wieder ab).*

Eintritt durch die Korridortür Vertreter eines Beerdigungsinstituts, als solcher kenntlich.

(allein:)

ich bin der Geschäftsfreund der Vollendung.
In einer entgötterten Zeit
vertrete ich das Ritual.
In unscheinbaren Rissen,
Schwellungen, Reizzuständen
erfühle ich den Saum der Ewigkeit –
Ruhe in Frieden.

(eintritt Hauptfigur)

Sehr geehrter Herr!
in gar keiner Weise möchte ich als reale Figur vor Ihnen erscheinen,
nehmen Sie es als Säuseln aus dem Rohr,
als ein Flüstern aus den Weiden.
Welche Stunde!
Aber ob es Liquidationen von Ärzten sind,
Notariatsspesen,
Apothekerprivilegationen –
bei mir ist es die verehrte liebe Leiche[6]
an der mein Korn wächst
mein Weizen blüht
ich meinen Honig sauge – –
Ruhe in Frieden.

HAUPTFIGUR:

und da Sie so höflich saugen,
so schwarzgekleidet
an Rock und Stimme
soll Ihre Offerte
nicht ungehört verhallen,
übernehmen Sie es –
– nur allerkälteste Objektivität
kann meiner Stimmung und diesen Vorgängen
gerecht werden –
Ausdrucksgenuß
übernehmen Sie es,
diesen Sessel nebenan
möglichst schnell den Packern
freibleibend zu übergeben.

Nach dem Tod der Frau, grotesker Gegenstoß.
Im selben Raum.
Tür öffnet sich, herein Schiebergestalten.

I

Sie benötigen ein Totenhemd,
wir geben es auf Stottern.

II

Sie benötigen einen Kiefernsarg,
wir liefern ihn zu Serienpreisen.

III

Sie verloren Ihr Liebstes,
hier Karten mit delikaten Trauerrändern.

IV

wir vermitteln dies und das —:
ein reiches Bräutchen
und neue Möbel blühn aus den Ruinen.

CHOR:

Fix
fix
fix,
tot ist tot
sie war schon lange abgezehrt.
ausgeloht.

Fix
fix
fix,
die Spesen sind im Preise,
Leichenhemden, Kiefernsärge
alles serienweise.[7]

Große Arie der Hauptfigur.
Inhalt:
Ich habe alles verloren

ich lasse alles hinter mir, nur *die*
Frage nehme ich mit, nur *die* Frage lege ich
jetzt der Welt vor:

„dürfen Sie einen Menschen so zermalmen" –

wozu die ganzen Werte,
wozu die ganzen Worte,
wenn der Einzelne weggehauen werden darf
aus Armut, weil er schwach ist,
und keine Hand erhebt sich,
kein Erbarmen,
was ist das für eine Welt, die sich da errichtet hat
um uns alle?

(Nach der Arie eventuell der Eingangsmarsch von der Straße her.)

Szene auf dem Land

Bauernhaus, Garten, freier Platz, auf dem später die Chöre aufziehn. Blick auf die Felder.
Vor dem Haus. Hauptfigur und Bruder (oder dergleichen).

BRUDER:

komm, gib Ruhe,
hier rings die Ahnen,
ihr Haus, ihr Grab,

eingefärbt in der Wiesen Glanz,
eingeleibt in der Ähre Korn
Tag und Nacht geht ihr Atem.

(Bei dem Ausdruck „Wiese" erinnert sich die Hauptfigur jener Szene aus dem ersten Teil „eine Wiese mit Sonnenblumen –" könnte zwei Verse derart singen.)

Kein Tod,
wer auf den Feldern lebt,
kein Ende! Spätsommer
und alles trunken!
Die Chöre nahn.
komm,[8] ich teile mit dir,
alles allen,
tritt an dies Haus:[9]
was du umarmst,
sei dein,
der Rest sei unser.

HAUPTFIGUR

(verändert die Stellung, tritt an das Haus, an die Mauer, blickt an ihr hinab):

reicht tief hinab,
nicht tief genug,[10]
keine Wurzel tief genug
als in Unendlich.

(Kinder kommen als Vorläufer der Chöre: Blumen, Ähren in den Händen, singen eventuell)

BRUDER:

Im Endlichen zu fassen! Sieh die Scharen
immer mit blonden und mit dunklen Haaren,
Kinderfragen, kleinen Stirnen –:
mit so süßem Honig
ernährt uns noch das Alter.

HAUPTFIGUR
(wie oben sich erinnernd):

„streift der Mutter Herz
alle die Ahnen.“[11]

BRUDER:

gegilbtes Korn
und Quellen
uraltes Sein.
kehr heim.

HAUPTFIGUR:

nicht ihr(?) ich(?)
kann nicht blicken mehr

Chöre, Männer und Frauen, kommend vom Ährenlesen, eine Art Erntedankfest.

CHOR

I

Sonne, Sommer
nach solcher Himmel
ausgelohtem Licht,
der Tage, der unendlichen,
Hundstagen, wo der Krug verdorrt
und so viel Flocken Purpur
um die Rosen –,
nach solcher Himmel
ausgelohtem Licht –

II

Wie sammelt nun sein Scheiden
den großen Bund der Erde,
ährenlesend,
des Sommers letzten Gang
dem Schweigen zu –

III

Unendlichkeit – [12]
wo Lilien sind wie Gift
und Schlangen wie Libellen:
zart und tödlich in einem –
dein in Ähren,
die großen Flocken Purpur,
dein die Menschheit,

ihre Chöre beugen
durch alle Jahre beugen
sie ihre letzten Ähren
in dein Licht.

HAUPTFIGUR:

(nimmt das Bild groß in sich auf, scheidend, geht:)

Unendlichkeit –.

(ab)

Eine Art Halle oder Bibliothek.

HAUPTFIGUR:

Guten Morgen, werden sie sagen,
guten Morgen, Herr Erzieher –
Guten Morgen –: unmöglich!

Guten Morgen,
wie geht's?
Wie sehn Sie aus?
Wie haben Sie geschlafen –?
diese altmodische Psychologie,
dieser Individualismus
eines abgetakelten Jahrhunderts –!

unmöglich! –:

ich bin existent
und damit basta!

Mit solchen Kleinigkeiten beginnt es
und endet gigantisch,
Angelsportzentrale steht realistisch am Schild
und schon im Hausflur wird es metaphysisch.

Diese jungen Leute –!

treten sie in das Leben ein
oder tritt das Leben in sie hinein –?

entwickeln sie ihre Anlagen,
ihr Ahnengut
ihre Generationsmasse
oder werden sie entwickelt
durch die Verhältnisse –?

keine Ahnung!

Erbforscher und Soziologen,
euer Fläschchen –!

(eintreten junge Leute mit einem Herrn.)

Wir standen auf dem Sportplatz
und sprachen über das vergangene Jahrhundert,
über Arm und Reich,
heute sind unsere Eltern alle auf dem Hund

und alle gleich.

Dann sprachen wir über den Typ,
der seit der Aufklärung im Abendland besteht,
der rationale,
menschlich etwas schmale,
der, wie man sagt, jetzt zu Ende geht,

da trat dieser Herr, den wir hier mitbringen,
zu uns und sagte:
„folgt nicht den Verführern,
es gilt nur der Verstand,
nur der nackte kalte Intellekt,
die Zahl, der Begriff, die Formel –
alles andere ist mythisch
und befleckt."
ist das richtig?

DER HERR:

wie Lerchen und grandios wie Morgenbläue
erhebt sich über Chaos der Begriff,
er trägt die Welten, ruft das Neue –,
die Formel gibt den Schlünden Schliff.

Das reine Sein – das ist brahmanisch,
ein Dschungeltraum, ein Rauschverlies –
wir heute sind nicht ozeanisch –
wir sind präzis.

HAUPTFIGUR:

ich werde Ihnen präzis antworten
wissenschaftlich exakt,
ich verfüge über eine besondere biologische Empfindung,
eine Art summende Erfahrung
mein Fleisch treibt folgende Prophetie:

wenn diese Gehirne diese Gedanken nicht gedacht hätten,
wenn diese Gedanken nicht gedacht, gesprochen, gedruckt,
geschrieben, abgeschrieben, ergrübelt, geklaut, bestritten,
angepöbelt, unterminiert, eingestampft und dann vergessen
wären –
sähe der Tag anders aus
das Licht stiller,
die Fluren weniger abwechslungsreich,
keine Kornblumen
weniger Weinbergschnecken –

ist das vielleicht alles nur ein Überbau,
ein flaches Etwas,
eine Schnurre –?

das ist wie gesagt nur eine summende Erfahrung,
aber im Zusammenhang mit manchem
deutet es auf vieles –

DER HERR:

ein blendender Erzieher!

STIMMEN:

eine summende Erfahrung.
Ein Zerebraler.
Ein Rauschtyp.

HERR:

unerhört vom Standpunkt der Gesellschaftslehre

HAUPTFIGUR:

dies ist eine Einzellehre.

HERR:

unerhört im Zeitalter des Gemeinschaftsgeistes.

HAUPTFIGUR:

nur einer weiß das Unentrinnbare.

HERR:

im Namen der Jugend, des Neuen, des Morgen

HAUPTFIGUR:

nicht im Samenunflat der Zwanzigjährigen,
aus fettwerdenden Leibern kommt Erkenntnis.

ALLE:

Nieder! Schierling in seinen Schlund.

HAUPTFIGUR:

Nur einer kennt das Unentrinnbare.

Ausgangspunkt für eine weitere Szene.
Raum: Halle oder ärztlicher Raum, je nachdem, was Sie wünschen.
Eintritt Hauptfigur aus Nebenraum, hält die Tür offen, sagt ins Nebenzimmer:

HAUPTFIGUR:

So tief zerfleischt, ist wunderbar gelöst.
Dank. Lebe wohl. Ach diese Flut von Schwächen,
von Gurren, Tränen, Röte, Todeslaut,
auf der du treibst und nimmst –
ich werde dich wieder anrufen.

FRAUENSTIMME
(aus dem Nebenraum):

ich bete an die Macht der Liebe,
die sich in Schönheitsinstituten offenbart –
gebt heiße Tücher,

Vibrationsmassage,
Dämpfe aus Narden, allen Raub der Blüten –:
auf einer solchen Muschel will ich treiben,
bis du mich wieder rufst.

HAUPTFIGUR:

dich oder eine andere.
Jede,
jede,
die mich in Schatten legt,
die Kerne schält!
Der Mann lebt auf Verlust,
Frigidität,
Vereinsamung der Zentren –
wie sagte doch die blonde Aufbauheroine,
als sie mich definitiv verließ:
„hier erhebt sich Wahrung von Naturzwecken
gegen Erkenntnismonomanes."

wie sagte doch meine alte Mutter so oft
wenn wir sommers bei ihr im Garten Kaffee tranken:
„du wirst mit deiner schaurigen Begriffswelt
unser Levkoienbeet vernichten."

Lyrisches Motiv aus dem „Auflösungsmilieu", eventuell als Schluß, den ich mir auf dem Lande denke, eventuell beim Tod der Hauptfigur, soll enden bei dem *Ahn,* alten Vater (erhabener Baß), überirdisch;

eventuell aber auch als Duett mit Sopran (Frau stärker, mythenumwehter, trostreicher als der Mann = Nihilist).

HAUPTFIGUR:

eine Wiese mit Butterblumen
wieviel Wiesen wird man noch sehn –

X:

es wird überall Sommer geben
auf allen Welten, durch die wir gehn.

HAUPTFIGUR:

Blaue Wasser – die Adler steigen,
frühe Stunde – – doch wann die Nacht –

X:

eine Frühe wird nie sich neigen,
eine Stunde, die immer wacht.

HAUPTFIGUR:

Schon die Schauer und schon die Schatten
wehn die Blicke, die Bilder zu –

X:

doch *ein* Bild wird nie ermatten
hält dein Leben und trägt dein Du.

CHOR:

trägt durch eine ewige Dauer
alles Leben von Sinn zu Sinn,
alle die Schatten, alle die Schauer –
gib deine ganze Menschentrauer,
gib dich hin!

Es tritt auf Vater von

Das ist wohl der junge Mann, von dem du mir erzählt hast, daß ich ihn engagieren soll als Sekretär?
Mir scheint, er will nicht.
Er wäre der erste. Ihre Forderung?
Keine!
Wie meinen Sie?
Was kann ich fordern?
Gut so. Sie begleiten meine Tochter auf den Reisen zu Lande, zu Luft, zu Wasser. Später können Sie in andere Stellungen aufrücken.
Was sollen das für Stellungen sein?
Junger Mann, wenn dies Hotel das Café zur Platane ist, in dem sich vor hundert Jahren die ersten drei Börsenjobber von USA geschäftlich trafen, so bin ich ganz Wallstreet. Den Namen von Gouverneur Law, der am 17. 9. die gesamte Ölproduktion von Ost-Texas durch die bewaffnete Macht schließen ließ, haben Sie wohl schon gehört –: ich besitze Oklahoma und hatte ihn bestochen. Von dem halben Erdteil, den ich gerade abholzen ließ (lasse), um Gummiwälder anzubauen, haben Sie wohl gehört. Die Stellung richtet sich nach dem Mann, junger Mann.

Ihre Tochter ist eine reizende Person, aber Ihre Stellungen sagen mir nicht zu. Ich will lieber hier gehobener Oberkellner oder gesenkter Geschäftsführer bleiben, als mich für Ihre ekelerregenden Geschäfte zu erwärmen.
Hier spricht wohl ein Irrer unter deutschen Eichen?
Hier rechnet wohl eine Pampasfigur nach alten Maßstäben?
Es ist eine Stimmung vorhanden, daß man sich die . . . für Geld nicht viel kaufen kann. Es geht eine große Sehnsucht von Natursehnsucht[13] durch die Armen. Geld ist auch nicht für Arme[14] . . . Aber wo steht, daß die Reichen sie ernähren müssen?
Es ist doch selbstverständlich, daß sie Zeit haben.
Selbstverständlich ist vor allem erst, daß diejenigen Schichten und Personen die seit jeher den Staat oder die Wirtschaft schaffen und tragen anders anzusehen sind und besser und genußreicher leben sollen als ihr neuen Massen, die bisher nichts bewiesen haben als daß ihr fressen wollt. Haben wir euch in die Welt gesetzt? haben wir euren Eltern die Karnickelmanieren beigebracht? Wir euch eure ganzen gemeinen Freß- und Faulenzergelüste, eure ganze animalische Niedrigkeit angezüchtet? Sind wir anthropologisch haftbar für euch Wohlfahrtswanzen, Lohntütengebibber aus dem stinkenden Schrumpfhirn Europas
das bis zu uns rüberpestet –
also wenn Sie kein Geld wollen, wollen Sie nicht führen?[15]
wen führen?
die neuen Sklavenstaaten. Ich bin zwei Monate durch Ihr kleines Erdteil gereist und fand alles, was in ihm teuer ist, stammt aus Sklavenstaaten. Apollo, Hermes sie spannen den Bogen sie schlagen die Leier, aber unter der Fußsohle liegt

der antike Asphalt der Sklave. Meinen Sie, wenn Sie von Anfang an, verklebt (?) wie die Maikäfer in der Zigarrenkiste, um moralische Idole gebrummt hätten, wer käme über den Atlantik in diese fragwürdigen Wälder?

[Zweite Fassung dieses Abschnittes:
alles, was diesen kleinen Erdteil groß gemacht hat, was an ihm teuer ist, kam aus Sklavenstaaten. Ich sah eure Apollone, eure Hermen, sie spannen den Bogen sie schlagen die Leier
unter dem Fuß den Panther, den Fuß auf dem Panther
aber unter der Fußsohle das antike Asphalt: die Sklaven. Meinen Sie, wenn sie von Anfang an wie die Maikäfer in der Zigarrenkiste um Wohlfahrtsidole herumgebrummt hätten, man reiste über den Atlantik in diese fragwürdigen Wälder?
jeder schmutzige Hilfsdriller hat Ansichten, jeder Pennymagnat hat Weltbilder, ich aber sage Ihnen neue Sklavenreiche (staaten) werden aufsteigen und Ordnung bringen. Rubberreiche Barbarenkonzerne und ihre Demokratie wird heißen ohne Religions- und Rassenunterschiede die Nilpferdpeitsche über weiße und schwarze Mamelucken. Sela.

Herr Direktor, Ihr Geschäftsführer trägt keine Wäsche, er schwitzt direkt in den Cutaway – ein feines Hotel, meinen Wagen –]

das Menschentum beruht auf Sklavenreichen;
ewige Wahrheit der Galeerenbank:
die Riemen schneiden und die Peitschen streichen
die krummen Rücken blank –

Freiwillig geht[16] sie nicht die Bande,
räudige Horden, überwacht
vom Führertyp: der Pampasgrande
sein ist die Welt: ihr Sinn ist Macht.

Mein Gefühl sagt: nichts besitzen –
Nichts besitzen
sanft[17] nur durch die Dinge gehn,
täglich kämpfen um sein Brot,
aber müde werden weinen
und dann sterben.

nichts besitzen –:
eine Blume, eine Frucht
nah dem Boden weiden wie die Herde
die sich mittags einen Schatten sucht
so vergänglich ist die Erde. –

P.

der geborene Sklave
der gottgewollte Heiduck.

F.

nichts besitzen

P.

kein Gewissen

T.

wie die Götter

F.

nichts besitzen

T.

Halt –!

nichts besitzen –
unermessen
sind die schütteren (schützenden?) Gewalten
hat denn einer je besessen
hat denn einer je behalten?[18]

V.

Einem ist es wohl mal schiefgegangen?

T.

Halt!
Einen nimm mit Keulen in der Hand:
wenn er achtzehn ist, die Alten tot
zieht er in die Camps zum Schwellenschlagen,
in die Weizenfelder von Alberta –
nimm ihn nicht aus diesem alten Land

an die Flammen[19] der Prärie
welche Meere, welche Glutgiganten
neuer Erden, laß die ausgebrannten
Galiläerränder – –

nie

laß ihn

nimm ihn

Excellenza warum Streit
dieses ist ein Angestellter
und von jedem Urteil weit –

wo möchtest du leben im Laube – –[20]

Excellenza warum Streit . . . *(entfernt)*

da haben wir wohl auch noch ein Wort mitzureden
als Vorstand und Hauptmitglied und Ausschußorganisation
aller An- und Untergestellter dieser Wälderkomplexe,
Abteilung Eiche, Marke wurzelstark
die gottgewollten Sklaven
die geborenen Heiducken *(Pfiff)*
Excellenza . . . *(entfernt)*

Duett

wo möchtest du leben im Laube,
der Wälder der nordischen See –
oder im weißen Staube
der Méditerranée –?

Was liebst du: die goldenen Tore:
meine Jacht liegt hier im Meer,
oder die schottischen Moore:
ein Douglasschloß steht leer –[21]

lasse dich doch versöhnen,
vergiß, was dir geschah,
nimm doch die Rosen, die schönen,
sei mir nah –

EDITORISCHER BERICHT

Da die Bände dieser ersten Gesamtausgabe der Werke Gottfried Benns auch einzeln erworben werden können, ist es notwendig, in jedem Band kurz über die editorischen Grundsätze zu berichten, nach denen gearbeitet wurde. Dieses Verfahren führt zu Wiederholungen, hat aber den Vorzug, daß sich die Auskünfte über das Prinzipielle am konkreten und bandweise doch unterschiedlichen Material orientieren können.

Vollständige und zuverlässige Darbietung des Werkes ist das Ziel, das sich Herausgeber und Verlag gestellt haben. Die Ausgabe enthält außer sämtlichen schon einmal in Buchform erschienenen Texten Gottfried Benns auch die bisher noch in Zeitschriften und Zeitungen verstreuten Texte und den gesamten Nachlaß. Nicht aufgenommen wurden Vorstudien, Entwürfe, vorbereitende Skizzen, unfertige frühere Fassungen, falls die verbindliche Fassung vorhanden ist. Eine Ausnahme bildet das *Fragment eines Singspiels*)*, das als Projekt interessieren wird und deshalb, soweit sich der Text und seine Anordnung erkennen ließ, im Anhang dieses Bandes veröffentlicht ist.

Die Anordnung der Texte ist innerhalb der Sachgruppen chronologisch. Wenn die Entstehungszeit der Texte nicht mit Sicherheit festzustellen ist, richtet sich die chronologische Ordnung nach dem Zeitpunkt ihrer ersten Veröffentlichung. Die Datierungen enthält der Anmerkungsteil. In diesem

*) In der Neuauflage der von Kurt Pinthus herausgegebenen Sammlung Menschheitsdämmerung, Hamburg 1959, erwähnt unter dem Titel *Die Möbelträger.*

Band ergaben sich allerdings einige besondere Anordnungsprobleme. Gottfried Benn hat 1956 in dem Band *Gesammelte Gedichte,* kurz vor seinem Tode also, eine für ihn verbindliche Auswahl aus seinem lyrischen Werk zusammengestellt. Es erschien nicht sinnvoll, sich darüber hinwegzusetzen und durch strikte chronologische Anordnung des gesamten lyrischen Werkes diese seine Auswahl unkenntlich zu machen; eine bedeutende Äußerung des Autors wäre dabei verlorengegangen. Deshalb bringt der Textteil dieses Bandes zunächst die von Benn ausgewählten *Gesammelten Gedichte,* dann gesondert im Anhang die übrigen Gedichte in chronologischer Reihenfolge. Echte Gedichtzyklen werden durch die chronologische Anordnung selbstverständlich nicht auseinandergerissen und werden im Anmerkungsteil geschlossen zitiert. Es gibt aber auch eine Reihe unechter Zyklen, die nicht mehr sind als lockere Zusammenfassungen verschiedener Gedichte unter einer gemeinsamen Überschrift. Anzahl, Auswahl und Reihenfolge der Gedichte ändert sich hier (wie zum Beispiel beim Zyklus *Alaska)* mit jeder neuen Veröffentlichung. Da diese Schwankungen nicht signifikant, sondern rein zufällig sind, wurde darauf verzichtet, sie im Anmerkungsteil ausführlich zu notieren. Der Zyklus erscheint im Textteil in seiner jeweils letzten Gestalt. Das Oratorium *Das Unaufhörliche,* zu dem Hindemith die Musik geschrieben hat, ist in den von Benn ausgewählten Gedichten nicht vollständig enthalten. Deshalb wurde das Werk im Anhang dieses Bandes noch einmal in vollständiger Gestalt abgedruckt. Als Beleg für die beabsichtigte weitere Zusammenarbeit mit Hindemith folgt dann das *Fragment eines Singspiels,* das allerdings in großen Teilen über das Stadium der Vorstudie noch nicht hinausgediehen ist.

Zur Textgestaltung wurden auch in diesem Band sämtliche Buchausgaben und, soweit greifbar, die zeitlich vor den Büchern liegenden Veröffentlichungen des jeweiligen Textes in Zeitschriften und Zeitungen benutzt. In Zweifelsfällen wurde außerdem rückgreifend bis zur ersten Reinschrift der gesamte Typoskriptbestand verglichen. Zur Datierung der Texte wurden auch die im Nachlaß befindlichen Schreibkladden Benns, die die frühesten Fassungen enthalten, herangezogen. Die Formulierung „Einzige Veröffentlichung" bedeutet, daß es sich um die einzige von Benn selbst vorgenommene Veröffentlichung handelt und schließt nicht aus, daß es außerhalb seines Werkes (in Zeitungen, Zeitschriften und Anthologien) spätere Nachdrucke des Textes gegeben hat. Die Hinweise auf Komponisten, die Texte Benns vertont haben, erheben keinen Anspruch auf Vollständigkeit.

Maßgebend für die Textgestaltung war der jeweilige Text letzter Hand. Abweichungen, die als Textänderungen kenntlich sind oder als solche angesprochen werden können, werden zurück bis zur Erstveröffentlichung als Lesarten notiert. Druckfehler und falsche Schreibweisen wurden, falls nicht stilistische Gründe dabei im Spiele sein können, stillschweigend korrigiert.

Echte Lesarten aber gibt es bei den Gedichten kaum. Ein fertiges Gedicht ist ja weitaus schwieriger zu verändern als ein Prosatext. Deshalb hat Benn, wenn ein Gedicht ihn nicht mehr befriedigte, es zumeist bei späteren Veröffentlichungen ganz fortgelassen.

Der Mangel an Lesarten erlaubte es, im Textteil (wiederum mit Ausnahme des Singspiels) auf Verweiszahlen zu verzichten. Die Gedichte sind im Anmerkungsteil durch die

jeweiligen Seitenzahlen des Textteils und eventuelle Lesarten durch Strophen- und Zeilenzahl kenntlich gemacht.
Da im Anmerkungsteil jedes einzelne Gedicht mit der betreffenden Seitenzahl aufgeführt ist, erschien ein eigenes Inhaltsverzeichnis, das nochmals Gedichte und Seitenzahlen wiederholt hätte, als unnötige Belastung des Apparats. Es erscheinen demnach die Gedichte mit den jeweiligen Seitenzahlen in laufender Folge lediglich im Anmerkungsteil, während ein verkürztes Inhaltsverzeichnis am Schluß des Bandes über die Gliederung im großen orientiert. Ergänzt wird dieser Band durch zwei alphabetisch geordnete Register: eines enthält die Überschriften, das zweite die Anfangszeilen der Gedichte mit den zugehörigen Seitenzahlen.

ANMERKUNGEN UND LESARTEN

Folgende Buchveröffentlichungen Gottfried Benns, die bei den einzelnen Anmerkungen nur noch mit Titel zitiert werden, wurden benutzt:

Morgue und andere Gedichte, 21. Flugblatt des Verlages A. R. Meyer, Berlin, März 1912.

Söhne, Neue Gedichte, Berlin o. J. (1913).

Fleisch, 3. Band der Sammlung Die Aktionslyrik, hrsg. von F. Pfemfert, Berlin, März 1917.

Die Gesammelten Schriften, Berlin, 1. Aufl. Febr. 1922; 2. veränderte Aufl. Dez. 1922.

Schutt, Berlin, Febr. 1924.

Betäubung, Fünf neue Gedichte, Berlin, Sept. 1925.

Spaltung, Berlin, Nov. 1925.

Gesammelte Gedichte (I), Berlin 1927.

Das Gedicht, Blätter für die Dichtung, hrsg. von H. Ellermann, II, 7, Hamburg, Jan. 1936.

Ausgewählte Gedichte, Stuttgart – Berlin, 1. Aufl. März 1936; 2. veränderte Aufl. Mai 1936.

Zweiundzwanzig Gedichte, Privatdruck, August 1943.

Statische Gedichte, Zürich 1948; Wiesbaden 1949 (Ausgabe für Deutschland, um drei Gedichte vermehrt).

Trunkene Flut, Ausgewählte Gedichte, Wiesbaden 1949, 2. Aufl. um fünf Gedichte vermehrt, 1952.

Fragmente, Neue Gedichte, Wiesbaden 1951.

Destillationen, Neue Gedichte, Wiesbaden 1953.

Apèslude, Wiesbaden 1955.

Gesammelte Gedichte (II), Wiesbaden – Zürich 1956.

Primäre Tage, Wiesbaden 1958.

5 *Kann keine Trauer sein*

Das Manuskript im Besitz von Frau Dr. Ilse Benn, signiert mit: Gottfried Benn, enthält den Vermerk: *(für die Zeitschrift ‚Merkur')*. Es ist wohl das letzte vollendete Gedicht Benns.
Zur Textgestaltung wurden benutzt:
Merkur X, 5 (1956) S. 401 (Erstveröffentlichung). – Gesammelte Gedichte II.

7 *Morgue*

Zur Textgestaltung wurden benutzt:
Morgue (= M; Erstveröffentlichung). – Fleisch. – Gesammelte Schriften. – Gesammelte Gedichte I. – Frühe Lyrik und Dramen. – Gesammelte Gedichte II.
Kleine Aster Z. 10 M: . . . *in die Bauchhöhle*
Kreislauf Z. 9 M: . . . *solle zu Erde werden,*
Requiem Z. 1 M: *Auf jedem Tische* . . .

11 *Der Arzt I – III*

Zur Textgestaltung wurden benutzt:
Fleisch (Erstveröffentlichung). – Gesammelte Schriften. – Gesammelte Gedichte I. – Frühe Lyrik und Dramen. – Gesammelte Gedichte II.

14 *Mann und Frau gehn durch die Krebsbaracke*

Zur Textgestaltung wurden benutzt:
Morgue (= M; Erstveröffentlichung). – Die Bücherei Maiandros Nr. IV/V (1. 5. 1913) S. 5 (= BM). – Fleisch. – Gesammelte Schriften. – Gesammelte Gedichte I. – Ausgewählte Gedichte[1]. – Trunkene Flut. – Gesammelte Gedichte II.
Str. 1 Z. 2 M, BM: . . . *sind zerfressene Schöße*
Str. 2 Z. 3 M, BM: . . . *irgendeinem Manne groß*

16 *Saal der kreißenden Frauen*

Zur Textgestaltung wurden benutzt:
Morgue (Erstveröffentlichung). – Fleisch. – Gesam-

melte Schriften. – Gesammelte Gedichte I. – Frühe Lyrik und Dramen. – Gesammelte Gedichte II.

17 *Curettage*

In den Gesammelten Schriften und in den Gesammelten Gedichten I steht die Widmung: *Für Klabund.*
Zur Textgestaltung wurden benutzt:
Gesammelte Schriften (= GesS; Erstveröffentlichung). – Gesammelte Gedichte I. – Ausgewählte Gedichte. –
Str. 2 Z. 3 GesS: *Gib's, gib's, . . .*
Trunkene Flut. – Gesammelte Gedichte II.

18 *Nachtcafé*

Aus dem ursprünglich fünf Gedichte umfassenden Zyklus *Nachtcafé,* der in Fleisch zum ersten Mal aus verschiedenen 1912 bis 1914 erschienenen Gedichten zusammengefügt worden ist, hat Gottfried Benn in die Gesammelten Gedichte II nur noch dieses Gedicht aufgenommen. Zu den anderen vier Gedichten vergleiche Anmerkungen zu S. 356, 372, 383, 384.
Zur Textgestaltung wurden benutzt:
Morgue (= M; Erstveröffentlichung). – Söhne (= S). –Fleisch (= F). – Gesammelte Schriften (= GesS). – Gesammelte Gedichte I. – Frühe Lyrik und Dramen. – Gesammelte Gedichte II (= GesG II).
Str. 6 Z. 1 Außer in GesG II steht in allen Veröffentlichungen: *H-moll: die 35. Sonate*
Str. 6 Z. 3 M, S, F, GesS: . . . *dies Blut* . . .

20 *Alaska*

Der Zyklus *Alaska,* zu dem dieses und die folgenden sieben Gedichte gehören, wurde erstmals, zwölf Gedichte umfassend, 1913 in verschiedenen Heften der Aktion veröffentlicht. Vergleiche auch den Editorischen Bericht S. 532.

Zur Textgestaltung wurden benutzt:
Die Aktion III,9 (26. 2. 1913) Sp. 269 (Erstveröffentlichung). – Fleisch. – Gesammelte Schriften. – Gesammelte Gedichte I. – Frühe Lyrik und Dramen. – Gesammelte Gedichte II.

21 *Der junge Hebbel*

Zur Textgestaltung wurden benutzt:
Das neue Pathos I (1913) S. 13 (Erstveröffentlichung). – Söhne. – Fleisch. – Gesammelte Schriften. – Gesammelte Gedichte I. – Ausgewählte Gedichte. – Trunkene Flut. – Gesammelte Gedichte II.

22 *Wir gerieten in ein Mohnfeld*

Zur Textgestaltung wurden benutzt:
Die Aktion III,9 (26. 2. 1913) Sp. 269 (= A; Erstveröffentlichung). – Söhne (= S). – Fleisch. – Gesammelte Schriften. – Gesammelte Gedichte I. – Frühe Lyrik und Dramen. – Gesammelte Gedichte II.
Str. 2 Z. 3 A, S: . . . *Dreck einer Pfütze*

23 *Über Gräber*

Zur Textgestaltung wurden benutzt:
Die Aktion III,26 (25. 6. 1913) Sp. 641 (= A; Erstveröffentlichung). – Gesammelte Gedichte I. – Frühe Lyrik und Dramen. – Gesammelte Gedichte II.
Str. 1 Z. 1 A: . . . *nachts, gekrochen*
Str. 2 Z. 3 A: . . . *in Haar, in Meer. Die* . . .

23 *Drohung*

Ursprünglich der Anfang des Gedichtes *Drohungen* (Die Aktion III,26 [25. 6. 1913] Sp. 640). Vergleiche Anmerkung zu S. 367.
Zur Textgestaltung wurden benutzt:
Das neue Pathos II (Juni 1913) S. 8 (= NP; Erstveröffentlichung). – Söhne. – Fleisch. – Frühe Lyrik und

Dramen. – Gesammelte Gedichte II.
Z. 3 NP: . . . *schläfert mein Leid* . . .

24 *Mutter*

Zur Textgestaltung wurden benutzt:
Söhne (Erstveröffentlichung). – Fleisch. – Gesammelte Schriften. – Gesammelte Gedichte I. – Ausgewählte Gedichte. – Trunkene Flut. – Gesammelte Gedichte II.

25 *Gesänge I – II*

Zur Textgestaltung wurden benutzt:
Die Aktion III,9 (26. 2. 1913) Sp. 270 (Erstveröffentlichung). – Fleisch. – Gesammelte Schriften. – Gesammelte Gedichte I. – Ausgewählte Gedichte. – Trunkene Flut. – Gesammelte Gedichte II.

26 *Da fiel uns Ikarus vor die Füße*

Zur Textgestaltung wurden benutzt:
Die Aktion III,9 (26. 2. 1913) Sp. 270 (Erstveröffentlichung). – Fleisch. – Gesammelte Schriften. – Gesammelte Gedichte I. – Frühe Lyrik und Dramen. – Gesammelte Gedichte II.

22 *D-Zug*

Zur Textgestaltung wurden benutzt:
Die Aktion II (1912) Sp. 27 (Erstveröffentlichung); stand nur als Ausschnitt ohne genaue Angabe des Datums zur Verfügung. – Söhne. – Fleisch. – Gesammelte Schriften. – Gesammelte Gedichte I. – Ausgewählte Gedichte[1]. – Trunkene Flut. – Gesammelte Gedichte II.

29 *Englisches Café*

Zur Textgestaltung wurden benutzt:
Die Aktion III,13 (26. 3. 1913) Sp. 376 (Erstveröffentlichung). – Söhne. – Fleisch. – Gesammelte Schriften. – Gesammelte Gedichte I. – Trunkene Flut. – Gesammelte Gedichte II.

31 *Untergrundbahn*

Zur Textgestaltung wurden benutzt:
Der Sturm III,160/61 (1913) S. 26 (= St; Erstveröffentlichung); stand als Fotokopie zur Verfügung. – Söhne. – Fleisch. – Gesammelte Schriften. – Gesammelte Gedichte I. – Ausgewählte Gedichte[1]. – Trunkene Flut. – Gesammelte Gedichte II.

Str. 3 Z. 2 St: *Meer-Blut, du Höherzwielicht,*
Z. 4 St: *so kühl den Hauch . . .*
Str. 5 Z. 4 St: *und schwellte mit*
Str. 6 Z. 4 St: *. . . des Meers . . .*

32 *Kurkonzert*

Zur Textgestaltung wurden benutzt:
Der Sturm III,160/61 (1913) S. 26 (Erstveröffentlichung); stand als Fotokopie zur Verfügung. – Söhne. – Gesammelte Schriften. – Frühe Lyrik und Dramen. – Gesammelte Gedichte II.

33 *Fleisch*

Zur Textgestaltung wurden benutzt:
Fleisch (Erstveröffentlichung). – Gesammelte Schriften. – Gesammelte Gedichte I. – Frühe Lyrik und Dramen. – Gesammelte Gedichte II.

S. 36/37 *Ein Mann, Ein anderer* und *Ein Selbstmörder* waren bereits in der Aktion III,1 (8. 1. 1913) Sp. 39/40 (= A) als erstes, zweites und fünftes Gedicht des Zyklus *Morgue II* veröffentlicht worden. Vergleiche Anmerkungen zu S. 360 und 361.

S. 36 Z. 8 Statt *Ein Mann* lautet in A diese Zeile:
Plötzlich schreit eine Leiche in mittlerem Ernährungszustand:
Z. 16 In A fehlt: *Ein anderer.*
Z. 20 A: *Waschen Sie mir gefälligst den Kot aus der Achselhöhle, Sie! !*

39 *Das Plakat*

Zur Textgestaltung wurden benutzt:
Die Aktion VII,1 (6. 1. 1917) Sp. 15 (Erstveröffentlichung). – Fleisch. – Gesammelte Schriften. – Gesammelte Gedichte I. – Frühe Lyrik und Dramen. – Gesammelte Gedichte II.

40 *Durchs Erlenholz kam sie entlang gestrichen*

Zur Textgestaltung wurden benutzt:
Die Aktion VI,45/46 (11. 11. 1916) Sp. 626 (Erstveröffentlichung). – Fleisch. – Frühe Lyrik und Dramen. – Gesammelte Gedichte II.

42 *Pappel*

Zur Textgestaltung wurden benutzt:
Fleisch (Erstveröffentlichung). – Gesammelte Schriften. – Gesammelte Gedichte I. – Ausgewählte Gedichte. – Trunkene Flut. – Gesammelte Gedichte II.

43 *Reise*

Zur Textgestaltung wurden benutzt:
Die Aktion VI,20/21 (20. 5. 1916) Sp. 279 (= A; Erstveröffentlichung). – Fleisch (= F). – Gesammelte Schriften (= GesS). – Gesammelte Gedichte (= GesG). – Trunkene Flut. – Gesammelte Gedichte II.

Str. 1 Z. 2 A, F, GesS, GesG: *sternblaue Wasser* . . .

44 *Strand*

Zur Textgestaltung wurden benutzt:
Gesammelte Schriften (Erstveröffentlichung). – Frühe Lyrik und Dramen. – Gesammelte Gedichte II.

45 *Karyatide*

Zur Textgestaltung wurden benutzt:
Die weißen Blätter III,3 (März 1916) S. 370 (Erstveröffentlichung). – Fleisch. – Gesammelte Schriften. – Ge-

sammelte Gedichte I. – Ausgewählte Gedichte. – Trunkene Flut. – Gesammelte Gedichte II.

46 *Ikarus I – III*

Zur Textgestaltung wurden benutzt:
Die weißen Blätter II,5 (Mai 1915) S. 618/619 (= WBl; Erstveröffentlichung). – Fleisch (= F). – Gesammelte Schriften (= GesS). – Gesammelte Gedichte I. – Ausgewählte Gedichte. – Trunkene Flut. – Gesammelte Gedichte II.

Str. 1 Z. 11 WBl, F, GesS folgt mit neuer Zeile:
Verwehn der Sonne, überall

48 *Kretische Vase*

Zur Textgestaltung wurden benutzt:
Die Aktion VI,31/32 (5. 8. 1916) Sp. 441 (Erstveröffentlichung). – Fleisch. – Gesammelte Schriften. – Gesammelte Gedichte I. – Ausgewählte Gedichte. – Trunkene Flut. – Gesammelte Gedichte II.

49 *Aufblick*

Zur Textgestaltung wurden benutzt:
Die Aktion VI,27/28 (8. 7. 1916) Sp. 392/393 (Erstveröffentlichung). – Fleisch. – Frühe Lyrik und Dramen. – Gesammelte Gedichte II.

50 *O Geist*

Zur Textgestaltung wurden benutzt:
Fleisch (Erstveröffentlichung unter dem Titel *Rückfall*). – Gesammelte Schriften. – Gesammelte Gedichte I. – Frühe Lyrik und Dramen. – Gesammelte Gedichte II.

51 *Bolschewik*

Zur Textgestaltung wurden benutzt:
Gesammelte Schriften (Erstveröffentlichung). – Gesammelte Gedichte I. – Frühe Lyrik und Dramen. – Gesammelte Gedichte II.

52 *Kokain*

Zur Textgestaltung wurden benutzt:
Fleisch (Erstveröffentlichung). – Gesammelte Schriften. – Gesammelte Gedichte I. – Frühe Lyrik und Dramen. – Gesammelte Gedichte II.

53 *O Nacht*

Zur Textgestaltung wurden benutzt:
Die Aktion VI,39/40 (30. 9. 1916) Sp. 544 (Erstveröffentlichung). – Fleisch. – Gesammelte Schriften. – Gesammelte Gedichte I. – Ausgewählte Gedichte[1]. – Trunkene Flut. – Gesammelte Gedichte II.

55 *Das späte Ich I – III*

Zur Textgestaltung wurden benutzt:
Gesammelte Schriften (Erstveröffentlichung unter dem Titel *Der späte Mensch*). – Gesammelte Gedichte I. – Ausgewählte Gedichte. – Trunkene Flut. – Gesammelte Gedichte II.

57 *Synthese*

Zur Textgestaltung wurden benutzt:
Fleisch (Erstveröffentlichung). – Gesammelte Schriften. – Gesammelte Gedichte I. – Ausgewählte Gedichte[1]. – Trunkene Flut. – Gesammelte Gedichte II.

58 *Blumen*

Zur Textgestaltung wurden benutzt:
Das Beiblatt der Bücherei Maiandros (Berlin, 1. 11. 1913) S. 6 (= BM; Erstveröffentlichung unter dem Titel *Blumen II*). – Frühe Lyrik und Dramen. – Gesammelte Gedichte II.

Str. 4 Z. 3 BM: *Hei! Wie alles Rote, . . .*

Zum Gedicht *Blumen I: Im Zimmer des Pfarrherrn* vergleiche Anmerkung zu S. 373.

59 *Der Sänger*

Zur Textgestaltung wurden benutzt:
Spaltung (= Sp; Erstveröffentlichung). – Gesammelte Gedichte I. – Trunkene Flut. – Gesammelte Gedichte II.

Str. 3 Z. 1/2 In Sp lauten diese zwei Zeilen:

Einstmals sang der Sänger
über die Lerchen lieb,

61 *Trunkene Flut*

Zur Textgestaltung wurden benutzt:
Gesammelte Gedichte I (Erstveröffentlichung). – Ausgewählte Gedichte. – Trunkene Flut. – Gesammelte Gedichte II.

62 *Palau*

Dieses und das folgende Gedicht *Schutt* (ursprünglich *Spuk*) gehörten im Neuen Merkur unter dem Obertitel *Schutt* zusammen; in den Gesammelten Schriften[2] kam als drittes Gedicht des Zyklus *Schutt Schädelstätten* (ursprünglich *Schwer*) dazu. – Den Titel *Palau* hat das Gedicht in Spaltung erhalten.
Zur Textgestaltung wurden benutzt:
Der neue Merkur VI,1 (April 1922) S. 52/53 (Erstveröffentlichung unter dem Titel *Rot*). – Gesammelte Schriften[2]. – Schutt. – Spaltung. – Gesammelte Gedichte I. – Ausgewählte Gedichte. – Trunkene Flut. – Gesammelte Gedichte II.

64 *Schutt*

Den Titel *Schutt* hat das Gedicht in *Spaltung* erhalten. Vergleiche Anmerkung zu *Palau.*
Zur Textgestaltung wurden benutzt:
Der neue Merkur VI,1 (April 1922) S. 51/52 (Erstveröffentlichung unter dem Titel *Spuk*). – Gesammelte Schriften[2]. – Schutt. – Spaltung. – Gesammelte Gedichte I. – Trunkene Flut. – Gesammelte Gedichte II.

66 *Meer- und Wandersagen*

In Spaltung und den Gesammelten Gedichten I steht die Widmung: *Für Carl Einstein.*
Zur Textgestaltung wurden benutzt:
Spaltung (Erstveröffentlichung). – Gesammelte Gedichte I. – Ausgewählte Gedichte. – Trunkene Flut. – Gesammelte Gedichte II.

68 *Theogonien*

Zur Textgestaltung wurden benutzt:
Spaltung (Erstveröffentlichung). – Gesammelte Gedichte I. – Ausgewählte Gedichte. – Trunkene Flut. – Gesammelte Gedichte II.

70 *Osterinsel*

Zur Textgestaltung wurden benutzt:
Gesammelte Gedichte I (Erstveröffentlichung). – Ausgewählte Gedichte. – Trunkene Flut. – Gesammelte Gedichte II.

72 *Valse triste*

Zur Textgestaltung wurden benutzt:
Ausgewählte Gedichte (Erstveröffentlichung unter dem Titel *Prolog*). – Trunkene Flut. – Gesammelte Gedichte II.

74 *Mediterran*

Zur Textgestaltung wurden benutzt:
Gesammelte Gedichte I (Erstveröffentlichung). – Frühe Lyrik und Dramen. – Gesammelte Gedichte II.

76 *Orphische Zellen*

Zur Textgestaltung wurden benutzt:
Gesammelte Gedichte I (Erstveröffentlichung). – Ausgewählte Gedichte. – Trunkene Flut. – Gesammelte Gedichte II.

78 *Schädelstätten*

Das Gedicht gehörte ursprünglich zum Zyklus *Schutt* (vergleiche Anmerkungen zu S. 62 und 63). – Den Titel *Schädelstätten* hat das Gedicht in Spaltung erhalten.
Zur Textgestaltung wurden benutzt:
Gesammelte Schriften[2] (Erstveröffentlichung unter dem Titel *Schwer*). – Spaltung. – Gesammelte Gedichte I. – Trunkene Flut. – Gesammelte Gedichte II.

80 *Qui sait*

In den Gesammelten Gedichten I steht die Widmung: *Für Carl Sternheim.*
Zur Textgestaltung wurden benutzt:
Gesammelte Gedichte I (Erstveröffentlichung). – Frühe Lyrik und Dramen. – Gesammelte Gedichte II.

82 *Chaos*

Zur Textgestaltung wurden benutzt:
Schutt (Erstveröffentlichung). – Spaltung. – Gesammelte Gedichte I. – Frühe Lyrik und Dramen. – Gesammelte Gedichte II.

84 *Nacht*

Zur Textgestaltung wurden benutzt:
Der Querschnitt III,1/2 (1923) S. 7 (Erstveröffentlichung). – Schutt. – Spaltung (unter dem Titel *Namenlos*). – Gesammelte Gedichte I. – Frühe Lyrik und Dramen. – Gesammelte Gedichte II.

86 *Banane*

Zur Textgestaltung wurden benutzt:
Spaltung (Erstveröffentlichung). – Gesammelte Gedichte I. – Frühe Lyrik und Dramen. – Gesammelte Gedichte II.

88 *Finale*

Den Titel *Finale* hat das Gedicht in Spaltung erhalten.

Zur Textgestaltung wurden benutzt:
Der Querschnitt III,1/2 (1923) S. 8 (Erstveröffentlichung unter dem Titel *Die Welten halten*). – Schutt. – Spaltung. – Gesammelte Gedichte I. – Trunkene Flut. – Gesammelte Gedichte II.

89 *Staatsbibliothek*

Zur Textgestaltung wurden benutzt:
Gesammelte Gedichte I (Erstveröffentlichung). – Frühe Lyrik und Dramen. – Gesammelte Gedichte II.

90 *Stadtarzt*

Zur Textgestaltung wurden benutzt:
Spaltung (Erstveröffentlichung). – Gesammelte Gedichte I. – Frühe Lyrik und Dramen. – Gesammelte Gedichte II.

92 *Fürst Kraft*

Zur Textgestaltung wurden benutzt:
Simplicissimus XXXI,38 (20. 12. 1926) S. 502 (Erstveröffentlichung). – Gesammelte Gedichte I. – Frühe Lyrik und Dramen. – Gesammelte Gedichte II.

94 *Ostafrika*

Zur Textgestaltung wurden benutzt:
Spaltung (Erstveröffentlichung). – Gesammelte Gedichte I. – Frühe Lyrik und Dramen. – Gesammelte Gedichte II.

96 *Dynamik*

Zur Textgestaltung wurden benutzt:
Spaltung (Erstveröffentlichung). – Gesammelte Gedichte I. – Frühe Lyrik und Dramen. – Gesammelte Gedichte II.

97 *Annonce*

Zur Textgestaltung wurden benutzt:
Der Querschnitt VI,10 (1926) S. 758 (Erstveröffent-

lichung). – Gesammelte Gedichte I. – Frühe Lyrik und Dramen. – Gesammelte Gedichte II.

99 *Erst wenn*

Zur Textgestaltung wurden benutzt:
Spaltung (Erstveröffentlichung). – Gesammelte Gedichte I. – Ausgewählte Gedichte. – Trunkene Flut. – Gesammelte Gedichte II.

100 *Zwischenreich*

Zur Textgestaltung wurden benutzt:
Gesammelte Gedichte I (Erstveröffentlichung). – Frühe Lyrik und Dramen. – Gesammelte Gedichte II.

102 *Einzelheiten*

Zur Textgestaltung wurden benutzt:
Spaltung (Erstveröffentlichung). – Gesammelte Gedichte I. – Ausgewählte Gedichte. – Trunkene Flut. – Gesammelte Gedichte II.

103 *Die Dänin I*

Zur Textgestaltung wurden benutzt:
Schutt (= Sch; Erstveröffentlichung). – Spaltung (= Sp). – Gesammelte Gedichte I (= GesG). – Trunkene Flut. – Gesammelte Gedichte II.

Str. 5 Z. 4 Sch, Sp, GesG: . . . *zu Zeugen* . . .

105 *Die Dänin II*

Zur Textgestaltung wurden benutzt:
Spaltung (Erstveröffentlichung). – Gesammelte Gedichte I. – Ausgewählte Gedichte. – Trunkene Flut. – Gesammelte Gedichte II.

107 *Wie lange noch*

Zur Textgestaltung wurden benutzt:
Gesammelte Gedichte I (Erstveröffentlichung). – Aus-

gewählte Gedichte. – Trunkene Flut. – Gesammelte Gedichte II.

109 *Wer bist du –*

Widmungsgedicht für Margarete Anton, geschrieben in ein Exemplar der Gesammelten Schriften.
Zur Textgestaltung wurden benutzt:
Der Querschnitt V,2 (1925) S. 136 (Erstveröffentlichung ohne Titel). – Gesammelte Gedichte I (unter dem Titel *Wer –*). – Frühe Lyrik und Dramen. – Gesammelte Gedichte II.

110 *Dir auch –:*

Zur Textgestaltung wurden benutzt:
Gesammelte Gedichte I (Erstveröffentlichung). – Ausgewählte Gedichte. – Trunkene Flut. – Gesammelte Gedichte II.

111 *Aus Fernen, aus Reichen*

Zur Textgestaltung wurden benutzt:
Gesammelte Gedichte I (Erstveröffentlichung). – Ausgewählte Gedichte. – Trunkene Flut. – Gesammelte Gedichte II.

113 *Nebel*

Den Titel *Nebel* hat das Gedicht in Spaltung erhalten.
Zur Textgestaltung wurden benutzt:
Schutt (Erstveröffentlichung unter dem Titel *Ach, du zerrinnender . . .).* – Spaltung. – Gesammelte Gedichte I. – Ausgewählte Gedichte. – Trunkene Flut. – Gesammelte Gedichte II.

114 *Schleierkraut*

Zur Textgestaltung wurden benutzt:
Spaltung (= Sp; Erstveröffentlichung). – Gesammelte Gedichte I. – Ausgewählte Gedichte. – Trunkene Flut. – Gesammelte Gedichte II.

Str. 3 Z. 3 Sp: *Sterbendes will Schweigen:*

115 *Levkoienwelle*

Zur Textgestaltung wurden benutzt:
Spaltung (Erstveröffentlichung). – Gesammelte Gedichte I. – Ausgewählte Gedichte. – Trunkene Flut. – Gesammelte Gedichte II.

116 *Dunkler –*

Zur Textgestaltung wurden benutzt:
Spaltung (Erstveröffentlichung). – Gesammelte Gedichte I. – Ausgewählte Gedichte. – Trunkene Flut. – Gesammelte Gedichte II.

118 *Entwurzelungen*

Dieses und die folgenden vier Gedichte hatten in dem Flugblatt Betäubung noch keine Titel, sondern haben sie erst in Spaltung bekommen.
Zur Textgestaltung wurden benutzt:
Betäubung (Erstveröffentlichung). – Spaltung. – Gesammelte Gedichte I. – Ausgewählte Gedichte. – Trunkene Flut. – Gesammelte Gedichte II.

119 *Selbsterreger*

Zur Textgestaltung wurden benutzt:
Betäubung (Erstveröffentlichung). – Spaltung. – Gesammelte Gedichte I. – Ausgewählte Gedichte. – Trunkenc Flut. – Gesammelte Gedichte II.

120 *Betäubung*

Zur Textgestaltung wurden benutzt:
Betäubung (Erstveröffentlichung). – Spaltung. – Gesammelte Gedichte I. – Trunkene Flut. – Gesammelte Gedichte II.

121 *Grenzenlos*

Zur Textgestaltung wurden benutzt:
Betäubung (Erstveröffentlichung). – Spaltung. – Ge-

sammelte Gedichte I. – Trunkene Flut. – Gesammelte Gedichte II.

122 *Schweifende Stunde*

Zur Textgestaltung wurden benutzt:
Betäubung (= B; Erstveröffentlichung). – Spaltung. – Gesammelte Gedichte I. – Frühe Lyrik und Dramen. – Gesammelte Gedichte II.

Str. 1 Z. 5 B: *streu' Zersetzung*

123 *Widmung:*

Widmungsgedicht für Margarete Anton, geschrieben in ein Exemplar der Gesammelten Schriften.
Zur Textgestaltung wurden benutzt:
Der Querschnitt V,2 (1925) S. 136 (Erstveröffentlichung ohne Titel). – Frühe Lyrik und Dramen. – Gesammelte Gedichte II.

124 *Jena*

Zur Textgestaltung wurden benutzt:
Der Querschnitt VI,10 (1926) S. 757/758 (Erstveröffentlichung). – Frühe Lyrik und Dramen. – Gesammelte Gedichte II.

125 *Die hyperämischen Reiche*

Zur Textgestaltung wurden benutzt:
Der Querschnitt VIII,3 (1928) S. 194 (Erstveröffentlichung). – Frühe Lyrik und Dramen. – Gesammelte Gedichte II.

127 *Für Klabund*

Widmungsgedicht für Klabund, geschrieben in ein Exemplar der Gesammelten Schriften.
Zur Textgestaltung wurden benutzt:
Limes-Lesebuch, Wiesbaden 1955, S. 74 (Erstveröffentlichung). – Gesammelte Gedichte II.

128 *Vision des Mannes*

Zur Textgestaltung wurden benutzt:
Gesammelte Gedichte I (Erstveröffentlichung). – Ausgewählte Gedichte. – Trunkene Flut. – Gesammelte Gedichte II.

129 *Sieh die Sterne, die Fänge*

Zur Textgestaltung wurden benutzt:
Gesammelte Gedichte I (Erstveröffentlichung). – Ausgewählte Gedichte. – Trunkene Flut. – Gesammelte Gedichte II.

130 *Stunden, Ströme –*

Erstveröffentlichung in: Der Fischzug I,5/ (1926).
Zur Textgestaltung wurden benutzt:
Gesammelte Gedichte I. – Ausgewählte Gedichte. – Trunkene Flut. – Gesammelte Gedichte II.

131 *Regressiv*

Zur Textgestaltung wurden benutzt:
Gesammelte Gedichte I (Erstveröffentlichung). – Trunkene Flut. – Gesammelte Gedichte II.

132 *Du mußt dir alles geben*

Zur Textgestaltung wurden benutzt:
Die literarische Welt V,34 (1929) S. 3 (Erstveröffentlichung). – Trunkene Flut. – Gesammelte Gedichte II.
Das Gedicht ist vertont von Paul Hindemith.

134 *Leben – niederer Wahn*

Zur Textgestaltung wurden benutzt:
Ausgewählte Gedichte[2] (Erstveröffentlichung). – Statische Gedichte. – Gesammelte Gedichte II.

135 *Wer allein ist –*

Zur Textgestaltung wurden benutzt:
Ausgewählte Gedichte[2] (Erstveröffentlichung). – Statische Gedichte. – Gesammelte Gedichte II.

136 *Spät im Jahre –*

Zur Textgestaltung wurden benutzt:
Ausgewählte Gedichte[2] (Erstveröffentlichung). – Statische Gedichte. – Gesammelte Gedichte II.

137 *Suchst du –*

Zur Textgestaltung wurden benutzt:
Ausgewählte Gedichte[2] (Erstveröffentlichung). – Statische Gedichte. – Gesammelte Gedichte II.

138 *Auf deine Lider senk ich Schlummer*

Zur Textgestaltung wurden benutzt:
Ausgewählte Gedichte[2] (Erstveröffentlichung). – Trunkene Flut[2]. – Gesammelte Gedichte II.
Das Gedicht ist vertont von Manfred Gurlitt.

139 *Anemone*

Zur Textgestaltung wurden benutzt:
Ausgewählte Gedichte[2] (Erstveröffentlichung). – Statische Gedichte. – Gesammelte Gedichte II.

140 *Einsamer nie –*

Zur Textgestaltung wurden benutzt:
Ausgewählte Gedichte[2] (Erstveröffentlichung). – Statische Gedichte. – Gesammelte Gedichte II.

141 Aus dem Oratorium *Das Unaufhörliche*

Zur Textgestaltung wurden benutzt:
Das Unaufhörliche, Mainz 1931 (Erstveröffentlichung des ganzen Oratoriums). – Ausgewählte Gedichte (Erstveröffentlichung der hier wiedergegebenen Texte). – Trunkene Flut. – Gesammelte Gedichte II.
Das ganze Oratorium siehe S. 475–498.

148 *Studien zu dem Oratorium*

Choral und *Lebewohl.*
Zur Textgestaltung wurden benutzt:

Die Literatur XXXVI,1 (1933) S. 12/13 (Erstveröffentlichung). – Ausgewählte Gedichte. – Trunkene Flut. – Gesammelte Gedichte II.

151 *Wo keine Träne fällt*

Zur Textgestaltung wurden benutzt:
Die Literatur XXXVI,1 (1933) S. 12 (Erstveröffentlichung). – Ausgewählte Gedichte. – Trunkene Flut[2]. – Gesammelte Gedichte II.

153 *Sils-Maria I–II*

Zur Textgestaltung wurden benutzt:
Die Literatur XXXVI,1 (1933) S. 13/14 (Erstveröffentlichung). – Ausgewählte Gedichte. – Statische Gedichte. – Gesammelte Gedichte II.

154 *Die Schale*

Zur Textgestaltung wurden benutzt:
Die Literatur XXXVI,1 (1933) S. 14 (Erstveröffentlichung). – Ausgewählte Gedichte. – Trunkene Flut. – Gesammelte Gedichte II.

155 *Ein Land –*

Das Typoskript einer noch nicht druckfertigen Fassung mit handschriftlichen Korrekturen im Besitz von Frau Dr. Ilse Benn enthält den Vermerk: 16. 2. 33 G. B.
Zur Textgestaltung wurden benutzt:
Die Literatur XXXVI,1 (1933) S. 14 (Erstveröffentlichung). – Ausgewählte Gedichte. – Trunkene Flut[2]. – Gesammelte Gedichte II.

156 *Immer schweigender*

Ein Typoskript mit handschriftlichen Korrekturen im Besitz von Frau Dr. Ilse Benn ist datiert: 20 XI. 29.
Zur Textgestaltung wurden benutzt:
Die Kolonne I,9 (Dez. 1930) S. 62 (Erstveröffent-

lichung). – Ausgewählte Gedichte. – Trunkene Flut. – Gesammelte Gedichte II.

157 *Durch jede Stunde –*

Zur Textgestaltung wurden benutzt:
Die Literatur XXXVI,1 (1933) S. 14/15 (Erstveröffentlichung). – Ausgewählte Gedichte. – Trunkene Flut. – Gesammelte Gedichte II.

159 *Am Brückenwehr I – IV*

Die Niederschrift in schwarzer Kladde ist datiert: Oberstdorf 4/6 X.34.
Zur Textgestaltung wurden benutzt:
Die Literatur XXXVII,2 (1934) S. 72/73 (Erstveröffentlichung). – Ausgewählte Gedichte. – Trunkene Flut. – Gesammelte Gedichte II.

164 *Die weißen Segel*

In den Ausgewählten Gedichten steht die Widmung: *(Für Herrn F. W. Oelze).*
Zur Textgestaltung wurden benutzt:
Das Gedicht (Erstveröffentlichung). – Ausgewählte Gedichte. – Trunkene Flut. – Gesammelte Gedichte II.

166 *Noch einmal*

Die Niederschrift in schwarzer Kladde ist datiert: 4.I 34.
Zur Textgestaltung wurden benutzt:
Das Gedicht (Erstveröffentlichung). – Ausgewählte Gedichte. – Trunkene Flut. – Gesammelte Gedichte II.

167 *Am Saum des nordischen Meers*

Zur Textgestaltung wurden benutzt:
Das Gedicht (Erstveröffentlichung). – Ausgewählte Gedichte. – Statische Gedichte. – Gesammelte Gedichte II.

169 *Dein ist –*

Zur Textgestaltung wurden benutzt:
Das Gedicht (Erstveröffentlichung). – Ausgewählte Gedichte. – Trunkene Flut. – Gesammelte Gedichte II.

170 *Doppelkonzert*

Zur Textgestaltung wurden benutzt:
Das Gedicht (Erstveröffentlichung). – Ausgewählte Gedichte. – Trunkene Flut. – Gesammelte Gedichte II.

171 *In memoriam Höhe 317*

Zur Textgestaltung wurden benutzt:
Eckart X,1 (1934) S. 32 (= E; Erstveröffentlichung). – Das Gedicht. – Ausgewählte Gedichte. – Statische Gedichte. – Gesammelte Gedichte II.

Str. 1 Z. 2 E: *nicht in Sarg . . .*
Str. 2 Z. 7/8 E: *um die Berge spinnt,*
rinnt ein Aschenflor.

Das Gedicht ist vertont von Hermann Heiß.

172 *Träume, Träume –*

Die Niederschrift in schwarzer Kladde ist datiert: 1.XII.34.
Zur Textgestaltung wurden benutzt:
Das Gedicht (Erstveröffentlichung). – Ausgewählte Gedichte. – Trunkene Flut. – Gesammelte Gedichte II.

174 *Astern*

Zur Textgestaltung wurden benutzt:
Das Gedicht (Erstveröffentlichung). – Ausgewählte Gedichte. – Statische Gedichte. – Gesammelte Gedichte II.

175 *Liebe*

Zur Textgestaltung wurden benutzt:
Dramaturgische Blätter des Oldenburger Landestheaters 1927/28, H. 9, S. 1 (Erstveröffentlichung). – Das

Gedicht. – Ausgewählte Gedichte. – Statische Gedichte. – Gesammelte Gedichte II.

176 *Tag, der den Sommer endet*

Zur Textgestaltung wurden benutzt:
Das Gedicht (Erstveröffentlichung). – Ausgewählte Gedichte. – Statische Gedichte. – Gesammelte Gedichte II.

177 *Turin [I]*

Zur Textgestaltung wurden benutzt:
Das Gedicht (Erstveröffentlichung). – Ausgewählte Gedichte. – Statische Gedichte. – Gesammelte Gedichte II.

178 *Einst*

Zur Textgestaltung wurden benutzt:
Eckart X,1 (1934) S. 33 (Erstveröffentlichung). – Das Gedicht. – Ausgewählte Gedichte. – Trunkene Flut. – Gesammelte Gedichte II.

179 *Das Ganze*

Zur Textgestaltung wurden benutzt:
Das Gedicht (Erstveröffentlichung). – Ausgewählte Gedichte. – Trunkene Flut. – Gesammelte Gedichte II.

180 *Mann – [II]*

Zur Textgestaltung wurden benutzt:
Die Literatur XXXVI,1 (1933) S. 15 (Erstveröffentlichung). – Ausgewählte Gedichte. – Trunkene Flut. – Gesammelte Gedichte II.

181 *Ach, das Erhabene*

Zur Textgestaltung wurden benutzt:
Das Gedicht (Erstveröffentlichung). – Ausgewählte Gedichte. – Statische Gedichte. – Gesammelte Gedichte II.

182 *Dennoch die Schwerter halten*

Das Typoskript einer noch nicht druckfertigen, undatierten Fassung im Besitz von Frau Dr. Ilse Benn trägt den Titel: *Sils Maria.*
Zur Textgestaltung wurden benutzt:
Die Literatur XXXVI,1 (1933) S. 12 (Erstveröffentlichung). – Ausgewählte Gedichte. – Trunkene Flut. – Gesammelte Gedichte II.

183 *Ach, das ferne Land –*

Enthalten in einem Typoskript der Statischen Gedichte (datiert 3.1.45) im Besitz von Dr. F. W. Oelze, Bremen.
Zur Textgestaltung wurden benutzt:
Statische Gedichte (Erstveröffentlichung). – Gesammelte Gedichte II.

185 *Quartär I – III*

Ein Typoskript mit handschriftlichen Korrekturen im Besitz von Frau Dr. Ilse Benn enthält den Vermerk: 23 X 46 G.B.
Zur Textgestaltung wurden benutzt:
Statische Gedichte (Erstveröffentlichung). – Gesammelte Gedichte II.
Das Gedicht ist vertont von Peter Ronnefeld.

188 *Chopin*

Enthalten in einem Typoskript der Statischen Gedichte (vergleiche Anmerkung zu S. 183).
Zur Textgestaltung wurden benutzt:
Statische Gedichte (Erstveröffentlichung). – Gesammelte Gedichte II.

191 *Orpheus' Tod*

Ein Typoskript mit handschriftlichen Korrekturen im Besitz von Frau Dr. Ilse Benn ist datiert: 26.8.46.
Zur Textgestaltung wurden benutzt:

Statische Gedichte (Erstveröffentlichung). – Gesammelte Gedichte II.

194 *Verse*

Enthalten in den hektographierten *Biographischen Gedichten* (datiert Weihnachten 1941) im Besitz von Dr. F. W. Oelze.
Zur Textgestaltung wurden benutzt:
Zweiundzwanzig Gedichte (Erstveröffentlichung). – Statische Gedichte. – Gesammelte Gedichte II.

196 *Gedichte*

Enthalten in den *Biographischen Gedichten* (vergleiche Anmerkung zu S. 194).
Zur Textgestaltung wurden benutzt:
Zweiundzwanzig Gedichte (Erstveröffentlichung). – Statische Gedichte. – Gesammelte Gedichte II.

197 *Bilder*

Enthalten in den *Biographischen Gedichten* (vergleiche Anmerkung zu S. 194).
Zur Textgestaltung wurden benutzt:
Zweiundzwanzig Gedichte (Erstveröffentlichung). – Statische Gedichte. – Gesammelte Gedichte II.

198 *Welle der Nacht*

In den Zweiundzwanzig Gedichten steht die Widmung: *Für Alexander Lernet-Holenia.*
Zur Textgestaltung wurden benutzt:
Zweiundzwanzig Gedichte (Erstveröffentlichung). – Statische Gedichte. – Gesammelte Gedichte II.

199 *Die Gefährten*

Das Typoskript einer noch nicht druckfertigen Fassung mit handschriftlichen Korrekturen im Besitz von Frau Dr. Ilse Benn ist datiert: 29. III 37.
Zur Textgestaltung wurden benutzt:

Zweiundzwanzig Gedichte (Erstveröffentlichung). – Statische Gedichte. – Gesammelte Gedichte II.

200 *Dann –*

Enthalten in einem Typoskript der Statischen Gedichte (vergleiche Anmerkung zu S. 183).
Zur Textgestaltung wurden benutzt:
Statische Gedichte (Erstveröffentlichung). – Gesammelte Gedichte II.

201 *V. Jahrhundert I – III*

Enthalten in einem Typoskript der Statischen Gedichte (verglciche Anmerkung zu S. 183).
Zur Textgestaltung wurden benutzt:
Statische Gedichte (Erstveröffentlichung). – Gesammelte Gedichte II.

203 *September I – II*

Enthalten in einem Typoskript der Statischen Gedichte (vergleiche Anmerkung zu S. 183).
Zur Textgestaltung wurden benutzt:
Statische Gedichte (Erstveröffentlichung). – Gesammelte Gedichte II.

206 *Alle die Gräber*

Zur Textgestaltung wurden benutzt:
Zweiundzwanzig Gedichte (Erstveröffentlichung). – Statische Gedichte. – Gesammelte Gedichte II.

207 *Wenn etwas leicht*

Zur Textgestaltung wurden benutzt:
Zweiundzwanzig Gedichte (Erstveröffentlichung). – Statische Gedichte. – Gesammelte Gedichte II.
Das Gedicht ist vertont von Hermann Heiß.

208 *Ein Wort*

Enthalten in den *Biographischen Gedichten* (vergleiche Anmerkung zu S. 194).

Zur Textgestaltung wurden benutzt:
Zweiundzwanzig Gedichte (Erstveröffentlichung). – Statische Gedichte. – Gesammelte Gedichte II.
Das Gedicht ist vertont von Hermann Heiß.

209 *Gärten und Nächte*

Zur Textgestaltung wurden benutzt:
Zweiundzwanzig Gedichte (Erstveröffentlichung). – Statische Gedichte. – Gesammelte Gedichte II.

211 *Ein später Blick*

Die Niederschrift in gestreifter Kladde ist datiert: 30. V. 43.
Zur Textgestaltung wurden benutzt:
Zweiundzwanzig Gedichte (Erstveröffentlichung). – Statische Gedichte. – Gesammelte Gedichte II.

212 *Nachzeichnung I – II*

Zur Textgestaltung wurden benutzt:
Zweiundzwanzig Gedichte (Erstveröffentlichung). – Statische Gedichte. – Gesammelte Gedichte II.

215 *Verlorenes Ich*

Erste Niederschrift in der Kladde aus dem Jahre 1943.
Zur Textgestaltung wurden benutzt:
Zweiundzwanzig Gedichte (Erstveröffentlichung). – Statische Gedichte. – Gesammelte Gedichte II.

217 *Henri Matisse: „Asphodèles“*

Zur Textgestaltung wurden benutzt:
Zweiundzwanzig Gedichte (Erstveröffentlichung). – Statische Gedichte. – Gesammelte Gedichte II.

218 *Ist das nicht schwerer*

Ein Typoskript mit handschriftlichen Korrekturen im Besitz von Frau Dr. Ilse Benn ist datiert: 3. V. 37.

Zur Textgestaltung wurden benutzt:
Zweiundzwanzig Gedichte (Erstveröffentlichung). – Statische Gedichte. – Gesammelte Gedichte II.
Das Gedicht ist vertont von Hermann Heiß.

219 *St. Petersburg – Mitte des Jahrhunderts*

Zur Textgestaltung wurden benutzt:
Statische Gedichte (Erstveröffentlichung). – Gesammelte Gedichte II.

223 *Mittelmeerisch*

Zur Textgestaltung wurden benutzt:
Zweiundzwanzig Gedichte (Erstveröffentlichung). – Statische Gedichte. – Gesammelte Gedichte II.

224 *Unanwendbar*

Enthalten in den *Biographischen Gedichten* (vergleiche Anmerkung zu S. 194).
Zur Textgestaltung wurden benutzt:
Zweiundzwanzig Gedichte (Erstveröffentlichung). – Statische Gedichte. – Gesammelte Gedichte II.

226 *Monolog*

Ein Typoskript im Besitz von Frau Dr. Ilse Benn ist datiert: 1941.
Zur Textgestaltung wurden benutzt:
Zweiundzwanzig Gedichte (Erstveröffentlichung). – Doppelleben, Wiesbaden 1950, S. 130–133. – Gesammelte Gedichte II.

229 *Der Traum*

Enthalten in einem Typoskript der Statischen Gedichte (vergleiche Anmerkung zu S. 183).
Zur Textgestaltung wurden benutzt:
Statische Gedichte (Erstveröffentlichung). – Gesammelte Gedichte II.

231 *O gib –*

Enthalten in einem Typoskript der Statischen Gedichte (vergleiche Anmerkung zu S. 183).
Zur Textgestaltung wurden benutzt:
Statische Gedichte (Erstveröffentlichung). – Gesammelte Gedichte II.

232 *Sommers*

Zur Textgestaltung wurden benutzt:
Statische Gedichte (Erstveröffentlichung). – Gesammelte Gedichte II.

233 *Abschied*

Enthalten in den *Biographischen Gedichten* (vergleiche Anmerkung zu S. 194).
Zur Textgestaltung wurden benutzt:
Zweiundzwanzig Gedichte (Erstveröffentlichung). – Statische Gedichte. – Gesammelte Gedichte II.

235 *Die Form –*

Enthalten in einem Typoskript der Statischen Gedichte (vergleiche Anmerkung zu S. 183).
Zur Textgestaltung wurden benutzt:
Statische Gedichte (Erstveröffentlichung). – Gesammelte Gedichte II.

236 *Statische Gedichte*

Enthalten in einem Typoskript der Statischen Gedichte (vergleiche Anmerkung zu S. 183).
Zur Textgestaltung wurden benutzt:
Statische Gedichte (Erstveröffentlichung). – Gesammelte Gedichte II.

237 *Rosen*

Das Manuskript im Besitz von Dr. F. W. Oelze trägt die Widmung: *Für Frau Charlotte Stephanie Oelze und den Garten von Oberneuland. 30.V.1946. G.B.*

Zur Textgestaltung wurden benutzt:
Trunkene Flut (Erstveröffentlichung). – Gesammelte Gedichte II.

238 *Acheron*

Zur Textgestaltung wurden benutzt:
Statische Gedichte (Ausgabe für Deutschland; Erstveröffentlichung). – Trunkene Flut[2]. – Gesammelte Gedichte II.

239 *Gewisse Lebensabende I – II*

Ein Typoskript im Besitz von Frau Dr. Ilse Benn enthält den Vermerk: VI/46. G.B.
Zur Textgestaltung wurden benutzt:
Statische Gedichte (Ausgabe für Deutschland; Erstveröffentlichung). – Trunkene Flut[2]. – Gesammelte Gedichte II.

243 *Du übersiehst dich nicht mehr*

Zur Textgestaltung wurden benutzt:
Die Zeit VI, Nr. 17 (26. 4. 1951) S. 4 (Erstveröffentlichung). – Fragmente. – Gesammelte Gedichte II.

244 *Ein Schatten an der Mauer*

Ein Typoskript mit handschriftlichen Korrekturen im Besitz von Frau Dr. Ilse Benn enthält den Vermerk: 30.VI.50 G B.
Erstveröffentlichung in: Die Neue Zeitung, Frankfurter Ausg., Nr. 364/65 (23. 12. 1950) S. A 5.
Zur Textgestaltung wurden benutzt:
Fragmente. – Gesammelte Gedichte II.

245 *Fragmente*

Im Besitz von Frau Dr. Ilse Benn befinden sich verschiedene Fassungen des Gedichtes (Manu- und Typoskripte); die älteste ist datiert und signiert: 24.VI. 50 G B.
Zur Textgestaltung wurden benutzt:

Fragmente (Erstveröffentlichung). – Gesammelte Gedichte II.

247 *Denk der Vergeblichen*

Das Typoskript einer nicht druckfertigen Fassung mit handschriftlichen Korrekturen im Besitz von Frau Dr. Ilse Benn ist datiert: 13 IV 50.
Erstveröffentlichung in: Die Neue Zeitung, Frankfurter Ausg. Nr. 13 (16. 1. 1951) S. 4.
Zur Textgestaltung wurden benutzt:
Fragmente. – Gesammelte Gedichte II.
Das Gedicht ist vertont von Hermann Heiß.

248 *Verhülle dich –*

Zur Textgestaltung wurden benutzt:
Fragmente (Erstveröffentlichung). – Gesammelte Gedichte II.

249 *Satzbau*

Zur Textgestaltung wurden benutzt:
Fragmente (Erstveröffentlichung). – Gesammelte Gedichte II.

251 *Finis Poloniae*

Zur Textgestaltung wurden benutzt:
Fragmente (Erstveröffentlichung). – Gesammelte Gedichte II.

252 *Der Dunkle I – IV*

Ein Typoskript im Besitz von Frau Dr. Ilse Benn ist datiert: 18 V 50.
Zur Textgestaltung wurden benutzt:
Fragmente (Erstveröffentlichung). – Gesammelte Gedichte II.

255 *Konfetti*

Zur Textgestaltung wurden benutzt:
Fragmente (Erstveröffentlichung). – Gesammelte Gedichte II.

256 *Notturno [II]*

Ein Typoskript im Besitz von Frau Dr. Ilse Benn enthält die handschriftliche Eintragung: 18.IV.50 G B.
Zur Textgestaltung wurden benutzt:
Fragmente (Erstveröffentlichung). – Gesammelte Gedichte II.

257 *Gladiolen*

Zwei Typoskripte mit handschriftlichen Korrekturen im Besitz von Frau Dr. Ilse Benn sind signiert und datiert: G.B. 22.VII (vermutlich 1950).
Zur Textgestaltung wurden benutzt:
Fragmente (Erstveröffentlichung). – Gesammelte Gedichte II.

258 *Restaurant*

Ein nicht druckfertiges Manuskript im Besitz von Frau Dr. Ilse Benn ist datiert: 14. IV. 50.
Zur Textgestaltung wurden benutzt:
Fragmente (Erstveröffentlichung). – Gesammelte Gedichte II.

259 *Blaue Stunde I – III*

Ein Typoskript im Besitz von Dr. F. W. Oelze, dem Benn es am 19. II. 1950 sandte, trägt den Titel: *Une heure bleue.*
Zur Textgestaltung wurden benutzt:
Fragmente (Erstveröffentlichung). – Gesammelte Gedichte II.

261 *Ideelles Weiterleben?*

Zur Textgestaltung wurden benutzt:
Fragmente (Erstveröffentlichung). – Gesammelte Gedichte II.

263 *Die Gitter*

Zur Textgestaltung wurden benutzt:

Fragmente (Erstveröffentlichung). – Gesammelte Gedichte II.

264 *Stilleben*

Zur Textgestaltung wurden benutzt:
Fragmente (Erstveröffentlichung). – Gesammelte Gedichte II.

266 *Wir ziehn einen großen Bogen –*

Zur Textgestaltung wurden benutzt:
Fragmente (Erstveröffentlichung). – Gesammelte Gedichte II.

268 *Begegnungen*

Ein Typoskript im Besitz von Frau Dr. Ilse Benn ist datiert: 14/15 X (vermutlich 1950).
Zur Textgestaltung wurden benutzt:
Fragmente (Erstveröffentlichung). – Gesammelte Gedichte II.

270 *Eine Hymne*

Zur Textgestaltung wurden benutzt:
Fragmente (Erstveröffentlichung). – Gesammelte Gedichte II.

271 *Jener*

Ein Typoskript mit handschriftlichen Korrekturen im Besitz von Frau Dr. Ilse Benn enthält den Vermerk: 20.I.53 G.B.
Zur Textgestaltung wurden benutzt:
Destillationen (Erstveröffentlichung). – Gesammelte Gedichte II.

272 *Melodien*

Ein Typoskript mit handschriftlichen Korrekturen im Besitz von Frau Dr. Ilse Benn enthält den Vermerk: 12.12.52 G B.

Zur Textgestaltung wurden benutzt:
Destillationen (Erstveröffentlichung). – Gesammelte Gedichte II.

273 *Es gibt –*

Ein Manuskript im Besitz von Frau Dr. Ilse Benn enthält den Vermerk: 4. XI 52. G.B.
Zur Textgestaltung wurden benutzt:
Destillationen (Erstveröffentlichung). – Gesammelte Gedichte II.

274 *Nimm fort die Amarylle*

Ein Typoskript mit handschriftlichen Korrekturen im Besitz von Frau Dr. Ilse Benn enthält den Vermerk: 26/I 53 G.B.
Zur Textgestaltung wurden benutzt:
Destillationen (Erstveröffentlichung). – Gesammelte Gedichte II.

275 *Destille I – IV*

Die Typoskripte mit handschriftlichen Korrekturen im Besitz von Frau Dr. Ilse Benn sind datiert: Nr. I und II: 11/1 53, Nr. III: 23 I 53, Nr. IV: 4.II 53.
Zur Textgestaltung wurden benutzt:
Destillationen (Erstveröffentlichung). – Gesammelte Gedichte II.

279 *An –*

Zur Textgestaltung wurden benutzt:
Destillationen (Erstveröffentlichung). – Gesammelte Gedichte II.

280 *Was schlimm ist*

Zur Textgestaltung wurden benutzt:
Destillationen (Erstveröffentlichung). – Gesammelte Gedichte II.

281 *Schmerzliche Stunde*

Das Manuskript einer nicht druckfertigen Fassung im Besitz von Frau Dr. Ilse Benn ist datiert: 22/ 10 52.
Zur Textgestaltung wurden benutzt:
Destillationen (Erstveröffentlichung). – Gesammelte Gedichte II.

282 *Entfernte Lieder*

Ein Typoskript im Besitz von Frau Dr. Ilse Benn enthält den Vermerk: 27 XII 52 G B.
Zur Textgestaltung wurden benutzt:
Destillationen (Erstveröffentlichung). – Gesammelte Gedichte II.

283 *Wirklichkeit*

Ein Typoskript im Besitz des Limes Verlages enthält den Vermerk: 30/12/52 G.B.
Zur Textgestaltung wurden benutzt:
Destillationen (Erstveröffentlichung). – Gesammelte Gedichte II.

284 *Bar*

Ein Typoskript mit handschriftlichen Korrekturen im Besitz von Frau Dr. Ilse Benn enthält den Vermerk: 13/1 53 G.B.
Zur Textgestaltung wurden benutzt:
Destillationen (Erstveröffentlichung). – Gesammelte Gedichte II.

286 *Lebe wohl –*

Zur Textgestaltung wurden benutzt:
Merkur VI,9 (1952) S. 821 (Erstveröffentlichung). – Destillationen. – Gesammelte Gedichte II.

287 *Viele Herbste*

Zur Textgestaltung wurden benutzt:
Destillationen (Erstveröffentlichung). – Gesammelte Gedichte II.

288 *Außenminister*

Ein Typoskript mit handschriftlichen Korrekturen im Besitz von Frau Dr. Ilse Benn enthält den Vermerk: 27 VII 52 G B.
Zur Textgestaltung wurden benutzt:
Merkur VI,9 (1952) S. 823 (Erstveröffentlichung). – Destillationen. – Gesammelte Gedichte II.

291 *März. Brief nach Meran*

Zur Textgestaltung wurden benutzt:
Merkur VI,9 (1952) S. 822/823 (Erstveröffentlichung). – Destillationen. – Gesammelte Gedichte II.

292 *Traum*

Ein Typoskript im Besitz von Frau Dr. Ilse Benn ist datiert: 11 I 53.
Zur Textgestaltung wurden benutzt:
Destillationen (Erstveröffentlichung). – Gesammelte Gedichte II.

293 *Auferlegt*

Ein Typoskript mit handschriftlichen Korrekturen im Besitz von Frau Dr. Ilse Benn enthält den Vermerk: 21. I. 53 G B.
Zur Textgestaltung wurden benutzt:
Destillationen (Erstveröffentlichung). – Gesammelte Gedichte II.

294 *Verzweiflung I – III*

Ein Typoskript mit handschriftlichen Korrekturen im Besitz von Frau Dr. Ilse Benn ist datiert: 19. VII 52.
Zur Textgestaltung wurden benutzt:
Merkur VI,9 (1952) S. 824–826 (Erstveröffentlichung). – Destillationen. – Gesammelte Gedichte II.

297 *Eingeengt*

Ein Typoskript im Besitz von Frau Dr. Ilse Benn enthält den Vermerk: 1 I 53 G B.

Erstveröffentlichung in: Der Tagesspiegel Nr. 2249 (1. 2. 1953) 1. Beibl. S. 2.
Zur Textgestaltung wurden benutzt:
Destillationen. – Gesammelte Gedichte II.

298 *Gedicht*

Zur Textgestaltung wurden benutzt:
Aprèslude (Erstveröffentlichung). – Gesammelte Gedichte II.
Das Gedicht ist vertont von Boris Blacher (op. 57).

299 *Worte*

Ein Manuskript im Besitz von Frau Dr. Ilse Benn ist datiert: 29.3. (ohne Jahr) und signiert: G B.
Zur Textgestaltung wurden benutzt:
Aprèslude (Erstveröffentlichung). – Gesammelte Gedichte II.
Das Gedicht ist vertont von Boris Blacher (op. 57).

300 *Aber du –?*

Erstveröffentlichung in: Die Welt am Sonntag Nr. 37 (12. 9. 1954) S. 9.
Zur Textgestaltung wurden benutzt:
Aprèslude. – Gesammelte Gedichte II.

301 *Heim*

Ein Manuskript im Besitz von Frau Dr. Ilse Benn enthält den Vermerk: 17.II.55 G.B.
Zur Textgestaltung wurden benutzt:
Aprèslude (Erstveröffentlichung). – Gesammelte Gedichte II.

302 *Melancholie*

Ein Typoskript im Besitz von Frau Dr. Ilse Benn enthält den Vermerk: 3/6 54 G.B.
Zur Textgestaltung wurden benutzt:

Merkur VIII,9 (1954) S. 832-834 (Erstveröffentlichung). – Après lude. – Gesammelte Gedichte II.

305 *„Der Broadway singt und tanzt"*

Ein überklebtes Typoskript im Besitz des Limes Verlages enthält den Vermerk: 25 I 53 G B.
Zur Textgestaltung wurden benutzt:
Après lude (Erstveröffentlichung). – Gesammelte Gedichte II.

307 *Nike*

Der handschriftliche Entwurf in der schwarzen Kladde aus dem Jahre 1955 ist datiert: 14/6.
Zur Textgestaltung wurden benutzt:
Après lude (Erstveröffentlichung). – Gesammelte Gedichte II.

308 *Impromptu*

Das Gedicht trägt die Widmung: *Gewidmet der Feuilletonredaktion der ‚Neuen Zeitung' als Dank zum Abschied G.B.*
Ein Typoskript im Besitz von Frau Dr. Ilse Benn enthält außer der Widmung die Datierung: 21 I 55.
Erstveröffentlichung in: Die Neue Zeitung, Berliner Ausg., Nr. 25 (30. 1. 1955) S. 17.
Zur Textgestaltung wurden benutzt:
Après lude. – Gesammelte Gedichte II.

309 *Bauxit*

Zur Textgestaltung wurden benutzt:
Après lude (Erstveröffentlichung). – Gesammelte Gedichte II.

311 *Eure Etüden*

Zur Textgestaltung wurden benutzt:
Après lude (Erstveröffentlichung). – Gesammelte Gedichte II.
Das Gedicht ist vertont von Boris Blacher (op. 57).

312 *Olympisch*

Zur Textgestaltung wurden benutzt:
Aprèslude (Erstveröffentlichung). – Gesammelte Gedichte II.

313 *Nur noch flüchtig alles*

Zur Textgestaltung wurden benutzt:
Aprèslude (Erstveröffentlichung). – Gesammelte Gedichte II.

315 *Verließ das Haus I – III*

Ein Typoskript mit handschriftlichen Korrekturen im Besitz von Frau Dr. Ilse Benn enthält den Vermerk: 28 X 54 G.B.
Zur Textgestaltung wurden benutzt:
Akzente II,1 (1955) S. 37/38 (Erstveröffentlichung). – Aprèslude. – Gesammelte Gedichte II.

318 *Bitte wo –*

Zur Textgestaltung wurden benutzt:
Aprèslude (Erstveröffentlichung). – Gesammelte Gedichte II.

319 *In einer Nacht*

Ein Manuskript mit Korrekturen im Besitz von Frau Dr. Ilse Benn enthält den Vermerk: 19.XII.54 G.B.
Zur Textgestaltung wurden benutzt:
Aprèslude (Erstveröffentlichung). – Gesammelte Gedichte II.

320 *Kommt –*

Zur Textgestaltung wurden benutzt:
Aprèslude (Erstveröffentlichung). – Gesammelte Gedichte II.

321 *Menschen getroffen*

Zur Textgestaltung wurden benutzt:
Aprèslude (Erstveröffentlichung). – Gesammelte Gedichte II.

322 *Zwei Träume*

Erstveröffentlichung in: Frankfurter Allgemeine Zeitung Nr. 240 (15. 10. 54) S. 12 unter dem Titel *Warum gabst du uns die tiefen Blicke.*
Zur Textgestaltung wurden benutzt:
Aprèslude. – Gesammelte Gedichte II.

323 *„Abschluß"*

Zur Textgestaltung wurden benutzt:
Aprèslude (Erstveröffentlichung). – Gesammelte Gedichte II.

324 *Ebereschen*

Erstveröffentlichung in: Welt am Sonntag Nr. 37 (12. 9. 1954) S. 9.
Zur Textgestaltung wurden benutzt:
Aprèslude. – Gesammelte Gedichte II.

325 *Letzter Frühling*

Ein Typoskript mit handschriftlichen Korrekturen im Besitz von Frau Dr. Ilse Benn ist datiert 20. 3 bzw. 20. 5. die Zahl ist nicht deutlich zu erkennen, vermutlich 1954.
Zur Textgestaltung wurden benutzt:
Aprèslude (Erstveröffentlichung). – Gesammelte Gedichte II.
Das Gedicht ist vertont von Boris Blacher (op. 57).

326 *Aprèslude*

Der handschriftliche Entwurf in der roten Kladde aus dem Jahre 1955 ist nicht datiert. Ein Manuskript mit Korrekturen im Besitz von Frau Dr. Ilse Benn ist datiert: II 5.
Zur Textgestaltung wurden benutzt:
Aprèslude (Erstveröffentlichung). – Gesammelte Gedichte II.

327 *Reisen*

Erstveröffentlichung in: Die Neue Zeitung, Frankfurter Ausg., Nr. 364/65 (23. 12. 1950) S. A 5.
Zur Textgestaltung wurden benutzt:
Fragmente. – Gesammelte Gedichte II.

328 *Die Züge deiner . . .*

In einem zerschnittenen Handexemplar der Zweiundzwanzig Gedichte steht die handschriftliche Bemerkung Benns: *Kleines Liebesgedicht aus Hannover, 1936! Be.*
Zur Textgestaltung wurden benutzt:
Zweiundzwanzig Gedichte (Erstveröffentlichung). – Aprèslude. – Gesammelte Gedichte II.

329 *Spät I – VI*

Ein Typoskript im Besitz von Dr. F. W. Oelze enthält auf dem letzten Blatt den Vermerk: G B IX/51. *Zur Erinnerung an Oberneuland 1 – 3 IX 51. Benn.* – Ein Typoskript mit handschriftlichen Korrekturen im Besitz von Frau Dr. Ilse Benn ist datiert: 4/5 IX 51.
Zur Textgestaltung wurden benutzt:
Das literarische Deutschland II (20. 10. 1951) S. 3 (Erstveröffentlichung). – Destillationen (ohne Teil IV). – Gesammelte Gedichte II.

335 *Zerstörungen*

Zur Textgestaltung wurden benutzt:
Fragmente (Erstveröffentlichung). – Gesammelte Gedichte II.

336 *Das sind doch Menschen*

Erstveröffentlichung in: Frankfurter Allgemeine Zeitung Nr. 240 (15. 10. 1954) S. 12.
Zur Textgestaltung wurden benutzt:
Aprèslude. – Gesammelte Gedichte II.

338 *Tristesse*

Ein Manuskript mit Korrekturen im Besitz von Frau Dr. Ilse Benn ist datiert: 28.10.54.
Zur Textgestaltung wurden benutzt:
Aprèslude (Erstveröffentlichung). – Gesammelte Gedichte II.

339 *Teils – teils*

Zur Textgestaltung wurden benutzt:
Merkur VIII,9 (1954) S. 831/832 (Erstveröffentlichung). – Aprèslude. – Gesammelte Gedichte II.

341 *Keiner weine –*

Zur Textgestaltung wurden benutzt:
Merkur VI,9 (1952) S. 821/822 (Erstveröffentlichung). – Destillationen. – Gesammelte Gedichte II.

342 *Nur zwei Dinge*

Ein Typoskript im Besitz von Frau Dr. Ilse Benn enthält den Vermerk: 2 / I 53 G.B.
Erstveröffentlichung in: Die Neue Zeitung, Frankfurter Ausg. Nr. 72 (26. 3. 1953) S. 4.
Zur Textgestaltung wurden benutzt:
Destillationen. – Gesammelte Gedichte II.

343 *Epilog 1949*

Im Besitz von Dr. F. W. Oelze befindet sich ein Typoskript mit dem Titel *Vier Privatgedichte,* das die Gedichte II, III, IV (mit Überschriften statt der Numerierung) von *Epilog 1949* enthält und außerdem das im Anhang auf S. 445 wiedergegebene Gedicht *Erinnerungen.* Das Typoskript trägt auf dem ersten Blatt den Vermerk: G.B. 17 II 49.
Zur Textgestaltung wurden benutzt:
Trunkene Flut (Erstveröffentlichung). – Gesammelte Gedichte II.

349 *Rauhreif*

Zur Textgestaltung wurde benutzt:
Die Grenzboten, Zeitschrift für Politik, Literatur und Kunst LXIX,7 (16. 2. 1910) S. 312 (einzige Veröffentlichung).

350 *Gefilde der Unseligen*

Zur Textgestaltung wurde benutzt:
Die Grenzboten, Zeitschrift für Politik, Literatur und Kunst LXIX,7 (16. 2. 1910) S. 312 (einzige Veröffentlichung).

351 *Blinddarm*

Zur Textgestaltung wurde benutzt:
Morgue (einzige Veröffentlichung).

353 *Mann [I]*

Zur Textgestaltung wurde benutzt:
Die Aktion II,26 (26. 6. 1912) Sp. 819/20 (einzige Veröffentlichung).

356 *Nachtcafé I. Die Patentante . . .*

Erstveröffentlichung in: Pan II (April-Sept. 1912) S. 1055 unter dem Titel *Café*.
Zur Textgestaltung wurden benutzt:
Söhne. – Fleisch. – Gesammelte Schriften. – Gesammelte Gedichte I. – Frühe Lyrik und Dramen.
In Fleisch und in allen späteren Veröffentlichungen steht das Gedicht an zweiter Stelle im Zyklus *Nachtcafé*. Vergleiche Anmerkung zu S. 18.

358 *Kasino*

Einzige Veröffentlichung in: Pan II (April–Sept. 1912) S. 1056/57.
Zur Textgestaltung wurde benutzt:
Eine kollationierte Abschrift von W. Badenhop, Marbach.

360 *Eine Leiche singt*

Zur Textgestaltung wurde benutzt:
Die Aktion III,2 (8. 1. 1912) Sp. 40 (einzige Veröffentlichung zu Lebzeiten). Drittes Gedicht des Zyklus *Morgue II,* der Adolf Petrenz gewidmet ist. – Auch veröffentlicht in: Primäre Tage.

361 *Merkwürdig – murmelt*

Zur Textgestaltung wurde benutzt:
Die Aktion III,2 (8. 1. 1913) Sp. 40 (einzige Veröffentlichung). Viertes Gedicht des Zyklus *Morgue II.*

362 *Café des Westens*

Zur Textgestaltung wurde benutzt:
Pan III,15 (10. 1. 1913) S. 366 (einzige Veröffentlichung).

363 *Dirnen*

Zur Textgestaltung wurde benutzt:
Pan III,15 (10. 1. 1913) S. 366 (einzige Veröffentlichung).

364 *Einer sang: Ich liebe eine Hure . . .*

Zur Textgestaltung wurde benutzt:
Die Aktion III,9 (26. 2. 1913) Sp. 269/70 (einzige Veröffentlichung).
Dieses und die folgenden sechs Gedichte entstammen dem Zyklus *Alaska.* Vergleiche Anmerkung zu S. 20 und den Editorischen Bericht S. 532.

365 *Don Juan gesellte sich zu uns*

Zur Textgestaltung wurden benutzt:
Die Aktion III,9 (26. 2. 1913) Sp. 270 (Erstveröffentlichung). – Söhne.

366 *Vor einem Kornfeld*

Zur Textgestaltung wurden benutzt:
Die Aktion III,9 (26. 2. 1913) Sp. 270 (Erstveröffent-

lichung). – Söhne. – Fleisch. – Gesammelte Schriften. – Gesammelte Gedichte I. – Frühe Lyrik und Dramen.

367 *Drohungen*

Zur Textgestaltung wurde benutzt:
Die Aktion III,26 (25. 6. 1913) Sp. 640 (einzige Veröffentlichung).
Die ersten fünf Zeilen sind später verselbständigt zu dem Gedicht *Drohung*; vergleiche Anmerkung zu S. 23.

369 *Räuber-Schiller*

Zur Textgestaltung wurden benutzt:
Die Aktion III,26 (25. 6. 1913) Sp. 640/41 (Erstveröffentlichung). – Söhne. – Fleisch. – Gesammelte Schriften. – Gesammelte Gedichte I. – Frühe Lyrik und Dramen.

370 *Das Affenlied*

Zur Textgestaltung wurde benutzt:
Die Aktion III,26 (25. 6. 1913) Sp. 641 (einzige Veröffentlichung).

371 *Madonna*

Zur Textgestaltung wurden benutzt:
Das neue Pathos II (Juni 1913) S. 8 (= NP; Erstveröffentlichung). – Die Aktion III,26 (25. 6. 1913) Sp. 641. – Söhne.

Str. 3 Z. 1 NP: *Tief erlöst* . . .
Z. 2 NP: . . . *singt das Raubpack* . . .

372 *Nachtcafé II. Und dennoch hab ich* . . .

Zur Textgestaltung wurden benutzt:
Die Aktion III,39 (27. 9. 1913) Sp. 919 (Erstveröffentlichung). – Fleisch. – Gesammelte Schriften. – Gesammelte Gedichte I. – Frühe Lyrik und Dramen.
In Fleisch und in allen späteren Veröffentlichungen

steht das Gedicht an dritter Stelle im Zyklus *Nachtcafé*. Vergleiche Anmerkung zu S. 18.

373 *Im Zimmer des Pfarrherrn*

Zur Textgestaltung wurde benutzt:
Das Beiblatt der Bücherei Maiandros (Berlin, 1. 11. 1913) S. 6 unter dem Titel *Blumen I.*
Zu dem Gedicht *Blumen (II)* vergleiche Anmerkung zu S. 58.

374 *Hier ist kein Trost*

Zur Textgestaltung wurden benutzt:
Das neue Pathos V/VI (Nov.-Dez. 1913) S. 43 (Erstveröffentlichung). – Söhne. – Auch veröffentlicht in: Primäre Tage.

375 *Finish I – V*

Zur Textgestaltung wurden benutzt:
Die neue Kunst I,2 (Dez. 1913) S. 134–139 (= DnK; Erstveröffentlichung). – Frühe Lyrik und Dramen.
III Str. 1 Z. 4 DnK: *und er wühlte sich in seine Streu.*
Str. 2 Z. 4 DnK: . . . *nicht aufgeräumt.*
IV *Seit Wochen hielten* . . . ist in Frühe Lyrik und Dramen fortgelassen.
V Str. 1 Z. 2 DnK: *Wenn mans* . . .
Str. 2 Z. 2 DnK: *aus Schnee. O ein Saum* . . .

378 *Ein Trupp hergelaufener Söhne schrie*

Zur Textgestaltung wurden benutzt:
Söhne (Erstveröffentlichung). – Fleisch. – Gesammelte Schriften. – Gesammelte Gedichte I. – Frühe Lyrik und Dramen.

380 *Ein Mann spricht*

Zur Textgestaltung wurde benutzt:
Söhne (einzige Veröffentlichung zu Lebzeiten). – Auch veröffentlicht in: Primäre Tage.

381 *Schnellzug*

Zur Textgestaltung wurde benutzt:
Söhne (einzige Veröffentlichung zu Lebzeiten). – Auch veröffentlicht in: Primäre Tage.

382 *Nachtcafé III. Ein Medaillon des Mittelstandes ...*

Zur Textgestaltung wurde benutzt:
Die Aktion IV,1 (3. 1. 1914) S. 4 (einzige Veröffentlichung unter dem Titel *Nachtcafé*).

383 *Nachtcafé IV. Es lohnt kaum den Kakao*

Zur Textgestaltung wurden benutzt:
Die Aktion IV,2 (31. 1. 1914) S. 98 (Erstveröffentlichung unter dem Titel *Nachtcafé I*). – Fleisch. – Gesammelte Schriften. – Gesammelte Gedichte I. – Frühe Lyrik und Dramen.
In Fleisch und in allen späteren Veröffentlichungen steht das Gedicht an vierter Stelle im Zyklus *Nachtcafé*. Vergleiche Anmerkung zu S. 18.

384 *Nachtcafé V. Er gibt in weichem Ton ...*

Zur Textgestaltung wurden benutzt:
Die Aktion IV,2 (31. 1. 1914) S. 98/99 (Erstveröffentlichung unter dem Titel *Nachtcafé II*). – Fleisch. – Gesammelte Schriften. – Gesammelte Gedichte I. – Frühe Lyrik und Dramen.
In Fleisch und in allen späteren Veröffentlichungen steht das Gedicht an fünfter Stelle im Zyklus *Nachtcafé*. Vergleiche Anmerkung zu S. 18.

385 *Der Psychiater*

Zur Textgestaltung wurden benutzt:
Fleisch (Erstveröffentlichung). – Gesammelte Schriften. – Gesammelte Gedichte I. – Frühe Lyrik und Dramen.

387 *Das Instrument*

Zur Textgestaltung wurden benutzt:
Fleisch (Erstveröffentlichung). – Gesammelte Schriften. – Gesammelte Gedichte I. – Frühe Lyrik und Dramen.

388 *Notturno [I]*

Zur Textgestaltung wurden benutzt:
Fleisch (Erstveröffentlichung). – Gesammelte Schriften – Gesammelte Gedichte I. – Frühe Lyrik und Dramen.

390 *Ball*

Zur Textgestaltung wurden benutzt:
Fleisch (Erstveröffentlichung). – Gesammelte Schriften. – Gesammelte Gedichte I. – Frühe Lyrik und Dramen.

391 *Marie*

Zur Textgestaltung wurde benutzt:
Der neue Frauenlob, Berlin 1919, S. 5 (einzige Veröffentlichung).

392 *Widmung*

Bisher unveröffentlicht.
Geschrieben für Wolf Przygode in ein Exemplar des Bandes Der Vermessungsdirigent, das sich im Besitz von Hermann Kasack befindet. Datiert 23.IV.19.
Zur Textgestaltung wurde benutzt:
Eine kollationierte Abschrift im Besitz von W. Badenhop, Marbach.

393 *Puff*

Erstveröffentlichung in: Der Anbruch IV,4 (1921).
Zur Textgestaltung wurden benutzt:
Gesammelte Schriften. – Gesammelte Gedichte I.

394 *Café (für George Grosz)*

Erstveröffentlichung in: Der Anbruch IV,4 (1921).
Zur Textgestaltung wurde benutzt:
Gesammelte Schriften.

395 *Prolog (1920). Wie Kranz auf Kinderstirn*

Zur Textgestaltung wurden benutzt:
Gesammelte Schriften (Erstveröffentlichung). – Gesammelte Gedichte I (= GesG). – Frühe Lyrik und Dramen.

Str. 5 ist in GesG fortgelassen.

399 *Tripper*

Zur Textgestaltung wurde benutzt:
Gesammelte Schriften (einzige Veröffentlichung).

400 *Pastorensohn*

Zur Textgestaltung wurde benutzt:
Gesammelte Schriften (einzige Veröffentlichung).

402 *Innerlich I – VI*

Zur Textgestaltung wurden benutzt:
Gesammelte Schriften (Erstveröffentlichung). – Gesammelte Gedichte I. – Frühe Lyrik und Dramen.
II Str. 1 Z. 3 GesS, GesG: *alles faul und alles flüchig,*

405 *Widmung*

Geschrieben für Gertrud Zenzes in ein Exemplar der Gesammelten Schriften, datiert: 24.V.22.
Zur Textgestaltung wurde benutzt:
Ausgewählte Briefe, Wiesbaden 1957, S. 20 (einzige Veröffentlichung).

406 *Prolog zu einem deutschen Dichterwettstreit*

Zur Textgestaltung wurde benutzt:
Die Aktion XII,9/10 (1922) Sp. 132 (einzige Veröffentlichung).

408 *Chanson*

Zur Textgestaltung wurde benutzt:
Gesammelte Schriften[2] (einzige Veröffentlichung).

410 *Stunden – Anthropophagen*

Zur Textgestaltung wurde benutzt:
Manuskript im Besitz des Literaturarchivs im Schiller-Nationalmuseum Marbach am Neckar. Das Gedicht, das mit III überschrieben ist, hat Benn im Januar 1925 an den Querschnitt geschickt. – Veröffentlicht in: Primäre Tage.

411 *Die Heimat nie*

Zur Textgestaltung wurde benutzt:
Manuskript im Besitz des Literaturarchivs im Schiller-Nationalmuseum Marbach am Neckar. Das Gedicht, das mit IV überschrieben ist, hat Benn im Januar 1925 an den Querschnitt geschickt. – Veröffentlicht in: Primäre Tage.

412 *Was singst du denn*

Zur Textgestaltung wurde benutzt:
Typoskript im Besitz von Frau Dr. Ilse Benn, Entstehungszeit 1927. – Veröffentlicht in: Primäre Tage.

414 *Weiße Wände*

Zur Textgestaltung wurde benutzt:
Simplicissimus XXXII,7 (16. 5. 1927) S. 84 (einzige Veröffentlichung).

416 *Schöpfung*

Zur Textgestaltung wurde benutzt:
Die neue Bücherschau VII,1 (Januar 1929) S. 36 (einzige Veröffentlichung zu Lebzeiten). – Auch veröffentlicht in: Primäre Tage.

417 *Säl dich der Traum in die Weite*

Zur Textgestaltung wurde benutzt:
Die literarische Welt V,34 (23. 8. 1929) S. 3 (einzige Veröffentlichung zu Lebzeiten). – Auch veröffentlicht in: Primäre Tage.

Im Nachlaß fand sich ein Ausschnitt aus der literarischen Welt mit folgenden handschriftlichen Korrekturen Benns:

Str. 1 Z. 8 *ähnelnd, eingestückt.*
Str. 4 Z. 8 *wieder in Schatten schon.*

419 *Primäre Tage*

Zur Textgestaltung wurde benutzt:
Die erste zusammenhängende handschriftliche Fassung im Besitz von Frau Dr. Ilse Benn, datiert: 2/9/30.
Veröffentlicht in: Taugenichts H. 1 (1930) (einzige Veröffentlichung zu Lebzeiten). – Primäre Tage.

420 *Für Oskar Loerke*

Zur Textgestaltung wurde benutzt:
Das Manuskript im Besitz von Frau Dr. Ilse Benn, es ist datiert: II.34. Das Gedicht lag in der Mappe von Autographen, die Oskar Loerke zu seinem 50. Geburtstag am 13. 3. 1934 überreicht wurde.
Auch veröffentlicht in: Akzente IV,4 (1957) S. 289. – Primäre Tage.

422 *Olympische Hymne*

Zur Textgestaltung wurde benutzt:
Deutsche Allgemeine Zeitung Nr. 231 (20. 5. 1934; einzige Veröffentlichung zu Lebzeiten). – Auch veröffentlicht in: Primäre Tage.

423 *Interieur*

Zur Textgestaltung wurde benutzt:
Zweiundzwanzig Gedichte (einzige Veröffentlichung zu Lebzeiten). – Auch veröffentlicht in: Primäre Tage.
Das Gedicht ist vertont von Hermann Heiß.
Die erste Fassung des Gedichtes entstammt einem Brief, den Benn am 13. 1. 1937 an Dr. F. W. Oelze schickte; sie ist veröffentlicht in: Akropolis, Schulzeitung des Burggymnasiums Essen, Sommer 1959, S. 18:

Schöner Gott
unter der Pendeluhr,
welch ein Spott
in deine Lotosflur!

Schläge, Schreiten
Stunden und Stunden-sinn
vor Ewigkeiten,
Rätsel und Anbeginn.

Ein Ziel, ein Zeigen,
Wirken um wann und wen,
wo Götter schweigen
und Sonn' und Mittag stehn

und lächeln allen
und Alles ist sich nah
die Zeiger fallen,
und nur der Gott ist da.

424 *Du trägst –*

Entstehungszeit nach Dr. F. W. Oelze etwa 1937.
Zur Textgestaltung wurde benutzt:
Zweiundzwanzig Gedichte (einzige Veröffentlichung zu Lebzeiten). – Auch veröffentlicht in: Primäre Tage.
Das Gedicht ist vertont von Hermann Heiß.

425 *Alter Kellner*

Das Manuskript einer nicht endgültigen Fassung im Besitz von Frau Dr. Ilse Benn ist datiert: 20 X 38.
Zur Textgestaltung wurde benutzt:
Typoskript im Besitz von Dr. F. W. Oelze, dem Benn das Gedicht am 30. X. 1938 sandte. – Veröffentlicht in: Primäre Tage.

426 *Wohin*

Zur Textgestaltung wurde benutzt:
Typoskript im Besitz von Dr. F. W. Oelze, dem Benn

das Gedicht am 30. X. 1938 sandte. – Veröffentlicht in: Merkur XII,3 (1958) S. 202. – Primäre Tage.

427 *General*

Zur Textgestaltung wurde benutzt:
Typoskript im Besitz von Dr. F. W. Oelze, dem Benn das Gedicht am 30. X. 1938 sandte. – Veröffentlicht in: Primäre Tage.

429 *So still*

Zur Textgestaltung wurde benutzt:
Typoskript im Besitz von Dr. F. W. Oelze, dem Benn das Gedicht am 30. X. 1938 sandte. – Veröffentlicht in: Merkur XII,3 (1958) S. 202. – Primäre Tage.

430 *Wenn dir am Ende*

Die Niederschrift in schwarzer Kladde ist datiert: 4.III.39.
Zur Textgestaltung wurde benutzt:
Typoskript im Besitz von Dr. F. W. Oelze, der das Gedicht am 29. IV. 1940 erhielt. – Veröffentlicht in: Primäre Tage.

431 *Dann gliederten sich die Laute*

Die Niederschrift in schwarzer Kladde ist datiert: 6.III.39.
Zur Textgestaltung wurde benutzt:
Typoskript im Besitz von Dr. F. W. Oelze, der das Gedicht am 29. IV. 1940 erhielt. Das Typoskript enthält den Vermerk: G.B./40. – Veröffentlicht in: Merkur XII,3 (1958) S. 201. – Primäre Tage.

433 *Wer Wiederkehr in Träumen weiß*

Zur Textgestaltung wurde benutzt:
Typoskript im Besitz von Dr. F. W. Oelze, dem Benn

das Gedicht am 28. IV. 1940 sandte. – Veröffentlicht in: Merkur XII,3 (1958) S. 203. – Primäre Tage.

434 *Valse d'automne*

Zur Textgestaltung wurde benutzt:
Typoskript im Besitz von Dr. F. W. Oelze, dem Benn das Gedicht am 8. X. 1940 sandte. Das Typoskript enthält den Vermerk: G. B. 1940.9. – Veröffentlicht in: Merkur XII,3 (1958) S. 203/04. – Primäre Tage.

436 *In einer Stadt*

Die erste Niederschrift in schwarzer Kladde ist datiert: 4/5.VI 43.
Zur Textgestaltung wurde benutzt:
Zweiundzwanzig Gedichte (einzige Veröffentlichung zu Lebzeiten). – Auch veröffentlicht in: Primäre Tage. Das Gedicht ist vertont von Hermann Heiß.

437 *Kleines süßes Gesicht*

Zur Textgestaltung wurde benutzt:
Ein Typoskript der Statischen Gedichte (datiert: 3. 1. 1945), das sich im Besitz von Dr. F. W. Oelze befindet. – Veröffentlicht in: Primäre Tage.

439 *Überblickt man die Jahre*

Zur Textgestaltung wurde benutzt:
Typoskript der Statischen Gedichte (vergleiche Anmerkung zur S. 436). – Veröffentlicht in: Primäre Tage.

441 *Nasse Zäune*

Zur Textgestaltung wurde benutzt:
Typoskript der Statischen Gedichte (vergleiche Anmerkung zur S. 436). – Veröffentlicht in: Primäre Tage.

442 *Clémenceau*

Zur Textgestaltung wurden benutzt:
Typoskript im Besitz von Frau Dr. Ilse Benn, datiert:

44. – Typoskript der Statischen Gedichte (vergleiche Anmerkung zu S. 436). – Veröffentlicht in: Primäre Tage.

444 *Du liegst und schweigst*

Zur Textgestaltung wurde benutzt:
Typoskript im Besitz von Frau Dr. Ilse Benn, datiert: Febr. 47. – Veröffentlicht in: Primäre Tage.

445 *Berlin*

Zur Textgestaltung wurde benutzt:
Ein Typoskript im Besitz von Frau Dr. Ilse Benn, mit Schreibmaschine signiert: Gottfried Benn und handschriftlich datiert: (1948). – Veröffentlicht in: Merkur XIV,5 (1960) S. 401.

446 *Erinnerungen*

Das Gedicht gehörte ursprünglich in den Zyklus der *Vier Privatgedichte,* datiert: 17 II 49 (vergleiche Anmerkung zu S. 343), wurde aber nicht wie die drei anderen Gedichte in den *Epilog 1949* aufgenommen, sondern blieb unveröffentlicht.
Zur Textgestaltung wurde benutzt:
Typoskript im Besitz von Dr. F. W. Oelze.
Eine frühere Fassung des Gedichts mit dem Titel *Erinnerung* aus dem Besitz von Frau Dr. Ilse Benn ist in den Primären Tagen veröffentlicht. Sie lautet:

Gemisch von Klängen, die dir einst erklangen,
im Spiel mit Farben, die dich einst erregt,
sind eine Traumumarmung eingegangen
zu einem Bild, das etwas Letztes trägt:

Ein Uferschloß an hellen Marmorsteigen
und plötzlich eines Liedes Übermacht,
d i e Serenade spielen viele Geigen,
doch hier am Meer in dieser fremden Nacht –

Es ist nicht viel – Viel trägt nicht mehr das Eine,
nach einem Bogen greifen dann und wann,
Ekstase oder Traum – das Bild alleine
bleibt und die Farben heißen Bleu mourant.

447 *Ach, wie mein Herz*

Bisher unveröffentlicht.
Das Gedicht, mit Schreibmaschine geschrieben, steht am Anfang eines handschriftlichen Briefes vom 9. IV. 49 an Dr. F. W. Oelze. – Ein handschriftlicher Entwurf im Besitz von Frau Dr. Ilse Benn trägt das Datum: 8. IV. 49.
Zur Textgestaltung wurde benutzt:
Brief vom 9. IV. 49 im Besitz von Frau Dr. Ilse Benn.

448 *Radar*

Bisher unveröffentlicht.
Zur Textgestaltung wurden benutzt:
Typoskript im Besitz von Frau Dr. Ilse Benn, signiert: G.B.; das Datum 15.XII 49 ist durchgestrichen. – Undatiertes Typoskript im Besitz von Dr. F. W. Oelze.

449 *Was meinte Luther mit dem Apfelbaum?*

Das Gedicht, das Benn am 26. V. 50 für Thilo Koch schrieb, war sein Kommentar zu einem Rundfunkvortrag Thilo Kochs.
Zur Textgestaltung wurde benutzt:
Thilo Koch, Gottfried Benn, München 1957, S. 62/63 (Faksimile).

450 *Künstlermoral*

Zur Textgestaltung wurden benutzt:
Zwei Typoskripte im Besitz von Frau Dr. Ilse Benn, von denen das frühere datiert und signiert ist: 12 VI 50. G.B. – Bei der späteren Fassung ist neben die dritte Zeile mit Tinte geschrieben: *Inneres Wesen Sterbliches.*

451 *Auf –!*

Bisher unveröffentlicht.
Zur Textgestaltung wurde benutzt:
Typoskript im Besitz von Dr. F. W. Oelze, dem es Benn Ende Juni 1950 schickte. Es enthält den handschriftlichen Vermerk: *(Gewissen Kritikern . . .!)*. – Ein undatiertes Typoskript, blaues Briefpapier, mit etwas abweichendem Wortlaut im Besitz von Frau Dr. Ilse Benn mit dem Titel *Auf ihn!*

452 *Erst – dann*

Zur Textgestaltung wurde benutzt:
Undatiertes Typoskript im Besitz von Frau Dr. Ilse Benn, ohne Signatur.
Da das Gedicht auf demselben blauen Briefpapier geschrieben ist wie *Auf – !*, ist wohl auch 1950 als Entstehungszeit anzunehmen. – Veröffentlicht in: Merkur XIV,5 (1960) S. 402.

453 *Für Erhard Hürsch*

Zur Textgestaltung wurde benutzt:
Das an Erhard Hürsch geschickte Typoskript im Besitz von Frau Dr. Ilse Benn. Es ist mit Schreibmaschine signiert und datiert: Benn, 19.März 1951. – Veröffentlicht in: Zürich zum Beispiel, St. Gallen 1959, S. 65.

454 *Radio*

Das Gedicht war vorgesehen für den Band Destillationen, wurde aber von Benn zurückgezogen. Entstanden um 1952/53.
Zur Textgestaltung wurde benutzt:
Ein undatiertes Typoskript im Besitz des Limes Verlags. – Veröffentlicht in: Primäre Tage.

456 *Den jungen Leuten*

Ein Typoskript im Besitz von Frau Dr. Ilse Benn ist datiert: 29/12 52.

Zur Textgestaltung wurde benutzt:
Destillationen (einzige Veröffentlichung).

457 *Der Gedanke*

Zur Textgestaltung wurde benutzt:
Typoskript im Besitz von Frau Dr. Ilse Benn; es enthält den Vermerk: 17 I 53 G B. – Veröffentlicht in: Primäre Tage.

458 *Aufatmen*

Bisher unveröffentlicht.
Zur Textgestaltung wurde benutzt:
Ein Typoskript, überklebt und mit handschriftlichen Korrekturen, im Besitz von Frau Dr. Ilse Benn; es enthält den Vermerk: 25 II 53 G B.

460 *An Ernst Jünger*

Zur Textgestaltung wurde benutzt:
Freundschaftliche Begegnungen, Festschrift für Ernst Jünger zum 60. Geburtstag, Frankfurt 1954, S. 173 (einzige Veröffentlichung zu Lebzeiten). – Auch veröffentlicht in: Primäre Tage.

461 *Schöner Abend*

Bisher unveröffentlicht.
Zur Textgestaltung wurde benutzt:
Ein Typoskript mit handschriftlichen Korrekturen im Besitz von Frau Dr. Ilse Benn; es enthält den Vermerk: 12.VI 54 G.B.

462 *Stille*

Ein Manuskript, keine Reinschrift, im Besitz von Frau Dr. Ilse Benn ist datiert und signiert: 24.12.55 G.B.
Zur Textgestaltung wurde benutzt:
Freundesgabe für E. R. Curtius zum 14. 4. 56, Bern 1956, S. 32 (einzige Veröffentlichung zu Lebzeiten). – Auch veröffentlicht in: Primäre Tage.

463 *Schumann*

Zur Textgestaltung wurde benutzt:
Freundesgabe für E. R. Curtius zum 14. 4. 56, Bern 1956, S. 31 (einzige Veröffentlichung zu Lebzeiten). – Auch veröffentlicht in: Primäre Tage.

464 *Leid der Götter*

Zur Textgestaltung wurde benutzt:
Undatiertes Typoskript im Besitz von Frau Dr. Ilse Benn. – Veröffentlicht in: Primäre Tage.

466 *Turin [II]*

Zur Textgestaltung wurde benutzt:
Undatiertes Typoskript im Besitz von Frau Dr. Ilse Benn. – Veröffentlicht in: Primäre Tage.

467 *Ein stiller Tag*

Bisher unveröffentlicht.
Zur Textgestaltung wurde benutzt:
Undatiertes Typoskript im Besitz von Frau Dr. Ilse Benn, signiert: G.B.

468 *Melodie*

Bisher unveröffentlicht.
Zur Textgestaltung wurde benutzt:
Ein undatiertes Typoskript im Besitz von Frau Dr. Ilse Benn mit handschriftlicher Korrektur; ohne Signatur.

469 *Hör zu:*

Zur Textgestaltung wurde benutzt:
Ein undatiertes Typoskript im Besitz von Frau Dr. Ilse Benn; signiert: G B. – Veröffentlicht in: Merkur XIV,5 (1960) S. 402.

470 *Ein See*

Bisher unveröffentlicht.
Zur Textgestaltung wurde benutzt:

Ein undatiertes Typoskript im Besitz von Frau Dr. Ilse Benn; ohne Signatur.

471 *Kelche*

Bisher unveröffentlicht.
Zur Textgestaltung wurde benutzt:
Ein undatiertes Typoskript im Besitz von Frau Dr. Ilse Benn; ohne Signatur.

472 *Herr Wehner*

Bisher unveröffentlicht.
Zur Textgestaltung wurde benutzt:
Ein undatiertes Typoskript im Besitz von Frau Dr. Ilse Benn, signiert: G B.

474 *Kleiner Kulturspiegel*

Bisher unveröffentlicht.
Zur Textgestaltung wurde benutzt:
Ein undatiertes Typoskript mit handschriftlichen Korrekturen und Ergänzungen im Besitz von Frau Dr. Ilse Benn; keine Signatur.

476 *Das Unaufhörliche*

Einzige Veröffentlichung des ganzen Oratoriums: Schotts Söhne, Mainz 1931.

Zu dem Oratorium schrieb Benn folgende Einleitung:

I

Wir wissen von der Schöpfung nichts, als daß sie sich verwandelt –, und das Unaufhörliche soll ein Ausdruck für diesen weitesten Hintergrund des Lebens sein, sein elementares Prinzip der Umgestaltung und der rastlosen Erschütterung seiner Formen. Das ist gedanklich keine Entdeckung, jeder wird wissen, daß hinter diesem Begriff Erlebnismaterial alter und neuer Menschheit steht. Heraklits Wogengefühl gehört hierher, daß alles fließt und daß es dieselben Flüsse nicht mehr sind, auch wenn wir in dieselben Flüsse steigen, ebenso wie der Schicksalsgedanke des Orients und der Hellenen, der darauf hinausläuft, daß auch über dem Göttergeschlecht, das die Menschen regiert, noch eine höhere weitertreibende Ordnung steht; in der deutschen Literatur ist dieser Gedanke klassisch geworden in Fausts berühmtem Wort: „Gestaltung, Umgestaltung, des ewigen Sinnes ewige Unterhaltung", und aus unserem Jahrhundert steht Zarathustras großer Mittag über ihm: „du heiterer, schauerlicher Mittagsabgrund – wann trinkst du meine Seele in dich zurück" – dieser Mittag, dieser Abgrund „sich selber segnend als Das, was ewig wiederkommen muß: als ein Werden, das kein Sattwerden, keinen Überdruß, keine Müdigkeit kennt" denn „alles, was war, ist ewig, das Meer spült es wieder her" –, ist also das Unaufhörliche auch kein religiöser oder philosophischer Begriff, so will er doch ein universelles Prinzip sein, das seit Anfang in der Menschheit lebt und das Beziehung hat zum Schicksalhaften, daher beginnt der Text:

Das Unaufhörliche:
großes Gesetz.

Auf das Individuum angewendet ist das Unaufhörliche allerdings ein tragisches, schmerzliches Gesetz, denn das Individuum ist so, daß es das „Stirb" mehr empfindet als das „Werde", daß es leidet, weil alles gleitet und vorüberrinnt, daher:

das Unaufhörliche:
der dunkle Trank.

Aber das Unaufhörliche ist nicht nur ein dunkles Prinzip, es zieht auch noch alles Dunkle an sich heran, es ist nicht optimistisch, es will nicht im Wohlstand leben, wo es angenehm ist, vielmehr:

wenn es in Blüte steht,
wenn Salz das Meer
und Wein der Hügel gibt,
ist n i c h t die Stunde,

sondern es lebt da, es verdichtet sich da zu einem Gefühl, wo die Dinge zu Ende gehn, wo ihnen „das Herz bricht vor Glück und Göttern“:

da ist wohl Farb und Stunde –,

es spricht aus Trümmern, aus vereinsamten Meeren der Mythe:

Säulen, die ruhn, Delphine,
verlassene Scharen,
die Hyakinthos trugen, den Knaben,
früh verwandelt
zu Asche und Blumengeruch –:
da wohl noch mehr.

II

Aber alle Mächte der Menschheit, die frühen wie die im Laufe der Entwicklung entstandenen, die primitiven wie die zivilisatorischen, lehnen sich gegen diesen Pessimismus auf. Die Frau fragt, soll man denn keine Kinder gebären, weil sie sterben müssen, – die Frau glaubt, daß die Liebe immer von neuem die Schöpfung sei:

frühe Stunde der Menschheit
unzerklüftet
ewig dem Herzen,
ewig der Liebe,

sie glaubt an die Liebe als die große Macht jenseits von Zeit und Untergang:

ohne Alter das Blut,
ohne Schatten der Traum,

– die Männer lehnen sich auf: ist denn die Wissenschaft, der logische Gedanke nicht etwas Großes, schafft denn der Mann, das Hirn der Höhe, nicht Ordnung, Gesetz, Dauer –; liegt denn nicht in der Kunst, sagen sie, eine tiefe, stetige Harmonie –; ist denn die Religion, sind denn die Götter nicht ewig, ewig dauernd und ewig gültig?

Ja, antwortet die Stimme des Unaufhörlichen, der Gedanke ist gewiß etwas Großes, aber:

im Kern der Dinge,
im Herz der weiten
gelaßnen Reihn
zerreißt der Worte
herrliche Formeln.
Zählen der Sterne,
der Blumen Namen:
V e r w a n d l u n g.

Gewiß die Kunst ist das Wunderbarste, was die Erde besitzt, aber auch hier Vergänglichkeit:

Vergänglichkeit
von hellen Himmeln –,

und über den Göttern steht noch ein anderes, ein weitertreibendes Gesetz, eine höhere Ordnung, die auch über ihre Reiche und Geschlechter hinwegführt:

– wie viele Fluten
von Göttern nieder!
um alle Hügel
die tempelschönen
ruht Staub,
rinnt Asche
der großen Wesen.

Und nun die Liebe, dies Happy-End, diese zarte Stimmung der Fraun –: was ist sie für den Mann, – keine Liebe, keine Hingabe, erlöst ihn von dem dunklen lethischen Gedanken des Unaufhörlichen.

III

Was ergibt sich nun also aus dieser Lehre? Das Unaufhörliche, mit Tag und Nacht genährt, in seinem Lauf durch Milchstraßen und Jahrmillionen über Individuen, Völker, Rassen und Kontinente hinwegschauend – wie soll man ihm begegnen? Mit Asiens Weltabkehr, mit der alten Völker statischer Lehre von der Vernichtung der Tat; mit der Zivilisationsstaaten Kolonisationsaktivismus; mit des Individualisten Trauer über das Verhängnis des Bewußtseins, Sehnsucht nach der früheren Primitivität, Traum vom Untergang der weißen Rasse; mit der Melancholie des Großstädters, der aus den Maschinen- und Industriezentren zurückdenkt an Kindheit, Garten, agrarisch-patriarchalische Stimmungen; mit des Rationalisten Beschränktheit auf das sozial Behagliche, wirtschaftlich Einträgliche, gesinnungsmäßig platt-Opportunistische – wie begegnet der Mensch von heute dieser allgemeinen Trauer des Seins?

Wo steht er, wie verfährt er, wie hilft er sich in dieser Zeit, in der alle bisher gültigen, mit historischer Rechtfertigung versehenen Umgrenzungen des Ich, nämlich Individualitätslehre, Staat, abendländischer Kulturkreis, zu fallen scheinen; wie verfährt dieser trotz aller Biologie und Analyse immer noch unverändert rätselhafte, irrationale und unauflösbare Mensch? Eine sehr großartige Lösung wird sich für ihn wohl überhaupt nicht finden lassen in einer Zeit, die selber und als Ganzes innerhalb des universalen Menschheitsproblems mit ihrem spezifischen Intellektualismus keine der großartigsten Lösungen darzustellen scheint. Es wird sich vielleicht für ihn nichts anderes finden lassen, als was der Knabenchor zum Ausdruck bringen soll: daß nicht das Fleischliche, nicht Fraß und Paarung, für den Menschen der Triumph des Lebens ist, sondern daß trotz alles Geweses unserer Tage um das Materielle, um Komfort, Hygiene, Tempo, Rekord, Überwindung von Raum und Zeit, es innere Leistungen sind, für die wir das Bewußtsein eingeprägt erhielten, für Kräfte der Ordnung und des individuellen Verzichts. Es wird sich keine andere Perspektive finden lassen, kein anderer Ausweg aus Leben und Tod, als daß sich das Individuum wie die ganze menschliche Gemeinschaft immer wieder des unauflösbaren mythischen Restes ihrer

Rasse erinnert und sich der Schöpfung übereignet, ihrem großen Gesetz, dem Unaufhörlichen.

500 *Fragment eines Singspiels (Nachlaß)*

Entstanden nach 1931.

Das Typoskript im Besitz von Frau Dr. Ilse Benn ist nicht datiert und hat keinen Titel; auch im Nachlaß und in der Korrespondenz fanden sich bisher keine Hinweise. Aus dem Entwurf eines Briefes an Paul Hindemith geht hervor, daß das Stück nach dem *Oratorium* entstanden sein muß, denn Benn spricht hier von *der neuen Sache.* Der zeitgeschichtliche Hintergrund ist die Weltwirtschaftskrise. (Vergleiche aber auch den Brief an Thea Sternheim vom 18. VIII. 31, Ausgewählte Briefe, Wiesbaden 1957, S. 47.) Auf einem schwer zu entziffernden Manuskriptblatt (s. u.) nennt Benn das Stück *Die Oper.*

Das Typoskript (kursive Type) besteht aus fünfundzwanzig vollständigen, zum Teil überklebten Blättern, außerdem zwanzig handschriftlichen und vier zerschnittenen oder nur zur Hälfte beschriebenen Blättern mit Vorstudien und Entwürfen. Die fünf ausgeführten Szenen sind von Benn zum Teil mit Rot- oder Blaustift mit arabischen Ziffern numeriert, die Szenenentwürfe mit römischen Ziffern. Auch die fertigen Szenen sind noch mit zahlreichen handschriftlichen Korrekturen und Zusätzen versehen, die, soweit lesbar, im folgenden als Lesarten wiedergegeben werden.

Eine durchgehende Numerierung, die die Reihenfolge der Szenen bestimmt, gibt es nicht. Die ersten vier Szenen gehören inhaltlich eng zusammen. Sie wurden hier als geschlossener Block an den Anfang gestellt, die übrigen unvollständigen Szenen ihnen angeschlossen.

Das vorhandene Fragment scheint nur ein kleiner Teil des ursprünglich geplanten Werkes zu sein; denn in dem obenerwähnten Briefentwurf an Paul Hindemith schreibt Benn:

„Wie wäre es, wenn wir den jungen Mann zunächst ohne Beruf ließen und ihn später in den verschiedensten vorführten, nämlich so: er würde im ersten Akt etwa sagen: ich habe es in allen Berufen versucht alle meine Talente herangeholt, – Kellner, Straßenbahnschaffner, Musiker alles versucht (Gegenrede: olle Versuchsperson –) aber vergeblich dann kann man ihn also später wenn er vertrieben von Hof und Haus und Weib und Kind nach der letzten Arie des ersten Aktes verschwindet im folgenden in den diversen Berufen auftreten lassen – also Kellner in einem Luxusrestaurant am Meer (Nizza oder Heringsdorf) als Musiker (nicht der berühmte Primgeiger des Filmstücks, was anderes das man sich überlegen muß) als Straßenbahnschaffner, Szenenbild: Straßenbahn jedenfalls neuartig als Arienmilieu . . .“

(Hier bricht der Briefentwurf ab.)

Nur im letzten Szenenentwurf scheint einer der „verschiedensten“ Berufe dargestellt zu sein, sonst ist von den Ideen dieses Briefes noch nichts in das Fragment aufgenommen. Ganz anders wird der Hauptgedanke des Stückes von Benn auf einem Manuskriptblatt skizzenhaft wie folgt umrissen:

„Die Oper gruppiert sich um die männliche Hauptfigur, die an sich selber im I. Akt die [Macht]
[des] *Staates*
der Wirtschaftsordnung
des Kollektivmenschen
[der] *Öffentlichkeit* [erfährt.]

Er ist in Schuld geraten durch die allgemeine Zeitkrise,
die Umschichtung der Werte . . .
Krankheit der Frau

d. h. hier . . . . die Hauptidee . . . ., daß alles was schwach, ohne Kenntnisse, Kapitalkraft ist, dem Untergang geweiht ist, in einer Welt, in der n u r die Macht . . . ., alle Gesetze nur für die Macht gelten und aus ihr bestimmt sind.“

1 Am Rand: *dekadente?*

2 Daneben: *dann kann's mal erst im Hausflur stehn*

3 Darüber: *Moneten*

4 Folgt: *wo wann*

5 Folgt: *Prellt den Arzt.* Darunter eine unleserliche Zeile.

6 Am Rand: *Die Lage, das Äußere, das Längenmaß im Sinne des Kultischen*

7 Folgt: *Arie: Arbeiten und doch untergehn*
Keine Götter sie zu rufen suchen
Kein Vater, ihm zu fluchen
Keine Stätte um zu ruhn –

8 Folgt: *an dies Haus*

9 Folgt: *(Pfosten-)*

10 Am Rand: *schön gemauert Haus, gütiger Mann, Bruder, dort*

11 Am Rand: *war auch mit blonden und*
dunklen Haaren
so süßer Honig
war auch so sehr bestimmt zu Kränzen
schönen (?) *vollendeten* (?)

12 Am Rand: *U. das große Überspannen der Dinge, die weite Macht der Erde die Völker s . . . der Rosen*

13 Darüber: *Wirtschaft*

14 Folgt ein unleserlicher Satz.

15 Darüber: unleserliche Zusätze.

16 Darüber: *rückt*

17 Darüber: *schweigend*

18 Daneben: *(Pfiff) Anarchisten . . . die Kindesentführer . . . P.: Einen Scheck wird er behalten. Das sind die Bomben* (?) *. . . der Wallstreet.*

19 Darüber: *Feuer*

20 Daneben: *Laß ihn Nimm ihn*

21 Mit Tinte und Bleistift zwischen die Zeilen des Gedichtes und an den Rand geschriebene Varianten:

Was liebst du: die goldenen Tore
(uns trägt die Zeit, das Meer)
da liegt die Jacht, steig ein –
oder die schottischen Moore
ein Douglasschloß ist dein

Gedichtentwurf auf dem gleichen Blatt:

Wer so wie ich verloren,
wer so wie ich erkannt,
der wird nicht mehr beschworen
durch eine weiße Hand.

Ein Dunkel unermessen,
das aus zwei Augen sah
das kann ich nie vergessen
bleib immer nah –
(bleib du mir nah –)

NACHTRAG

Ein in fünf Exemplaren erschienener Privatdruck der *Statischen Gedichte* o. J. (Berlin 1946) konnte im Anmerkungsteil leider nicht mehr berücksichtigt werden. Ein Exemplar im Besitz von Frau Dr. Ilse Benn trägt den handschriftlichen Vermerk Benns: 2. 5. 1946. In fünf Exemplaren als Privatdruck gedruckt, da öffentliches Erscheinen verboten. Textabweichungen gegenüber den Statischen Gedichten von 1948 gibt es nicht. Der Band enthält folgende Gedichte:

Ach, das ferne Land –, Chopin, Verse, Gedichte, Bilder, Welle der Nacht, Alle die Gräber, St. Petersburg – Mitte des Jahrhunderts, Dann –, Monolog 1941, V. Jahrhundert, Clémenceau, September I–II, Nachzeichnung I–II, Wenn etwas leicht, Gärten und Nächte, Die Gefährten, Ein später Blick, Verlorenes Ich, Ist das nicht schwerer, Henri Matisse: „Asphodèles“, Ein Wort, Mittelmeerisch, Unanwendbar, 1886, Kleines süßes Gesicht, Der Traum, O gib –, Abschied, Die Form, Statische Gedichte.

NACHWORT DES HERAUSGEBERS

Nach einer vierzigjährigen dichterischen Produktion schrieb Gottfried Benn einen großen Erfahrungsbericht, seinen Vortrag über *Probleme der Lyrik* (Band I). Dort steht die Bemerkung: „keiner auch der großen Lyriker unserer Zeit hat mehr als sechs bis acht vollendete Gedichte hinterlassen, die übrigen mögen interessant sein unter dem Gesichtspunkt des Biographischen und Entwicklungsmäßigen des Autors, aber in sich ruhend, aus sich leuchtend, voll langer Faszination sind nur wenige – also um diese sechs Gedichte die dreißig bis fünfzig Jahre Askese, Leiden und Kampf." Dieser Band enthält das gesamte lyrische Werk Benns. Welches sind die sechs oder acht vollendeten Gedichte? Wahrscheinlich werden in dieser Frage schon zwei Leser nicht zu einem Einverständnis kommen, und je größer die Zahl der Befragten ist, desto weiter werden die Urteile differieren. Man kann diese Erfahrung auch bei sich selber machen: in längerem Umgang mit dem Werk wechseln die Vorlieben und Werturteile, verschiebt sich die Auswahl der bevorzugten Gedichte, vielleicht sogar so, daß einmal die frühe, ein anderes Mal die späte Lyrik stärkere Faszinationskraft hat. Die Frage nach den sechs oder acht vollendeten Gedichten ist nicht verbindlich zu beantworten. Auch die Wissenschaft hat keine Methode, die Qualität eines Gedichtes zu bestimmen; denn sie ist nicht meßbar, nicht klassifizierbar. Eine stabile, allgemeingültige, eindeutige Rangordnung der Werte gibt es nicht.

Sollte nicht Benns Äußerung gerade so zu verstehen sein, daß er selbst nicht wisse, welches seine vollendeten Gedichte sind, daß er es der Zeit überlasse, darüber zu befinden? Tatsächlich prüft ja die Zeit das Gedicht, denn mit der Zeit verwelken die aktuellen Reize, das bloß Situationäre, das mächtige Wirkung auf die Zeitgenossen des Dichters haben kann, fällt ab und gibt die eigentliche Substanz frei. Aber wenn ein Gedicht lebendig bleibt, ist es auch dem Prozeß dauernder Umwertung weiter ausgesetzt. Neue Epochen entwickeln neue Organe der Wahrnehmung und werden vielleicht für Qualitäten, die wir bewundern, unempfindlich sein. Die wechselnden Leser sind also nicht gleichgültig für das Gedicht. Es braucht, um zu leben, den Partner, der seinen seelisch-geistigen Fonds durch das Gedicht aktivieren läßt. Lesen ist ein schöpferischer Vorgang. Indem ich es lese, entsteht das Gedicht. Es entsteht jedesmal neu, es entsteht sogar, pointiert gesagt, jedesmal ein anderes Gedicht. Zunächst ist der Text nur ein Anspruch auf seine eigene Ermöglichung und gewinnt Leben erst durch den Leser, der diesen Anspruch vernimmt und Worte, Klänge, Bilder mit seiner eigenen Vorstellungskraft füllt. Der Text saugt sich voll mit der Substanz des Lesers, und so verwirklicht der Leser den Text. Aber nur so viel Bedeutung gewinnt der Text, wie ihm der jeweilige Leser zu geben vermag.

So betrachtet, gibt es gar kein vollendetes Gedicht, denn dem Verstehen sind keine Grenzen gesetzt. Durch das Gedicht, im Gedicht kann der Leser, wenn er es kann, einen unbegrenzten Reichtum entfalten. Er kann es immer eindringlicher, tiefer, er kann es unterschiedlich realisieren und kommt an kein Ende, solange nicht seine eigene Substanz erschöpft ist. So betrachtet, hat das Gedicht auch nicht einen einzigen, sondern viele verschiedene Schöpfer, nämlich alle seine Leser, und es bleibt nicht Eigentum seines Autors, sondern läßt ihn hinter sich und wird Eigentum eines jeden, der es lesend realisiert.

Allerdings ist der Leser nicht frei, sondern wird vom Text, der seine Vorstellungskraft in Bewegung bringt, der alles, was er ist und zu geben vermag, in Anspruch nimmt, verbindlich geführt. Lesen ist „gelenktes Schaffen", definiert Sartre. Zwar lebt der Text von der Substanz des Lesers, aber zugleich kommt sie durch ihn erst zu Wort: er fordert sie heraus, er artikuliert sie, er formt sie – und so realisiert sich der Leser mit dem Gedicht. Eine südliche Landschaft, das Meer, Trauer und Glück der Dinge und des eigenen Herzens, Figuren des Schicksals, Szenerien der Geschichte, mein Leben und das Gesicht der Welt –: alles war vorher nur schattenhaft oder gar nicht da. Jetzt ist es kenntlich geworden als Bild und Sinn. Lesen ist eine Weise, deutlicher in der Welt zu sein.

Gottfried Benn hat oft von der beschwörenden Kraft des dichterischen Wortes gesprochen. „Wir werden uns damit abfinden müssen, daß Worte eine latente Existenz besitzen, die auf entsprechend Eingestellte als Zauber wirkt und sie befähigt, diesen Zauber weiterzugeben", sagt er in den *Problemen der Lyrik* und rückt somit die Dichtung in unmittelbare Nachbarschaft der Magie. In der frühen Selbstdarstellung *Epilog und lyrisches Ich* (Band IV) versucht er die Sensibilität für das Wort zu veranschaulichen und wählt, auch das ist bezeichnend, eine zoologische Analogie: Es ist so, als sei der ganze Organismus bedeckt mit Flimmerhaaren, den frühesten Sinnesorganen der Tierwelt: sie tasten die Worte heran, sie reagieren auf Worte, der Dichter lebt in der Sprache wie ein mit Flimmerhaaren bedecktes Meertier in seiner submarinen Welt. Vor allem gilt seine Reizbemerkung dem Substantiv, bestimmten Substantiven, denn es gibt etwas, „was man die Zuordnung der Worte zu einem Autor nennen kann“: einzelne Worte sind für den Dichter von besonderem „Wallungswert“, es sind erregende Worte, sie rufen wie Beschwörungsformeln einen ganzen Hof von Assoziationen herbei. „Da wäre vielleicht eine Befreundung für Blau, welch Glück, welch reines Erlebnis! Man denke alle die leeren, entkräfteten Bespielungen, die suggestionslosen Präambeln für dies einzige Kolorit, nun kann man ja den Himmel von Sansibar über den Blüten der Bougainville und das Meer der Syrten in sein Herz beschwören, man denke dies ewige und schöne Wort! ...

Worte, Worte – Substantive! Sie brauchen nur die Schwingen zu öffnen und Jahrtausende entfallen ihrem Flug. Nehmen Sie Anemonenwald, also zwischen Stämmen feines kleines Kraut, ja über sie hinaus Narzissenwiesen, aller Kelche Rauch und Qualm, im Ölbaum blüht der Wind und über Marmorstufen steigt, verschlungen, in eine Weite die Erfüllung – oder nehmen Sie Olive oder Theogonien – Jahrtausende entfallen ihrem Flug. Botanisches und Geographisches, Völker und Länder, alle die historisch und systematisch so verlorenen Welten hier ihre Blüte, hier ihr Traum – aller Leichtsinn, alle Wehmut, alle Hoffnungslosigkeit des Geistes, werden fühlbar aus den Schichten eines Querschnitts von Begriff.“

Das letzte Wort dieses Zitates könnte irreführen. Benn sagt „Begriff“, aber er meint das Gegenteil. Ein Begriff ist die feste Bezeichnung einer bestimmten Bedeutungseinheit, die sich genau definieren läßt. Das dichterische Wort aber, von dem Benn spricht, ist nicht definierbar. Es beschwört einen Komplex von Vorstellungen, Gedanken, Erinnerungen, Erlebnisqualitäten, der fließt und sich verwandelt, je nachdem von wem und zu welcher Stunde das Wort vernommen wird, je nachdem welchen Erfahrungsbestand, welche Assoziationsgruppen es bei seinem jeweiligen Leser aktiviert.

> Hirten und Weiher, eine Kuppel, Tauben –
> gewoben und gesandt, erglänzt, erklungen –,
> verwandelbare Wolken eines Glücks!

Weil es nicht festlegbar, weil es verwandelbar ist, regt das dichterische Wort die imaginativen Fähigkeiten an, gibt der Subjektivität Spielraum sich zu entfalten, während der Begriff sie ausschaltet, so daß jeder, der ein Wort als Begriff gebraucht, dasselbe sagt. Nur weil Worte eine unbestimmte Bedeutungsbreite haben, die der Dichter ausnutzt, läßt sich mit denselben Wörtern immer neues sagen. Eine auf ein System klarer Begriffe reduzierte Sprache wäre ein Gefängnis für den Geist. Das dichterische Wort ist unbestimmter, aber auch welthaltiger als der Begriff. Das wird sofort deutlich, wenn man versucht, es auf seinen begrifflichen Kern zu reduzieren; etwa die folgenden Zeilen aus dem Gedicht *D-Zug:*

> Eine Frau ist etwas mit Geruch.
> Unsägliches! Stirb hin! Resede.
> Darin ist Süden Hirt und Meer.

Das Wort „Süden“ ist hier nicht einfach die Bezeichnung einer Himmelsrichtung, die Bedeutung des Wortes „Hirt“ wird von der Definition „Hüter einer Herde“ überhaupt nicht erfaßt, und ebenso verfehlt man die Erlebnisqualität des Wortes „Meer“, wenn man nur an eine Wassermasse zwischen den Kontinenten denkt. Nicht der begriffliche Kern, sondern die Aura des Wortes ist hier wesentlich. So ist zum Beispiel das Wort „Hirt“ im Zusammenhang dieses Textes ein weites Bedeutungsfeld: Arkadien, süßes Nichtstun, geschichtsloses Sein, Vorzeit, Tiernähe, Somnambulie, Ichverlust, Hingabe an den bewußtloscn Lebensstrom, Einsfühlung mit dem All, das sind Assoziationen, von denen es umlagert ist.

In der Formel „Süden, Hirt und Meer" bedeuten aber die einzelnen Worte nicht jeweils etwas anderes. Wer Benn so additiv zu lesen versucht, mißversteht ihn, setzt wieder den unangemessenen Maßstab einer Begriffssprache voraus. Hier gehen die Worte, die sich gegenseitig rufen, ineinander über, überdecken sich, fließen zusammen zu einem einzigen Bedeutungsfeld. Man muß solche Worthäufungen auffassen als eine einzige Beschwörungsformel, die einen unteilbaren Erlebniskomplex zu bannen versucht.

Wie kann man eine solche Sprache verstehen? Durch intensives und extensives Lesen. Die tragenden Substantive der Sprache Benns kehren in seinem ganzen Werk in immer neuen Zusammenhängen wieder, rücken zusammen, gruppieren sich und füllen sich gegenseitig mit Sinn. Max Rychner hat den Versuch gemacht, sie zu verschiedenen Wortfeldern zusammenzuordnen (Merkur III, 8 [1949] S. 873 ff.): „Kopf, Stirn, Hirn, Schädel, Haupt, Ich Selbst, Geist, Tat: das sind verwandte Begriffe in dieser Dichtung, ein Begriffsclan, welcher der wachbewußten Seite des Lebens zugeordnet ist, also der spaltenden, seelenfeindlichen, geschichtlichen, zahlenhaften, wissenschaftlichen." Der anderen Seite, also der glückseligen Ichvergessenheit, der Hingabe an den bewußtlosen Lebensstrom, sind nach Rychner folgende Worte zugehörig: strömen, fließen, Meer, Flut, Hades, Lethe, Wasser, Opferwein, Träne; ferner Ewigkeit, Nacht, Blut, Schlaf, Traum, Rausch, Grenzenlos (als Substantiv), Schauer, Tiefe, Glück, toxische Sphären. Auf einen zeitenthobenen Bercich der Dauer, einer Dauer freilich, die gerade in der Hingabe an den Lebensstrom gefunden werden kann, weisen nach Rychner folgende Worte hin: Ithaka, Blau, Südsee, Rose, Möwe, Traum, Nacht, Meer, Blut, Wein, Feuer, Welten, Wort und andere.

Diese Übersicht ist weder vollständig noch völlig zutreffend, und das kann sie auch nicht sein. Dem Wesen dieser Sprache ist jedes Schema unangemessen. Die Übersicht ist nicht mehr als ein Hinweis auf große Sinnzusammenhänge, die das Wortmaterial regieren, eine erste Orientierungshilfe also, und so ist sie auch von Rychner gedacht. Wer sich in das Gesamtwerk eingelesen hat, wird bald in Einzelnem sehr viel genauer sein. Weil nämlich das Wort bei Benn diesen weiten Hintergrund hat, kann er es im jeweiligen Text immer neu akzentuieren. Die Bedeutungsbreite des Wortes ist sein Spielraum, die Versicherung gegen pure Wiederholung, die Freiheit zu einem neuen Gedicht. Jedes einzelne Gedicht lebt vom Kontext des Gesamtwerkes und setzt sich zugleich von ihm ab.

Was an den tragenden Substantiven deutlich gemacht wurde, – der beschwörende, evozierende Charakter der Sprache Benns –, ließe sich auch an einzelnen Stilfiguren zeigen. Bezeichnend ist hier vor allem die Stilfigur des summarischen Überblickens, ein Arrangement, das eine große Fülle von Stoff in Form einer Aufzählung zusammenfaßt.

Komm – laß sie sinken und steigen,
die Zyklen brechen hervor:
uralte Sphinxe, Geigen
und von Babylon ein Tor,
ein Jazz vom Rio del Grande,
ein Swing und ein Gebet –
an sinkenden Feuern, vom Rande,
wo alles zu Asche verweht.

Auch hier ist jedes Wort nur Stichwort, das einen weiten Hintergrund ruft. Benn beschreibt nicht, führt nichts aus, sondern deutet an. Damit hängen andere stilistische Eigenarten zusammen: der Beziehungsreichtum der Texte, der rasche Perspektivenwechsel, das Nebeneinander des Unvereinbaren, die spielerische Freiheit gegenüber dem Stoff, die energische Subjektivität.

Stiluntersuchungen sind, zumal wenn sie die Stilfiguren als Denk- und Erlebnisformen begreifen, eine vorzügliche Schulung des Sehens. Aber ein Gesicht ist mehr als die Summe der Gesichtszüge, und wenn Benn vom „Ausdruck" spricht, so meint er eine solche unauflösbare Ganzheit: das in Erscheinung getretene Wesen, von dem man unmittelbar betroffen wird. Nachträglich kann man es analysieren, aber man muß es zuvor schon vernommen haben, dieses mächtige Pathos aggressiver Trauer, das zwischen Sehnsucht und Verzweiflung, Zynismus und Trunkenheit zu immer neuen Modulationen fähig ist, aber sie alle bindet, alle trägt, den unverwechselbaren Grundton dieses Werkes, von dessen einzelnen Manifestationen man noch sagen kann, daß sie „Bruchstücke einer großen Konfession" sind. Gottfried Benn ist gerade als Lyriker nicht der artistische Techniker, als den er sich gelegentlich gern charakterisierte. Zwar besaß er in hohem Maße Kunstverstand, Raffinesse, kritisches Bewußtsein, Sensibilität für Form und Struktur, und er war sich auch deutlich bewußt, daß durch die geistesgeschichtliche Entwicklung der moderne Künstler in die Nähe des Technikers gerückt worden ist. Aber nicht das macht Bedeutung und Eigenart seines Werkes aus. Es fasziniert vielmehr gerade durch die entschiedene Subjektivität, mit der hier gegen diese Situation noch einmal ein lyrisches Ich sich und seine großräumige Phantasiewelt entfaltet hat.

VERZEICHNIS DER GEDICHTÜBERSCHRIFTEN

VERZEICHNIS DER ANFANGSZEILEN

INHALT

GOTTFRIED BENN · GESAMMELTE WERKE

BAND I:

ESSAYS · REDEN VORTRÄGE

Horst Krüger: Die erste Sachgruppe „Essays und Aufsätze“ enthält 34 Prosatexte, unter denen sich bekannte Abhandlungen wie „Provoziertes Leben“ und „Pessimismus“, „Heinrich Mann zum 60. Geburtstag“ ebenso wie „Dorische Welt“ und „Kunst und Drittes Reich“ mit weniger bekannten Arbeiten mischen. Vor allem die Studie aus dem Nachlaß „Zum Thema Geschichte“ bringt eine bedeutende Untersuchung des Problems, das Benn zeitlebens beschäftigt hat. Die zweite Sachgruppe enthält „Reden und Vorträge“ . . .

Ein Olympier der deutschen Sprache, der trotz seiner politischen Irrtümer für die deutsche Dichtung mehr leistete, als die ganze politisch einwandfreie Dichtergeneration nach ihm. So präsentiert uns der Limes Verlag jetzt das Werk dieses Klassikers der deutschen Moderne: kein erfreuliches, kein erbauliches Werk, sondern wie alles Große ärgerlich und genial zugleich. Möge dieses Buch nicht im Routinebetrieb unseres literarischen Alltags untergehen. Es enthält geistige Energien, wie sie seit Nietzsche in deutscher Sprache nicht mehr angesammelt wurden.

BAND II:

PROSA UND SZENEN

Günther Blöcker: Und schließlich als bedeutsamster unter den nachgelassenen Prosatexten „Der Radardenker", entstanden im Herbst 1949. Man erinnert sich der Prägung aus der „Stimme hinter dem Vorhang": „Ich bin der Radardenker. Hier gibt es keine Stoffzudringlichkeiten. Ich peile an . . ." Das wird nun zu einer Art Selbstporträt ausgebaut. Wir sehen den Dichter an einem Herbsttag am Fenster sitzen: „Die Stunden funkeln, Herbst, dies Zögern, das so rührt!" Er blickt auf die Straße, offen für die Zeichen und Winke der Welt und dabei doch in die eigene Kausalität gebannt – die klassische Benn-Situation sozusagen auf Spitzweg-Format gebracht. Die Ereignisse der Umwelt, die Erdbeben der Geschichte, alle Sonderbarkeiten menschlicher Existenz, alle ungelösten Fragen umschwirren ihn. Er läßt das unbegreifliche an sich heran, ohne sich von ihm überwältigen zu lassen. „Ergriffen sein und dennoch unbeteiligt", wie es in den „Drei alten Männern" heißt. Der Mann am Fenster, der Radardenker in seinem Sessel hält in seinem Kopf einen Raum frei „für die Gebilde". „Hier konzentriert sich das Reale, modelliert sich, so entstehen die Formen", das, was jenseits der Geschichte steht.

Ein Stück großer Altersprosa, das uns das Phänomen Benn auch vom Biographischen her noch einmal anschaulich macht: der Radardenker an einem Herbsttag, in der „Epoche der Astern und der großen Spinnen".

BAND IV:

AUTOBIOGRAPHISCHE UND VERMISCHTE SCHRIFTEN

Das Register enthält die tragenden Begriffe des Bennschen Denkens, das heißt alle durch den Kontext definierten eigentlichen Sinnträger des Textzusammenhangs.

Jürgen Eyssen: Hier finden wir nun den vollständigen Text des „Lebensweges eines Intellektualisten“ aus dem Jahre 1934 und das „Doppelleben“ (BuB 1951, 3, 219), die „Antwort an die literarischen Emigranten“ und den skeptischen Rundfunkdialog „Können Dichter die Welt ändern?“. Die gefährliche Dialektik im Wesen Benns, der zwischen leidenschaftlichen Engagements und resigniert-beleidigter Abkehr von der Politik hin- und herschwankte, kann damit an den Originaldokumenten nachgelesen und überprüft werden. Wie immer man auch über sein politisches Vabanquespiel nach 1933 urteilen mag, der künstlerische Rang des Werkes wird dadurch nicht berührt. Gerade das „Doppelleben“ dürfte zusammen mit Felix Hartlaubs Tagebuchnotizen als die in ihrer unheimlichen Präzision überzeugendste Darstellung des geistig-seelischen Klimas während der letzten Jahre des „Dritten Reiches“ Bestand haben. Den Benn-Leser werden auch die Aufsätze über die verschiedensten literarischen Themen ansprechen, die viel von dem Menschen Benn verraten, der sich so oft hinter seinen Werken versteckt.

LIMES VERLAG WIESBADEN